PC Poche
Excel 2000

PC Poche

MICROSOFT®

Excel
2000

FRANCE - MICRO APPLICATION
20,22 rue des Petits-Hôtels
75010 PARIS
Tél. : (01) 53 34 20 20 - Fax : (01) 53 24 20 00
http://www.microapp.com
Support technique :
Tél. : (01) 53 34 20 46 - Fax : (01) 53 34 20 00
E-mail : info-ma@microapp.com

BELGIQUE - EASY COMPUTING
Chaussée d'Alsemberg, 610
1180 BRUXELLES
Tél. : (02) 346 52 52 - Fax : (02) 346 01 20
http://www.easycomputing.com

CANADA - MICROAPPLICATION Inc.
1650 Boulevard Lionel-Bertrand
BOISBRIAND (QUÉBEC) - J7H 1N7
Tél. : (450) 434-4350 - Fax : (450) 434-5634
http://www.microapplication.ca

SUISSE - HELVEDIF SA
19, Chemin du Champ des Filles
CH-1228 PLAN LES OUATES
Tél. : (022) 884 18 08 - Fax. : (022) 884 18 04
http://www.helvedif.ch

MAROC - CONCORDE DISTRIBUTION
8, rue Jalal Eddine Essayouti - Rés. "Le Nil"
Quartier Racine - CASABLANCA
Tél. : 239 36 65 - Fax : 239 28 45

ALGÉRIE - AL-YOUMN (Media Sud)
Bât. 23, N° 25 cité des 1 200 Logements
El khroub W/CONSTANTINE
Tél. - Fax : (04) 96 18 69
e-mail : al-youmn@aristote-centre.com

ILE DE LA RÉUNION -
ISYCOM SA SAUVEUR CACOUB
130 Ruelle Virapin
97440 SAINT ANDRE - ILE DE LA RÉUNION
Tél. : 02 62 58 41 00 - Fax : 02 62 58 42 00
Tél. : 01 48 78 12 47 - Fax : 01 40 82 92 34

AVANT-PROPOS

La collection *PC Poche* fournit des connaissances essentielles sur un sujet donné sans jamais s'éloigner de leur application pratique. Les volumes de la collection sont basés sur une structure identique :

■ Les puces introduisent une énumération ou des solutions alternatives.

1. La numération accompagne chaque étape d'une technique décrite pas à pas.

Astuce

propose conseils et trucs pratiques.

Attention

met l'accent sur un point important, souvent d'ordre technique, qu'il ne faut négliger à aucun prix.

Remarque

il s'agit d'informations supplémentaires relatives au sujet traité.

Le premier chapitre des *PC Poche* constitue une entrée en matière condensée qui vous permettra d'être rapidement productif avant de perfectionner vos connaissances dans les chapitres suivants.

Afin de faciliter la compréhension des techniques décrites, nous avons adopté les conventions typographiques suivantes :

■ **GRAS** : menu, commande, boîte de dialogue, onglet, bouton.

■ *Italique* : rubrique, zone de texte, liste déroulante, case à cocher.

■ `Courier` : touche, instruction, listing, adresse Internet, texte à saisir.

Chapitre 1   **Votre première feuille de calcul** **15**

1.1   Démarrer Excel 2000 17

1.2   Votre première feuille de calcul : suivi du budget
de construction 18

1.3   Saisie des données dans la feuille de calcul 18

1.4   Insérer des sous-totaux 23

1.5   Créer et copier des formules 24

1.6   Mise en forme automatique de la feuille de calcul 27

1.7   Utiliser le mode Plan 28

1.8   Des scénarios pour comparer différentes solutions
à un problème 30

1.9   Imprimer la feuille de calcul 33

Chapitre 2   **Les nouveautés d'Excel 2000** **35**

2.1   Installer Excel 2000 41
     Configuration requise 42
     L'installation 42

Chapitre 3   **Techniques de travail fondamentales** **45**

3.1   L'utilisation de la souris 47
     Pointer, cliquer et faire glisser 47
     Sélectionner 48

3.2   Démarrer et quitter Excel 48
     Quitter Excel 2000 50

3.3   La fenêtre Excel 51
     La fenêtre Excel 2000 52
     La fenêtre de classeur 54
     La fenêtre active 58
     Modifier la taille de la fenêtre 58
     Déplacer la fenêtre 58
     Organiser les fenêtres 59
     Afficher et masquer les fenêtres 60
     Une nouvelle fenêtre pour le même classeur 61

3.4   Les commandes Excel 61
     Les menus 62
     Les barres d'outils 63
     Les menus contextuels 64
     Les combinaisons de touches 64
     Répéter des commandes 64
     Annuler des commandes 65
     Rétablir des commandes 66

3.5   Les boîtes de dialogue 66
     Naviguer dans une boîte de dialogue 70
     La touche Entrée dans une boîte de dialogue 71
     Boîtes de dialogue avec onglets 71

3.6   Les barres d'outils et de menus 71
Personnaliser les boutons 71
Afficher et masquer des barres d'outils 74
Déplacer des barres d'outils 75
Modifier la forme des barres d'outils et de la barre de menus . 76
Personnaliser les barres d'outils 76
Créer de nouvelles barres d'outils 80
Éditer des boutons 83

Chapitre 4   **Le classeur Excel** **87**

4.1   Gestion des classeurs 89
Ouvrir un classeur 89
La boîte de dialogue Ouvrir 92
Enregistrer un classeur 98
Faciliter l'enregistrement des classeurs 99
Fermer un classeur 105

4.2   Gestion des feuilles de calcul 106
Activer une feuille de calcul 106
Activer un groupe de feuilles de calcul 107
Se déplacer dans une feuille de calcul 108
Insérer une nouvelle feuille de calcul 112
Renommer une feuille de calcul 112
Afficher/masquer des feuilles de calcul et des classeurs 113
Déplacer et copier des feuilles de calcul 114
Fractionner une feuille de calcul 115
Figer des titres dans des feuilles de calcul 118

Chapitre 5   **La feuille de calcul Excel** **119**

5.1   Structure d'une feuille de calcul Excel 121
L'adresse de cellule 122
Les types de données 122

5.2   Saisie des données dans les feuilles de calcul 124
Techniques fondamentales de saisie des données 124
Aides à la saisie 126
Saisie de données numériques et de formules 129

5.3   Édition des feuilles de calcul 130
Sélectionner des cellules et plages de cellules 130
Insérer des cellules, lignes ou colonnes vides 133
Supprimer des cellules, lignes ou colonnes 134
Supprimer des contenus de cellules 135
Copier et insérer des cellules 137
Déplacer des cellules 140

5.4   Des aides pour l'édition des feuilles de calcul 142
La fonction Recopier 142
La correction automatique 147

Chapitre 6   **Calculer avec Excel** **151**

6.1   Qu'est-ce qu'une formule ? 153
     Les opérateurs 156
     Les valeurs d'erreur 158

6.2   Références relatives, absolues et mixtes 159
     Références relatives 159
     Références absolues 159
     Références mixtes 160
     Changer le type de référence 161
     Style de référence L1C1 162
       Références relatives et absolues en style de référence L1C1 . 164
     Choisir le style de référence A1 164

6.3   Dis-moi ton nom 165
     Règles pour la définition de noms 167
     Utiliser des noms dans les formules 168
     Supprimer un nom 170
     Modifier un nom 170
     Atteindre des cellules nommées 173

6.4   Exemples pratiques avec formules et références 173
     Quelle machine est la plus intéressante ? 174
     Le bouton Somme automatique 177
     Copier des formules 178
     Lier des feuilles de calcul 184

6.5   Qu'est-ce qu'une fonction ? 187
     L'Assistant Fonction 188

6.6   Exemples pratiques avec fonctions 190
     Fonctions financières 190
     Fonctions mathématiques 194
     Fonctions statistiques 195
     Fonctions de recherche 202
     Fonctions de base de données 205

6.7   Calcul de valeur cible 208

6.8   La troisième dimension 211
     Formules 3D 212
     Noms 3D 213

Chapitre 7   **Mise en forme professionnelle** **215**

7.1   Mise en forme de cellules 217
     La barre d'outils Mise en forme 217
     La boîte de dialogue Format de cellule 218

7.2   Mise en forme de lignes 220

7.3   Mise en forme de colonnes 222

7.4   Aligner les contenus de cellules 223

7.5   Police et couleur de caractères 227

7.6   Bordures, lignes, couleurs et motifs 231

7.7 Formats de nombres 235
Les formats de nombre prédéfinis 235
Formats personnalisés 237
Excel et l'euro 240
7.8 Excel et l'an 2000 241
7.9 Les styles 243
7.10 Les modèles de documents 246

Chapitre 8 **Imprimer des feuilles de calcul** **249**

8.1 Les options d'impression 251
8.2 La mise en page 255
Onglet Papier 255
Onglet Feuille 257
Onglet Marges 260
Onglet En-tête/Pied de page 262
L'aperçu avant impression 264
Aperçu des sauts de page 267
8.3 Les sauts de page 268
Saut de page automatique 268
Saut de page manuel 268

Chapitre 9 **Représenter des données à l'aide de graphiques** . **271**

9.1 Quelques notions importantes 273
9.2 Créer des graphiques 274
Sélectionner les données 274
Créer un graphique à l'aide de l'Assistant Graphique 275
9.3 Modifier des graphiques 280
Sélectionner des objets du graphique 280
Formater des objets du graphique 281
Sélectionner le type de graphique 282
Les types de graphiques d'Excel 283
Différents types dans un même graphique 291
Axe secondaire des ordonnées ou des abscisses 292
Sélectionner les variantes de graphiques intégrées 293
Créer des types de graphiques personnalisés 294
Définir le type de graphique par défaut 296
Ajouter la table des données dans le graphique 296
Modifier les valeurs du graphique 297
Supprimer des éléments du graphique 298
Graphiques 3D 298
Agrandir et déplacer des éléments du graphique 301
Paramètres par défaut 302
9.4 Quelle est la tendance ? 304
Régression et tendance 305
Ajouter une courbe de tendance à une série de données . . . 306
Exemple : évolution de la population mondiale 307

9.5 Visualiser des données sur des cartes géographiques 309
Créer une carte 309
Mise en forme de la carte 313

Chapitre 10   Tableaux et graphiques croisés dynamiques 317

10.1 L'Assistant Tableau croisé dynamique 319
Créer un tableau croisé dynamique 320
Réorganiser un tableau croisé dynamique 326
Définir des fonctions pour la synthèse des données 327
Afficher les détails 328
Mise à jour des données 329
Insérer de nouvelles données dans le tableau croisé
dynamique 329
Supprimer un tableau croisé dynamique 331
Mise en forme d'un tableau croisé dynamique 331

10.2 Les nouveaux graphiques croisés dynamiques 332
Mise en forme d'un graphique croisé dynamique 333
Réorganiser un graphique croisé dynamique 336

Chapitre 11   Gestion de données sous forme de listes 337

11.1 Travailler avec des listes de données 339
Saisir des données à l'aide de la grille 339
Rechercher des enregistrements à l'aide de la grille 342
Formuler des critères de recherche 342
Modifier et supprimer des enregistrements à l'aide de la grille . 344

11.2 Trier des listes 344
Trier une liste par lignes 345
Règles et ordre de tri 346
Ordre de tri personnalisé 347
Trier les listes par colonnes 349
Annuler un tri 350

11.3 Des filtres automatiques pour sélectionner des données . . 351
Créer un filtre automatique personnalisé 352
Supprimer un filtre 355

11.4 Des filtres élaborés pour des recherches complexes 356
Des filtres élaborés avec des critères calculés 363

Chapitre 12   Échange de données 365

12.1 ODBC : connexion avec des bases de données étrangères . 367
Travailler avec des sources de données ODBC 369

12.2 Cubes OLAP 371
Créer une requête de base de données pour un cube OLAP . . 372
Créer un cube OLAP 373

12.3 Importation de fichiers ASCII 377
Importer un fichier ASCII avec l'Assistant Importation
de texte 378
Importation dynamique de texte 381

Chapitre 13 **Excel et l'intranet** **383**

13.1 Intranet et serveur intranet 385
13.2 Excel découvre l'intranet 387
13.3 Publication sur l'intranet 388
13.4 Structurer la communication avec Excel sur l'intranet 394
13.5 Calculer sur l'intranet 399

Chapitre 14 **Partager des classeurs** **401**

14.1 Partager un classeur 403
14.2 Partager un dossier 404
14.3 Partager un dossier pour le Web 405
14.4 Ouvrir un classeur partagé 407
14.5 Suivre les modifications 408
14.6 Accepter ou rejeter les modifications dans le classeur 411
14.7 Commentaires 412

Chapitre 15 **Excel et Internet** **417**

15.1 Connexion 420
15.2 Excel 2000 et le format HTML 421
  HTML en tant que format standard d'Excel 422
15.3 La barre d'outils Web intégrée 422
15.4 D'Excel vers le Web et du Web vers Excel 424
  Glisser-déplacer pour récupérer des données sur le Web ... 425
  Transférer des données d'Excel sur le Web 426
15.5 Les composants Office pour le Web 429
  Le composant feuille de calcul 431
  Le composant graphique 433
  Le composant tableau croisé dynamique 435
15.6 Lier des documents par des liens hypertextes 435
15.7 Requêtes Web avec Excel 437
  Exécuter une requête Web 439

Chapitre 16 **Programmer Excel avec VBA** **443**

16.1 L'environnement de développement de programmes VBA . 445
16.2 Votre premier programme 446
  Créer un module 446
  Affecter une macro à un bouton 449
16.3 Structure d'un module VBA 451
  Section de déclaration (au niveau module) 452
  Section de procédures d'un module 453
  Les structures de contrôle de VBA 455

16.4 Événements et objets : un concept orienté objet 458
Objets, classes et conteneurs 458
Méthodes et propriétés 459
Associer une procédure VBA avec un bouton d'une barre
d'outils 464
16.5 Comment créer vos propres classes d'objets 465
Propriétés et méthodes de la nouvelle classe 467
Utiliser la nouvelle classe 469
16.6 Enregistrer des modules VBA avec l'enregistreur de macro . 471
16.7 Le Gestionnaire de macros complémentaires 473
16.8 Dialoguer avec Excel : les boîtes de dialogue 474
Créer une boîte de dialogue 475
Initialiser et activer le formulaire 479
Transcrire les données de la boîte de dialogue dans la feuille
de calcul 479
Saisir des dates avec le contrôle Calendrier 483

Chapitre 17 **Exemples pratiques** **485**
17.1 Biorythme 487
17.2 Le solveur 489
17.3 Un problème de gestion 495
17.4 Simulation avec Excel 500
17.5 Théorie du chaos dans la feuille de calcul 506

Chapitre 18 **Personnaliser Excel** **511**
18.1 Passage à Excel 2000 513
18.2 Les options avec lesquelles vous pouvez "jouer" 519
L'onglet Général 519
L'onglet Affichage 521
18.3 Résoudre les menus problèmes 523

Chapitre 19 **Index** **527**

Chapitre 1

Votre première feuille de calcul

1.1	Démarrer Excel 2000	17
1.2	Votre première feuille de calcul : suivi du budget de construction	18
1.3	Saisie des données dans la feuille de calcul	18
1.4	Insérer des sous-totaux	23
1.5	Créer et copier des formules	24
1.6	Mise en forme automatique de la feuille de calcul	27
1.7	Utiliser le mode Plan	28

1.8 Des scénarios pour comparer différentes solutions à un problème .. 30

1.9 Imprimer la feuille de calcul 33

Pour apprendre à nager, il faut se jeter à l'eau. En vertu de ce principe, nous commençons cet ouvrage par un exercice pratique qui vous montre comment résoudre un type de problème que vous rencontrerez fréquemment et qui vous fera découvrir, en même temps, les principales techniques de travail d'Excel 2000.

Vous ferez ainsi connaissance, dès le départ, avec les éléments les plus importants d'Excel 2000 et vous serez très vite en mesure d'utiliser efficacement la nouvelle version de ce programme.

Il s'agit de concevoir un tableau permettant un suivi des dépenses engagées lors de la construction d'une maison. Vous disposez, pour votre projet, d'un budget que vous ne devez normalement pas dépasser. Ce type de problème se pose fréquemment, aussi bien dans le domaine privé que professionnel.

1.1 Démarrer Excel 2000

Il vous faut tout d'abord démarrer Excel 2000 :

1. Cliquez sur le bouton **Démarrer** afin d'ouvrir le menu correspondant.

2. Amenez le pointeur de la souris sur la commande **Programmes**. Inutile de cliquer, le sous-menu correspondant s'ouvre automatiquement.

3. Si Excel 2000 se trouve dans le sous-menu **Programmes**, cliquez sur la commande **Microsoft Excel** afin de lancer le programme.

4. Si Excel 2000 se trouve dans un autre sous-menu de **Programmes**, par exemple dans le sous-menu **Microsoft Office**, amenez le pointeur de la souris sur la commande correspondante afin d'ouvrir ce sous-menu à son tour. Cliquez ensuite sur **Microsoft Excel**. Un classeur Excel 2000 avec trois feuilles de calcul est à votre disposition à l'issue du chargement du programme.

1.2   Votre première feuille de calcul : suivi du budget de construction

En tant que maître d'ouvrage de votre future construction, vous avez probablement défini un budget pour les différents éléments constitutifs de votre projet et vous avez également prévu leur financement.

Au fur et à mesure de la réalisation du projet, les détails des dépenses se précisent et le budget s'affine. Il déviera plus ou moins par rapport aux prévisions initiales, en fonction des devis détaillés qui vous parviennent et des modifications que vous apportez au projet. Le cadre financier initialement prévu ne doit cependant pas être dépassé, et vous serez éventuellement amené à réduire certains coûts.

Pour éviter que le coût global de votre construction ne dérape, il convient de surveiller rigoureusement l'ensemble des dépenses. Excel 2000 est l'outil qui vous permettra de réaliser efficacement ce suivi.

Une feuille de calcul Excel permettra de mettre en correspondance les dépenses initialement prévues avec celles qui ont déjà été effectuées ou qui sont connues d'avance en raison des devis déjà obtenus. Il sera ainsi possible de mettre en évidence les variations par rapport aux prévisions initiales.

Pour déterminer le meilleur moyen de faire des économies, si le coût du projet venait à dépasser vos possibilités de financement, différents scénarios pourraient être envisagés à partir de cette feuille de calcul. Vous pourrez ainsi décider en connaissance de cause s'il vaut mieux réduire les frais sur les finitions intérieures ou sur l'aménagement paysager, par exemple.

1.3   Saisie des données dans la feuille de calcul

À l'issue du démarrage d'Excel, vous disposez de trois feuilles de calcul vides pour saisir vos données. Préparez la première de ces feuilles en tapant les titres de colonnes sur la première ligne, dans les colonnes A à E : **Catégorie**, **Budget**, etc. Entrez ensuite, dans la colonne A, les différentes catégories de dépenses et, dans la colonne B, les montants correspondants.

Saisir des données dans une feuille de calcul

1. Cliquez sur la cellule dans laquelle les données doivent être saisies afin d'activer la cellule en question. La cellule active est entourée d'une bordure épaisse, appelée pointeur de cellule.

2. Tapez les données au clavier. Les caractères que vous tapez apparaissent directement dans la cellule, mais également dans la barre de formule où s'affichent par ailleurs également les boutons **Annuler** et **Entrée**.

3. Terminez la saisie en appuyant sur la touche **Entrée** ou en cliquant sur le bouton du même nom représenté ci-contre.

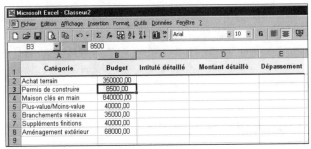

▲ Fig. 1.1 : *Les premières donné es ont été saisies dans la feuille de calcul*

Remarque

Mises en forme

Les feuilles de calcul de ces illustrations ont déjà fait l'objet d'une première mise en forme afin de bien mettre en évidence les différents éléments. Ne vous inquiétez pas si vous ne savez pas reproduire cette mise en forme pour le moment. Un chapitre entier est consacré à ce sujet, et vous y apprendrez tout ce qu'il est utile de savoir. Les exercices que nous décrivons ici peuvent également être réalisés avec une feuille de calcul brute, sans mise en forme.

Lorsque vous cliquez sur une cellule, les en-têtes de ligne et de colonne correspondants sont représentés en gras. Dans la zone *Nom*, vous pouvez en outre lire le nom de la cellule. Il se compose du nom de la colonne et du numéro de ligne. C'est un moyen de contrôler que vous vous trouvez effectivement dans la cellule souhaitée. Tant que le point d'insertion clignote dans la cellule et que vous n'avez pas encore validé la saisie, vous pouvez effectuer des corrections à l'aide des touches **Suppr** ou **Retour arrière**.

X La saisie peut être annulée en cliquant sur le bouton **Annuler** qui se trouve dans la barre de formule.

Si vous souhaitez modifier le contenu de la cellule alors que la saisie a déjà été validée, double-cliquez dans la cellule. Le point d'insertion y devient à nouveau visible, et vous pouvez effectuer les corrections souhaitées. Si le contenu de la cellule doit être supprimé, appuyez simplement sur la touche **Suppr**.

Au fur et à mesure que le projet avance et se précise, vous pouvez affiner le tableau. Vous devez donc compléter la feuille de calcul. La colonne C est prévue pour détailler les différentes catégories et la colonne D pour recevoir les montants correspondant à ces détails. Pour saisir ces données, il convient d'ajouter de nouvelles lignes dans la feuille de calcul.

Insérer de nouvelles lignes dans un tableau

1. Sélectionnez la ligne au-dessus de laquelle une nouvelle ligne vide doit être insérée. Cliquez à cet effet sur l'en-tête de ligne correspondant (voir fig. 1.2).

2. Choisissez la commande **Insertion/Lignes**. Une nouvelle ligne vide s'ajoute au-dessus de la ligne sélectionnée.

3. Complétez ensuite la feuille de calcul en saisissant le détail des dépenses.

Vous pouvez également effectuer la saisie des données à l'aide de la grille. Les nouvelles données sont toujours ajoutées à la fin du tableau.

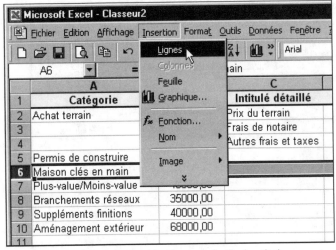

▲ Fig. 1.2 : *Insertion de lignes vides dans une feuille de calcul*

Saisir des données à l'aide de la grille

1. Sélectionnez n'importe quelle cellule à l'intérieur de la plage de données (voir fig. 1.3).

2. Choisissez la commande **Données/Grille**. Excel ouvre alors une boîte de dialogue dont les zones de saisie correspondent aux titres de votre tableau.

3. Cliquez dans cette boîte de dialogue sur le bouton **Nouvelle** pour saisir une nouvelle ligne. La grille vous propose alors des zones de saisie vierges.

4. Le point d'insertion clignote normalement dans la première zone de saisie. Vous pouvez donc y taper des données.

5. Pour passer au champ suivant, utilisez la touche **Tab** ou cliquez sur la zone de saisie correspondante.

6. Pour ajouter une ligne supplémentaire, cliquez sur le bouton **Nouvelle** ou appuyez sur la touche **Entrée**.

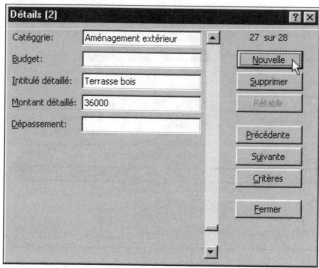

▲ Fig. 1.3 : *Saisie de données à l'aide de la grille*

7. Cliquez sur le bouton **Fermer** pour refermer la grille.

Remarque

Plage de données

On appelle plage de données la zone de la feuille de calcul qui contient les données et qui est délimitée par des lignes ou des colonnes vierges ou par les en-tê tes de lignes et de colonnes. Dans l'exemple ci-dessus, la plage de cellules A1:E29 est une plage de données. Une plage de cellules est identifiée par les adresses des deux cellules formant les angles supérieur gauche et inférieur droit, ces adresses étant séparées par un deux-points. Excel reconnaît automatiquement une plage de données si une cellule de cette plage est active et il sait aussi dans quelle ligne ajouter les nouvelles données, si vous travaillez avec la grille.

Renvoi

Vous trouverez davantage d'informations sur les listes au chapitre intitulé *Gestion de données sous forme de listes*.

1.4 Insérer des sous-totaux

Après avoir saisi les données disponibles dans la feuille de calcul, vous souhaitez peut-être vous faire une idée des différentes dépenses déjà effectuées ou prévues et les comparer avec vos prévisions initiales. Pour cela, vous devez ajouter quelques sommes intermédiaires dans la feuille de calcul.

Insérer des sous-totaux dans la feuille de calcul

1. Sélectionnez une cellule quelconque dans la plage de données.

2. Choisissez la commande **Données/Sous-totaux**. Excel ouvre la boîte de dialogue correspondante.

3. Les sous-totaux doivent être déterminés pour les différentes catégories de dépenses. Sélectionnez par conséquent l'option *Catégorie* dans la liste déroulante *À chaque changement de*.

4. Les différents montants doivent être additionnés. Sélectionnez donc l'option *Somme* dans la liste déroulante *Utiliser la fonction*.

5. Les sous-totaux doivent être calculés pour les colonnes Budget et Montant détaillé. Activez par conséquent les cases à cocher correspondant à ces colonnes dans la zone de liste *Ajouter un sous-total à*.

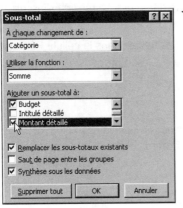

◄ Fig. 1.4 :
Définition de sous-totaux

6. Cliquez ensuite sur le bouton OK. Les sommes intermédiaires sont alors calculées dans les colonnes Budget et Montant détaillé de votre feuille de calcul.

		A	B	C	D	E
	20	Branchements réseaux	35 000,00	EDF	12 600,00	
	21	Branchements réseaux		Eau et assainissement	23 400,00	
	22	Branchements réseaux		Téléphone	300,00	
	23	**Somme Branchements réseaux**	**35 000,00**		**36 300,00**	
	24	Suppléments finitions	40 000,00	Portes	34 000,00	
	25	Suppléments finitions		Montage portes	7 200,00	
	26	Suppléments finitions		Suppl. faïences	9 600,00	
	27	Suppléments finitions		Suppl. sanitaire	13 200,00	
	28	Suppléments finitions		Poutres appar. salon	7 200,00	
	29	**Somme Suppléments finitions**	**40 000,00**		**71 200,00**	
	30	Aménagement extérieur	68 000,00	Porte garage	4 600,00	
	31	Aménagement extérieur		Clôture	31 000,00	
	32	Aménagement extérieur		Mur soutènement jardin	14 000,00	
	33	Aménagement extérieur		Escalier pierre	18 700,00	
	34	Aménagement extérieur		Terrasse bois	36 000,00	
	35	Aménagement extérieur		Béton minéral	2 500,00	
	36	**Somme Aménagement extérieur**	**68 000,00**		**106 800,00**	
	37	**Total**	**1 381 500,00**		**1 419 300,00**	

D36 = SOUS.TOTAL(9;D30:D35)

▲ Fig. 1.5 : *Les sous-totaux apparaissent sur la feuille de calcul*

1.5   Créer et copier des formules

Pour comparer les données courantes avec les prévisions initiales, vous devez déterminer, pour chaque catégorie, la différence entre les montants inscrits dans la colonne Budget et ceux de la colonne Montant détaillé. Pour chaque ligne contenant un sous-total, nous créons à cet effet une formule qui calcule cette différence. Le résultat s'inscrira pour chaque catégorie dans la colonne Dépassement.

Le premier résultat du calcul devra figurer dans la cellule E5 puisqu'il s'agira de la catégorie Achat terrain. C'est donc dans cette cellule que la formule devra être écrite.

Créer une formule

Une formule commence toujours par un signe d'égalité (=). Ce signe est suivi de l'opération de calcul proprement dite. Dans notre exemple, il s'agit de retirer de la cellule B5 le contenu de D5. La formule sera donc la suivante :

=D5-B5

Vous pouvez la saisir intégralement au clavier. Vous pouvez cependant aussi vous faire aider par Excel en inscrivant les références à l'aide de la souris.

Rédiger une formule

1. Sélectionnez la cellule E5.

2. Tapez le signe d'égalité.

3. Cliquez avec la souris sur la cellule D5. Elle s'entoure d'un cadre animé en pointillé, et la référence D5 s'inscrit dans la cellule E5.

4. Tapez le signe - puis cliquez sur la cellule B5.

▲ **Fig. 1.6** : *Saisie d'une formule à l'aide du clavier et de la souris*

5. Validez la saisie avec la touche **Entrée**. Le résultat s'inscrit dans la cellule, en l'occurrence -28 000. Le montant calculé étant un nombre négatif, il n'y a donc pas dépassement du budget initial. L'achat du terrain a finalement coûté moins que prévu.

Copier des formules

Lorsqu'une formule a été créée, elle peut être utilisée pour toutes les cellules dans lesquelles le même calcul doit être effectué. Il suffit pour cela de la recopier. Excel adapte automatiquement les références. Dans la cellule E8, par exemple, nous souhaitons voir figurer l'écart pour la catégorie de dépenses Permis de construire. La formule doit donc être la suivante : **=D8-B8**. Lorsque les références sont adaptées automatiquement par Excel lors de la copie, on parle de références relatives.

Copier une formule

1. Sélectionnez la cellule contenant la formule créée précédemment, en l'occurrence E5.

2. Choisissez la commande **Édition/Copier**. La cellule E5 est alors entourée d'une bordure animée.

3. En tenant la touche **Ctrl** enfoncée, cliquez successivement dans toutes les cellules de la colonne E dans lesquelles vous voulez calculer des différences de coût. Il s'agit des cellules E8, E10, E19, E23, E29, E36 et E37.

4. Choisissez à présent la commande **Édition/Collage spécial**. La boîte de dialogue de même nom s'affiche.

5. Sélectionnez l'option *Formules* dans la rubrique *Coller* et cliquez sur OK. La formule est ainsi collée dans toutes les cellules sélectionnées, les références étant automatiquement adaptées.

◀ Fig. 1.7 :
Copie d'une formule dans plusieurs cellules en adaptant les références

6. La cellule E5 reste entourée de sa bordure animée. Cela montre que son contenu se trouve encore dans le Presse-papiers. Pour faire disparaître la bordure et effacer le contenu du Presse-papiers, appuyez simplement sur la touche **Échap**.

Vous trouverez d'autres informations sur la création de références dans les feuilles de calcul au chapitre *Calculer avec Excel*.

1.6 Mise en forme automatique de la feuille de calcul

Le moment est venu de penser à la présentation de notre feuille de calcul. Le but est d'améliorer la lisibilité des données. La méthode la plus rapide est la mise en forme à l'aide des formats automatiques d'Excel 2000.

Mise en forme automatique d'une feuille de calcul

1. Sélectionnez une cellule quelconque de la plage de données.

2. Choisissez la commande **Format/Mise en forme automatique**.

3. La boîte de dialogue **Format automatique** s'affiche.

4. Sélectionnez-y le format qui convient le mieux à la feuille de calcul en cliquant dessus avec la souris. Pour notre exemple, nous utilisons le format *Liste 2*.

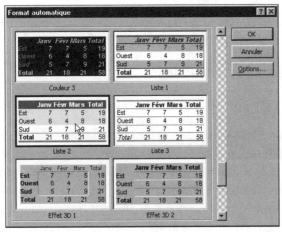

▲ Fig. 1.8 : *Choix d'un format automatique*

5. Validez votre choix avec OK.

Le format sélectionné est alors appliqué à votre feuille de calcul. Le résultat est reproduit sur la figure suivante.

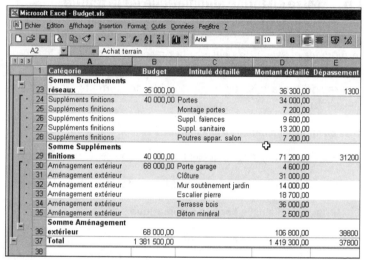

▲ Fig. 1.9 : *Un format automatique a été appliqué à la feuille de calcul*

Renvoi

Le chapitre *Mise en forme professionnelle* est entièrement consacré à la mise en forme des feuilles de calcul.

1.7 Utiliser le mode Plan

En quelques minutes seulement, vous avez déjà réalisé pas mal de choses avec Excel. Vous disposez d'une feuille de calcul achevée, permettant de comparer votre budget initial avec les dépenses effectives réalisées ou prévues. Vous savez ainsi en permanence si votre projet de construction se situe encore dans les limites que vous vous étiez fixées.

Observez votre feuille de calcul de plus près. À gauche, sur la même hauteur que les en-têtes de colonnes, se trouvent trois petits boutons marqués avec les chiffres **1**, **2** et **3**. Dans cette même partie gauche de la feuille de calcul se trouvent également de petits boutons portant le signe **-** ou **+**. Ce sont les symboles du mode Plan, qui a été activé automatiquement lorsque vous avez ajouté des sous-totaux à votre tableau.

Ces symboles du mode Plan permettent de modifier la feuille de calcul en un tournemain, de manière que seuls les niveaux souhaités restent visibles.

Utiliser le mode Plan

1. Si vous souhaitez limiter l'affichage à la comparaison du budget global avec le total des dépenses effectuées ou prévues, cliquez sur le petit bouton **1**.

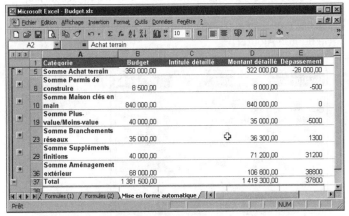

▲ Fig. 1.10 : *Le mode Plan permet de représenter uniquement les sous-totaux et le total général*

2. Pour obtenir en plus l'affichage des sous-totaux comme sur l'illustration ci-dessus, cliquez sur le bouton **2**.

3. Pour afficher l'intégralité des données, cliquez sur le bouton **3**.

1.8   Des scénarios pour comparer différentes solutions à un problème

Si vous avez bien étudié votre tableau, notamment les résultats fournis par les sous-totaux, vous avez constaté que vous dépassez assez largement votre budget initial. Vous devez donc réduire les dépenses. Mais comment ?

Grâce au Gestionnaire de scénarios, Excel vous permet d'étudier différents moyens de réaliser des économies, sans que vous soyez obligé de créer chaque fois une nouvelle feuille de calcul.

Travailler avec le Gestionnaire de scénarios

1. Choisissez la commande **Outils/Gestionnaire de scénarios**.

2. La boîte de dialogue **Gestionnaire de scénarios** s'affiche. Cliquez sur le bouton **Ajouter**.

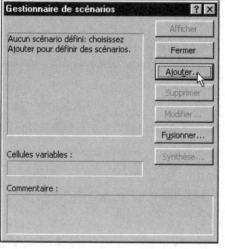

◄ Fig. 1.11 :
*La boîte de
dialogue
Gestionnaire de
scénarios*

3. La boîte de dialogue **Ajouter un scénario** s'affiche à son tour. Tapez un nom dans la zone de saisie *Nom du scénario*, par exemple

`Variante 1 (aménagement intérieur)`, si vous voulez étudier une option dans laquelle vous réduisez les coûts des aménagements intérieurs de votre construction.

4. La deuxième zone de saisie est destinée aux références des cellules variables. Dans l'exemple, ce sont toutes celles qui entrent en ligne de compte pour la variante envisagée. Pour saisir ces références, cliquez d'abord dans la zone de saisie puis, tout en tenant la touche **Ctrl** enfoncée, cliquez sur toutes les cellules dont les valeurs sont susceptibles de varier. Si cette zone contient une référence que vous ne souhaitez pas conserver, effacez-la en appuyant plusieurs fois de suite sur la touche **Retour arrière**. Cliquez sur OK lorsque toutes les cellules variables sont listées.

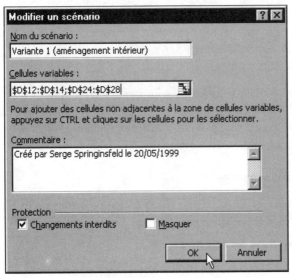

▲ **Fig. 1.12** : *Modification d'un nouveau scénario*

5. La boîte de dialogue **Valeurs de scénarios** s'affiche. Saisissez-y les nouvelles valeurs que vous souhaitez tester pour les cellules variables. Cliquez ensuite sur OK.

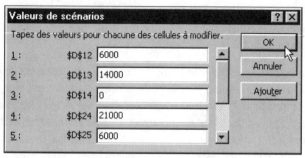

▲ Fig. 1.13 : *Indication des nouvelles valeurs pour les cellules variables*

6. Ajoutez de la même manière tous les scénarios envisageables. Vous pourriez par exemple essayer aussi de réaliser des économies sur les aménagements extérieurs. Il est également judicieux de créer un scénario correspondant à la situation initiale, que vous pourriez intituler par exemple Dépassement. Commencez toujours par ce scénario, cela vous évite de saisir les valeurs à la main puisqu'elles sont toujours proposées par défaut.

7. Lorsque plusieurs scénarios sont ainsi définis, vous pouvez en sélectionner un dans la boîte de dialogue **Gestionnaire de scénarios** et cliquer sur le bouton **Afficher** pour étudier la variante correspondante.

Synthèse des scénarios

Pour mieux analyser les résultats des différents scénarios, il convient de les comparer directement entre eux, si possible dans un même tableau.

Créer une synthèse des scénarios

1. Choisissez la commande **Outils/Gestionnaire de scénarios**.

2. La boîte de dialogue **Gestionnaire de scénarios** s'affiche. Cliquez sur le bouton **Synthèse**.

3. La boîte de dialogue **Synthèse de scénarios** s'affiche. Vous avez le choix entre les deux options *Synthèse de scénarios* et *Tableau croisé* *dynamique*. Dans la zone de saisie *Cellules résultantes*, vous devez indiquer quelles cellules de la feuille de calcul doivent figurer dans la synthèse. Dans notre exemple, nous avons choisi les cellules B37, D37 et E37, qui correspondent respectivement au total du budget initial, des dépenses effectivement réalisées ou prévues et au calcul de la différence entre les deux premières valeurs.

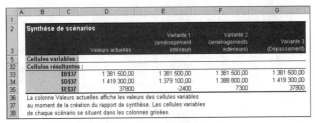

▲ Fig. 1.14 : *Le rapport de synthèse des scénarios*

1.9 Imprimer la feuille de calcul

Comment imprimer les données ? C'est très simple : cliquez sur le bouton **Imprimer**. Pour contrôler la mise en page avant l'impression, activez le mode Aperçu avant impression.

1. Cliquez sur le bouton **Aperçu avant impression**.

2. Dans la fenêtre du mode Aperçu avant impression, vous pouvez contrôler la disposition de votre tableau sur la page imprimée. Si elle vous convient, cliquez sur le bouton **Imprimer**. La boîte de dialogue **Imprimer** s'affiche.

3. Cliquez sur le bouton OK pour lancer l'impression.

Renvoi

L'impression des feuilles de calcul est traitée en détail dans un chapitre spécifique intitulé ***Imprimer des feuilles de calcul***.

Chapitre 2

Les nouveautés
d'Excel 2000

2.1   Installer Excel 2000 41

Intégration d'Internet

■ Les différentes applications du nouvel Office 2000 et, plus particulièrement, le nouvel Excel 2000 sont entièrement placés sous le signe de l'environnement réseau. Les principales nouveautés d'Excel sont à chercher dans le domaine du travail dans le réseau intranet de l'entreprise. Excel 2000 est devenu un outil efficace de création collective de documents dans le cadre de l'intranet.

■ À partir d'Excel 2000, chaque collaborateur a la possibilité d'accéder aisément aux ensembles de données disponibles sur l'intranet de l'entreprise et de travailler en commun sur ces données.

Nouveaux composants Web

Grâce à une série de nouveaux outils et techniques mis à disposition par les composants Web d'Office, l'utilisateur a la possibilité d'accéder à des feuilles de calcul Excel à partir du navigateur Web, même si Excel n'est pas disponible en tant que serveur Web. Les nouveaux composants Web suivants sont à présent disponibles :

■ Les composants de feuille de calcul mettent à disposition les possibilités fondamentales d'une feuille de calcul, même sur le Web. Cela signifie que des opérations habituelles effectuées à l'aide de formules Excel peuvent être exécutées également dans le navigateur Web.

■ Les composants de graphique transfèrent sur des pages Web les fonctionnalités habituelles des graphiques Excel. Les graphiques sont liés de manière dynamique avec les données sous-jacentes.

■ Les composants de tableau croisé dynamique mettent à disposition dans le navigateur Web les possibilités offertes habituellement par les tableaux croisés dynamiques en ce qui concerne l'analyse et la représentation des données.

Possibilités améliorées de création et de publication de pages Web

■ Le format HTML peut maintenant devenir le format par défaut, ce qui simplifie le travail avec les données des feuilles de calcul Excel dans les navigateurs Web. Le format HTML peut également être utilisé comme format pour le Presse-papiers.

- Des modifications sont parfois nécessaires après la conversion au format HTML. Elles se font très facilement avec Excel 2000 car tous les éléments composant le fichier original sont conservés et disponibles dans leur état initial à l'ouverture du fichier, y compris les mises en forme complexes et les formats de graphique.

- Le format HTML étant devenu un format de fichier à part entière, Excel 2000 est capable de charger et d'enregistrer directement des fichiers HTML.

- Vous pouvez transmettre directement à un serveur Web une feuille de calcul ou un classeur Excel au format HTML.

- Le mécanisme du glisser-déplacer est à présent possible avec les contenus de feuilles de calcul issues du navigateur Web, ce qui constitue une possibilité de transfert de données simple entre le Web et Excel.

- Excel permet d'obtenir un aperçu du document en cours en tant que page Web.

- Des documents HTML créés avec Excel peuvent être édités aisément avec d'autres applications Office.

- Dossier Web : vous pouvez utiliser la fonctionnalité Dossier Web pour gérer les fichiers que vous enregistrez sur un serveur Web ou pour publier des données Excel sur le Web. Cette fonctionnalité exige que les extensions serveur de Microsoft Office soient installées sur le serveur Web.

Nouveaux outils d'analyse

- Excel 2000 a amélioré les tableaux croisés dynamiques de bien des manières. Il convient tout d'abord de mentionner les progrès effectués au niveau de l'interface utilisateur des tableaux croisés dynamiques dont les performances peuvent ainsi être mieux exploitées.

- Les tableaux croisés dynamiques peuvent à présent être mis en forme automatiquement. Cela devient un jeu d'enfant de créer des rapports de qualité professionnelle à partir de tableaux croisés dynamiques.

- Les graphiques croisés liés aux contenus de tableaux croisés dynamiques sont une nouveauté d'Excel 2000. Ils constituent un nouveau moyen d'analyse et de visualisation des données. Les graphiques croisés peuvent être réorganisés de manière interactive, tout comme les tableaux croisés dynamiques. Vous pouvez ainsi présenter sous différents aspects un même ensemble de données.

Accès amélioré aux bases de données et efficacité accrue dans le travail avec les gros volumes de données

- Excel est de plus en plus souvent employé dans le domaine professionnel pour la gestion des données de l'entreprise. Excel 2000 prend en charge le modèle client/serveur et l'accès aux données via un serveur.

- Les requêtes de base de données peuvent à présent être effectuées directement à partir d'Excel, sans définition préalable dans MS Query.

- L'accès aux données Internet est facilité grâce à une requête Web améliorée. Les feuilles de calcul contenant des requêtes Web peuvent être mises à jour automatiquement.

- Grâce à la nouvelle technologie OLAP, il est possible d'exécuter des requêtes de base de données à partir des fonds de données tels que l'on en trouve normalement dans les entreprises, en se basant sur des données synthétisées et hiérarchiquement structurées.

Amélioration de la productivité

- Le but de toute entreprise est de produire davantage en moins de temps. Excel 2000 contient une série d'améliorations allant dans ce sens. Une des nouveautés est le Presse-papiers Office, que vous pouvez utiliser pour rassembler des objets dans diverses applications, y compris dans le navigateur Web, ces objets pouvant ensuite être collés à la position souhaitée. Ce Presse-papiers peut contenir jusqu'à douze objets différents.

- Utilisation de plusieurs langues : vous pouvez saisir, afficher et éditer du texte dans toutes les langues prises en charge par Office 2000.

- La langue de l'interface utilisateur peut être changée aisément dans Excel 2000.

- Prise en charge Unicode : Excel 2000, de même que toutes les applications Office 2000, prend en charge Unicode, afin de simplifier la création de documents en plusieurs langues. Vous pouvez saisir et afficher du texte dans chacune des langues prises en charge.

- Recopie automatique de listes : Excel 2000 complète automatiquement les mises en forme et formules dans les listes. Cela constitue une simplification considérable dans le travail avec les listes.

- Sélection par transparence : lorsque vous sélectionnez une cellule contenant un texte en couleur, la couleur est reproduite fidèlement, et non plus en inversion vidéo.

- Des diagonales peuvent être tracées dans des cellules.

Graphiques améliorés

- Unités d'axes : lorsque le graphique représente de très grandes valeurs, vous pouvez améliorer la lisibilité en modifiant l'affichage des unités sur les axes. Si les valeurs représentées sur le graphique se situent par exemple entre 1 000 000 et 50 000 000, vous pouvez utiliser les valeurs 1 à 50 pour la graduation des axes et préciser, dans une étiquette, que ces valeurs correspondent à des millions.

- Graphiques croisés : la fonctionnalité des tableaux croisés dynamiques a été étendue aux graphiques. Les graphiques croisés sont interactifs et possèdent des boutons de contrôle permettant d'afficher ou de masquer des éléments du graphique. Les utilisateurs disposent ainsi de possibilités supplémentaires pour représenter les données.

Possibilité d'importation de texte avec mise à jour

■ Il est souvent nécessaire d'importer dans Excel des informations disponibles au format texte (*.txt*). L'importation de ces données était un procédé statique jusqu'à présent. À chaque modification des données sources, il fallait les importer à nouveau, les mises en forme existantes étant alors perdues. Excel 2000 offre maintenant la possibilité d'une mise à jour dynamique des données de type texte avec conservation des mises en forme existantes.

L'an 2000

■ Excel 2000 est paré pour l'an 2000. Pour peu que les années soient saisies et stockées au format long (1999 au lieu de 99), le passage à l'an 2000 s'effectuera correctement. Si Excel est amené à travailler avec des dates au format court, des stratégies diverses permettent de s'assurer que ces données seront également interprétées correctement.

L'euro

■ Excel 2000 prend en charge la nouvelle monnaie européenne et connaît aussi bien son symbole que son code ISO (EUR).

Nouvelle version de VBA

■ La version VBA d'Excel 2000 porte le numéro 6.0. Le langage a été complété par quelques nouvelles fonctions, notamment des fonctions de chaîne de caractères et de nouvelles fonctions de mise en forme.

■ Pour améliorer la sécurité des utilisateurs, les développeurs peuvent signer leurs modules VBA et identifier ainsi l'auteur tout en garantissant que ces macros sont indemnes de virus.

2.1 Installer Excel 2000

Pour un travail efficace avec Excel 2000, vous devez d'abord installer le programme correctement. Cette opération s'effectue très facilement ; pour peu que les conditions matérielles et logicielles requises soient remplies, le programme d'installation se charge quasiment de tout le reste. La formule magique est "Plug & Play", autrement dit "branchez et allez-y". En clair, cela signifie que la configuration de votre ordinateur sera reconnue automatiquement. Le programme d'installation détecte les composants matériels et les configure. Les erreurs de configuration sont quasiment exclues.

Configuration requise

Pour travailler avec Excel 2000, vous devez vous assurer que la configuration minimale est disponible, aussi bien du point de vue matériel que logiciel. Le programme peut fonctionner sur tout ordinateur moderne de type Pentium ou supérieur. Les exigences matérielles et logicielles ci-après doivent en outre être satisfaites :

- Windows 95/98 ou Windows NT ;
- au minimum 32 Mo de mémoire vive, de préférence 64 Mo ou davantage ;
- lecteur de CD-Rom ;
- 100 Mo d'espace disque libre pour une installation par défaut ;
- carte graphique VGA ou supérieure (Super VGA avec 256 couleurs recommandé) ;
- souris.

L'installation

Le déroulement de l'installation variera quelque peu selon que vous installez Excel en tant que programme indépendant ou en relation avec le paquet Office 2000, ainsi qu'en fonction du mode et de la source d'installation. Normalement, vous procéderez cependant de la manière suivante.

Installer Excel 2000

1. Démarrez le programme d'installation en choisissant la commande **Démarrer/Paramètres/Panneau de configuration**.

2. Double-cliquez sur l'icône *Ajout/Suppression de programmes*.

3. Placez dans le lecteur approprié le CD-Rom ou la première disquette.

4. Dans la boîte de dialogue **Propriétés de Ajout/Suppression de programmes**, activez l'onglet **Installation/Désinstallation**.

5. Cliquez sur le bouton **Installer** et suivez les indications données par le programme.

Chapitre 3

Techniques de travail fondamentales

3.1	L'utilisation de la souris	47
3.2	Démarrer et quitter Excel	48
3.3	La fenêtre Excel	51
3.4	Les commandes Excel	61
3.5	Les boîtes de dialogue	66
3.6	Les barres d'outils et de menus	71

Dans ce chapitre, nous vous présentons les techniques fondamentales du travail avec Excel 2000. Il y sera question entre autres de l'utilisation de la souris, des diverses façons de démarrer et de quitter Excel, des techniques de fenêtres, du choix des commandes dans les menus, menus contextuels et barres d'outils ainsi que de l'utilisation des boîtes de dialogue.

3.1 L'utilisation de la souris

Votre souris comprend deux ou trois boutons. Le plus important est celui de gauche, celui de droite servant essentiellement à activer les menus contextuels.

Pointer, cliquer et faire glisser

Tab. 3.1 : Les opérations pouvant être effectuées à l'aide de la souris	
Action	Signification
Pointer	Placer le pointeur de la souris sur un objet. Lorsque vous faites bouger la souris sur votre table de travail, vous déplacez également le pointeur de la souris à l'écran. Il change de forme en fonction de l'élément sur lequel il se trouve.
Cliquer	Cliquer signifie pointer sur un objet à l'écran, par exemple un bouton, et appuyer sur le bouton **gauche** de la souris. En fonction du type d'objet sur lequel vous cliquez, celui-ci est sélectionné ou activé, une commande est exécutée ou un menu ouvert. En cliquant avec le bouton **droit** de la souris, vous ouvrez le menu contextuel. Il contient des commandes relatives à l'objet sur lequel vous avez cliqué.
Double-cliquer	Double-cliquer signifie cliquer rapidement deux fois de suite sur un objet.
Faire glisser	Cette action consiste à sélectionner un objet puis à cliquer dessus et, en tenant le bouton gauche de la souris enfoncé, à le déplacer à un autre endroit. Si la touche **Ctrl** est tenue enfoncée pendant cette opération, l'objet est copié (dupliqué) ; sans la touche **Ctrl**, il est simplement déplacé.

Sélectionner

Sélectionner signifie désigner certains objets Excel tels que des cellules, plages de cellules ou objets graphiques. Les objets sélectionnés sont mis en évidence au moyen de caractéristiques graphiques particulières. La prochaine commande choisie s'applique toujours aux cellules ou objets sélectionnés. De manière générale, avant d'exécuter une commande, vous devez toujours indiquer à Excel à quel élément la commande en question doit être appliquée. C'est le but de la sélection.

Renvoi Pour en savoir plus sur la sélection, reportez-vous à la section *Édition des feuilles de calcul* dans le chapitre intitulé *La feuille de calcul Excel*.

3.2 Démarrer et quitter Excel

Nous allons maintenant vous faire découvrir quelques-unes des méthodes permettant de démarrer Excel 2000. Sous Windows 95/98, elles sont si nombreuses et variées que nous avons préféré sélectionner celles qui nous semblent les plus intéressantes.

Démarrer Excel 2000 par le menu Démarrer

1. **Démarrer** Cliquez sur le bouton **Démarrer** situé dans la barre des tâches.

2. Pointez sur la commande **Programmes** afin d'ouvrir le sous-menu correspondant.

3. Dans ce sous-menu, cliquez sur la commande **Microsoft Excel**.

Démarrer Excel 2000 par le sous-menu Documents

1. Cliquez sur le bouton **Démarrer** dans la barre des tâches et pointez sur la commande **Documents**.

2. Dans le sous-menu **Documents**, cliquez sur le nom du classeur (extension *.xls*) que vous souhaitez ouvrir avec Excel.

Ajouter Excel 2000 au début du menu Démarrer

1. Ouvrez l'Explorateur et sélectionnez le nom du programme que vous souhaitez ajouter au début du menu **Démarrer**.

2. Faites glisser son icône sur le bouton **Démarrer**, dans la barre des tâches. Le programme en question figure alors dans la partie supérieure du menu **Démarrer**.

Démarrer Excel automatiquement

1. Cliquez sur le bouton **Démarrer** et choisissez la commande **Paramètres/Barre des tâches et menu Démarrer**. Vous pouvez également cliquer avec le bouton droit de la souris sur un endroit libre de la barre des tâches et choisir la commande **Propriétés** dans le menu contextuel. Dans les deux cas, vous obtenez la boîte de dialogue **Propriétés de Barre des tâches**.

2. Activez l'onglet **Programmes du menu Démarrer**.

3. Cliquez sur le bouton **Ajouter** puis sur **Parcourir**.

4. Recherchez le programme qui doit être démarré en même temps que Windows, en l'occurrence Excel, et double-cliquez sur son icône ou sur son nom. Vous revenez automatiquement à la boîte de dialogue **Création d'un raccourci**, où le nom du programme s'est inscrit automatiquement dans la zone de saisie.

5. Cliquez sur le bouton **Suivant** et double-cliquez sur le dossier *Démarrage*, dans la zone de liste de la boîte de dialogue **Sélection de dossier programme**.

6. Dans la boîte de dialogue **Sélection d'un titre pour le programme**, tapez le nom que vous souhaitez voir figurer dans le menu **Démarrage** puis cliquez sur **Suivant**.

7. Cliquez sur le bouton **Terminer**. Vous revenez alors à la boîte de dialogue **Propriétés de Barre des tâches**.

8. Cliquez sur OK.

Quitter Excel 2000

Utilisez l'une des techniques suivantes pour quitter Excel 2000.

Le bouton Fermer

☒ Toutes les fenêtres Windows, y compris naturellement celle d'Excel 2000, comportent dans leur barre de titre un bouton permettant de fermer l'application ou le document. Il s'agit du bouton **Fermer**, reconnaissable à la croix oblique qui y est représentée. Un clic sur ce bouton referme la fenêtre Excel 2000 et met également fin au programme.

Le menu Fichier

Choisissez la commande **Fichier/Quitter**.

Remarque

> **Fermer ou quitter ?**
>
> La commande **Fermer** du menu **Fichier** ferme la fenêtre du classeur actif, tandis que la commande **Quitter** ferme la fenêtre d'application d'Excel 2000.

Raccourci clavier

Utilisez la combinaison de touches **Alt + F4**.

Quelle que soit la méthode choisie, Excel vous demande, le cas échéant, si vous souhaitez enregistrer le ou les classeurs encore ouverts et qui n'ont pas été enregistrés ou qui ont été modifiés depuis leur précédent enregistrement (voir fig. 3.1).

Vous pouvez répondre par **Oui**, **Non** ou **Annuler** à cette question en cliquant sur le bouton correspondant. Avec **Oui**, le fichier est enregistré, avec **Non**, vous quittez Excel sans sauvegarder les dernières modifications, tandis qu'avec **Annuler**, vous renoncez à quitter Excel.

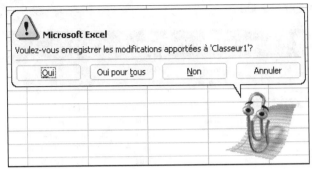

▲ Fig. 3.1 : *Excel vous demande si vous souhaitez enregistrer les classeurs que vous avez modifiés*

Le bouton **Oui pour tous** n'est proposé que lorsque plusieurs classeurs sont ouverts. Vous pouvez alors demander qu'ils soient tous enregistrés.

3.3 La fenêtre Excel

Lors du démarrage d'Excel 2000 s'affiche la fenêtre du programme. Elle contient une autre fenêtre qui est un classeur Excel.

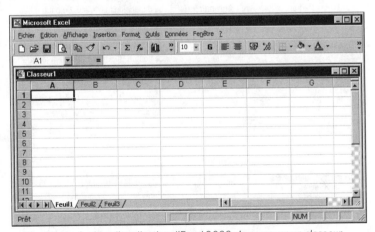

▲ Fig. 3.2 : *La fenêtre d'application d'Excel 2000 s'ouvre avec un classeur vierge*

La fenêtre Excel 2000

Tab. 3.2 : Les éléments de la fenêtre d'application Excel 2000		
Illustration	Nom de l'élément	Description
Microsoft Excel	Barre de titre de la fenêtre Excel 2000	La barre de titre de la fenêtre d'application contient le nom du programme : Microsoft Excel. En outre, lorsque la fenêtre se trouve en mode Fenêtre, vous pouvez la saisir par la barre de titre avec la souris pour la déplacer : cliquez sur la barre de titre, tenez le bouton de la souris enfoncé et faites glisser à la position souhaitée.
▬	Bouton **Réduire**	Un clic sur ce bouton réduit la fenêtre à l'état de bouton dans la barre des tâches. Un nouveau clic sur ce bouton dans la barre des tâches ouvre la fenêtre à la position et avec les dimensions initiales.
▢	Bouton **Agrandir**	Le bouton **Agrandir** affiche la fenêtre à sa dimension maximale. Ce bouton figure dans la barre de titre lorsque la fenêtre est en mode Fenêtre.
▣	Bouton **Restaurer**	Le bouton **Restaurer** affiche la fenêtre en mode Fenêtre, à sa position et avec les dimensions initiales. Ce bouton figure dans la barre de titre lorsque la fenêtre est agrandie à sa taille maximale.
✕	Bouton **Fermer**	Ce bouton permet de fermer la fenêtre.
Barre de menus Feuille de calcul — Fichier Edition Affichage Insertion Format Outils Données Fenêtre ?	Barre de menus	La barre de menus met à disposition toutes les commandes d'Excel. Cliquez sur un menu pour l'ouvrir et découvrir les commandes qu'il contient. Un clic sur une commande exécute cette commande ou ouvre un sous-menu.

Tab. 3.2 : Les éléments de la fenêtre d'application Excel 2000

Illustration	Nom de l'élément	Description
	Barres d'outils	Les barres d'outils se trouvent habituellement sous la barre de menus. Elles permettent d'activer aisément et rapidement des commandes fréquemment utilisées. Quelques barres d'outils intégrées sont disponibles. Elles contiennent des boutons organisés en groupes logiques. Vous pouvez les utiliser telles qu'elles sont proposées ou les recomposer en fonction de vos besoins spécifiques. Des barres d'outils personnalisées peuvent également être créées. Vous pouvez aussi associer un bouton avec une macro que vous utilisez souvent et intégrer ce bouton dans une barre d'outils.
A1 ▼ X ✔ = Saisie d'un texte dans la cellule A1	Barre de formule	La barre de formule se compose des éléments ci-après, de gauche à droite.
A1	Zone *Nom*	Elle sert à l'affectation d'un nom à des cellules ou des objets et à l'affichage de ce nom.
X	Bouton Annuler	Annule la saisie ou l'édition en cours.
✔	Bouton **Entrer**	Valide la saisie en cours.
=	Assistant Fonction	Active l'Assistant Fonction.
Saisie d'un texte dans la cellule A1	Zone d'édition	Affiche le contenu de la cellule active. Vous pouvez aussi y saisir ou y éditer des données.

Tab. 3.2 : Les éléments de la fenêtre d'application Excel 2000

Illustration	Nom de l'élément	Description
 Prêt NUM	Barre d'état	La barre d'état se trouve au bord inférieur de l'écran. Elle vous informe sur ce que vous pouvez ou devez faire dans la situation en cours. Au démarrage d'Excel, elle annonce que le programme est prêt à recevoir une saisie ou à exécuter une commande. Dans les zones de la partie droite s'inscrivent des informations sur les fonctions de touches actives.
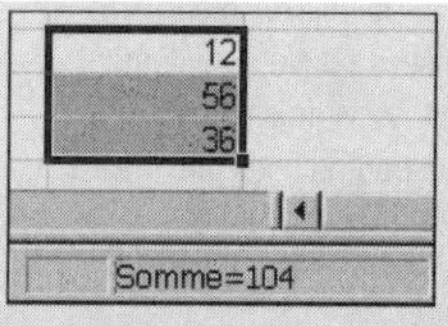 12 56 36 Somme=104	Zone de calcul automatique	La barre d'état contient également la zone de calcul automatique. Par défaut, c'est la somme des contenus des cellules sélectionnées qui s'y affiche, sans que vous ayez besoin d'écrire une formule. Vous pouvez cependant choisir un autre type d'opération en cliquant avec le bouton droit de la souris sur la zone.

La fenêtre de classeur

Dans la fenêtre d'application d'Excel 2000 se trouve la fenêtre de classeur.

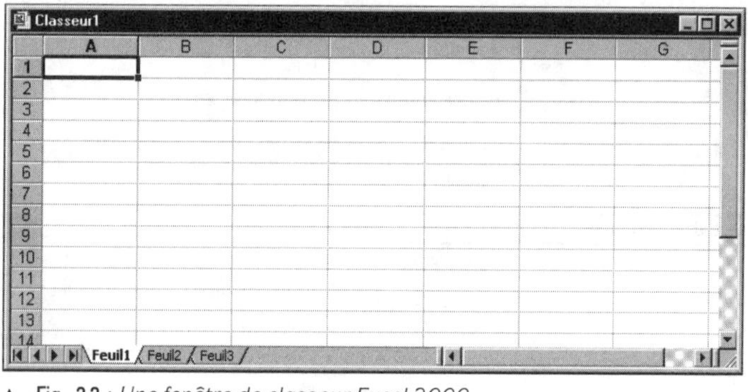

▲ Fig. 3.3 : *Une fenêtre de classeur Excel 2000*

Tab. 3.3 : Les éléments de la fenêtre de classeur

Illustration	Nom de l'élément	Description
Classeur1	Barre de titre du classeur	La barre de titre du classeur n'est visible que lorsque le classeur se trouve en mode Fenêtre. Elle contient alors le nom du classeur et vous pouvez vous en servir pour déplacer la fenêtre. Lorsque la fenêtre est agrandie à sa taille maximale, le nom du classeur est intégré à la barre de titre de la fenêtre d'application.
▬	Bouton **Réduire**	Un clic sur ce bouton réduit la fenêtre de classeur à un bouton au bas de la fenêtre Excel. La fenêtre peut alors être rouverte par un clic sur le bouton **Restaurer** ou **Agrandir**.
◻	Bouton **Agrandir**	Lorsque la fenêtre de classeur se trouve en mode Fenêtre, le bouton du milieu est le bouton **Agrandir**. Un clic sur ce bouton agrandit la fenêtre à sa taille maximale, compte tenu de la fenêtre d'application. C'est ce mode que vous utiliserez normalement le plus souvent car c'est lui qui offre le maximum d'espace de travail.
⧉	Bouton **Restaurer**	Lorsque la fenêtre est agrandie à la taille maximale, le bouton du milieu est le bouton **Restaurer**. Un clic sur ce bouton affiche le classeur en mode Fenêtre à la position et aux dimensions initiales. Vous utiliserez ce mode essentiellement lorsque vous aurez besoin de disposer plusieurs classeurs en même temps à l'écran.
✕	Bouton **Fermer**	Un clic sur ce bouton ferme le classeur.
◀ ▶	Barres de défilement	Elles permettent de faire défiler les feuilles de calcul et d'amener à l'écran les parties momentanément cachées.

Tab. 3.3 : Les éléments de la fenêtre de classeur

Illustration	Nom de l'élément	Description
Colonne: K	Curseur de défilement	Le curseur de défilement indique la position relative de l'extrait visible à l'écran par rapport à l'ensemble du document. Vous pouvez faire glisser ce curseur à l'aide de la souris pour atteindre rapidement une autre partie du document. Excel affiche une info-bulle dans laquelle est indiqué le numéro de la ligne ou de la colonne dans laquelle vous vous trouvez au cours du déplacement.
▶	Flèche de défilement	En cliquant sur une flèche de défilement, vous décalez l'extrait visible à l'écran d'une ligne ou d'une colonne dans la direction indiquée par la flèche. En tenant le bouton de la souris enfoncé après le clic sur cette flèche, vous obtenez un défilement continu jusqu'à ce que vous relâchiez à nouveau le bouton de la souris.
Classeur1	Feuille de calcul	Chaque feuille de calcul comporte des en-têtes de lignes sur son bord gauche et des en-têtes de colonnes sur le bord supérieur. Les lignes sont désignées par des numéros, les colonnes par des lettres. L'intersection d'une colonne et d'une ligne forme une cellule. Les en-têtes de colonnes identifient les colonnes et servent à sélectionner des colonnes entières. De même, les en-têtes de lignes identifient les lignes et servent à les sélectionner entièrement.
Classeur1 — Bouton Tout sélectionner	Bouton Tout sélectionner	Un clic sur ce bouton, situé à l'endroit où se croisent les en-têtes de lignes et de colonnes, sélectionne l'ensemble de la feuille de calcul.

Tab. 3.3 : Les éléments de la fenêtre de classeur

Illustration	Nom de l'élément	Description
Feuil1 ╱ Feuil2 ╱ Feuil3 ╱	Onglets de feuille de calcul	Au démarrage d'Excel s'affiche automatiquement un nouveau classeur avec trois feuilles de calcul vierges. Ces feuilles de calcul sont accessibles grâce à leurs onglets, au bas du classeur. Par défaut, elles s'appellent : Feuil1, Feuil2 et Feuil3. Un clic sur un onglet active la feuille de calcul correspondante et l'amène au premier plan.
◄◄ ◄ ► ►►	Boutons de navigation	Les boutons fléchés situés en bas à gauche de la fenêtre de classeur servent à naviguer entre les feuilles de calcul. Ils ne deviennent utiles que lorsque le nombre des feuilles de calcul est tel que tous les onglets ne sont plus visibles.
Barre de fractionnement	Barre de fractionnement de la zone des onglets	Entre les onglets et la barre de défilement horizontale se trouve une petite barre verticale que vous pouvez faire glisser vers la droite ou la gauche à l'aide de la souris afin d'agrandir une zone au détriment de l'autre. Amenez le pointeur de la souris sur la barre. Il doit prendre la forme d'une double flèche partagée en deux en son milieu par un double trait vertical. Cliquez alors et, en tenant le bouton de la souris enfoncé, faites glisser dans la direction souhaitée. Vous pouvez ainsi augmenter la place disponible pour les onglets de feuilles de calcul si leur nombre le justifie. Un double clic sur la barre de fractionnement la replace automatiquement à sa position par défaut.

Tab. 3.3 : Les éléments de la fenêtre de classeur		
Illustration	Nom de l'élément	Description
⊕	Pointeur	Le pointeur de la souris prend cette forme lorsqu'il se trouve sur une cellule de la feuille de calcul. Un clic active la cellule correspondante.

La fenêtre active

Plusieurs classeurs peuvent être ouverts en même temps, mais une seule fenêtre est active à un moment donné, celle qui est au premier plan. C'est dans cette fenêtre que vous pouvez effectuer des modifications. Les autres fenêtres sont inactives. En cliquant sur une fenêtre inactive, vous l'activez et l'amenez au premier plan. Si la fenêtre souhaitée n'est pas visible, ouvrez le menu **Fenêtre** et cliquez sur le nom du classeur que vous voulez activer. Tous les classeurs ouverts sont en effet listés à la fin du menu **Fenêtre**.

Modifier la taille de la fenêtre

Vous ne pouvez modifier la taille d'une fenêtre que si elle se trouve en mode Fenêtre. Amenez le pointeur de la souris sur une bordure ; il prend alors la forme d'une double flèche horizontale ou verticale. En tenant le bouton de la souris enfoncé, faites glisser dans la direction souhaitée. Si vous placez le pointeur sur un angle, il se transforme en une double flèche oblique et vous pouvez alors modifier la taille dans les deux directions à la fois.

Déplacer la fenêtre

Vous pouvez saisir une fenêtre par sa barre de titre à l'aide de la souris et la déplacer en tenant le bouton de la souris enfoncé, à condition qu'elle se trouve en mode Fenêtre. Une fenêtre agrandie à sa taille maximale ne peut pas être déplacée.

Organiser les fenêtres

Lorsque plusieurs classeurs sont ouverts, leurs fenêtres peuvent être organisées de telle sorte qu'elles se partagent l'espace disponible. C'est intéressant lorsque certaines fenêtres sont masquées par d'autres. Elles peuvent également être disposées les unes sur les autres, avec un léger décalage, de manière à laisser les barres de titre visibles.

1. Choisissez la commande **Fenêtre/Réorganiser**. La boîte de dialogue **Réorganiser** s'affiche.

2. Sélectionnez l'option souhaitée dans la boîte de dialogue.

3. Cliquez sur OK.

◄ Fig. 3.4 :
La boîte de dialogue Réorganiser

- *Mosaïque* : toutes les fenêtres ouvertes sont affichées à l'écran. L'espace disponible est réparti équitablement entre elles. Lorsqu'une seule fenêtre est ouverte, elle occupe toute la place disponible.

- *Horizontal* : toutes les fenêtres ouvertes sont disposées les unes sous les autres à l'écran. Elles occupent toute la largeur de l'écran mais se partagent la hauteur.

- *Vertical* : toutes les fenêtres ouvertes sont disposées les unes à côté des autres à l'écran. Elles occupent toute la hauteur de l'écran mais se partagent la largeur.

- *Cascade* : les fenêtres ouvertes sont disposées les unes sur les autres, avec un léger décalage de sorte que les barres de titre soient visibles.

- *Fenêtres du classeur actif* : réorganise uniquement les fenêtres du classeur actif si plusieurs fenêtres ont été ouvertes pour ce classeur avec la commande **Fenêtre/Nouvelle fenêtre**. Si cette case à cocher n'est pas activée, toutes les fenêtres ouvertes sont réorganisées.

Astuce

Ne pas réorganiser toutes les fenêtres

Il arrive que plusieurs fenêtres soient ouvertes mais que l'on n'ait pas besoin de les réorganiser toutes. Pour exclure certaines fenêtres de cette opération sans les fermer, choisissez la commande **Fenêtre/Masquer** après avoir activé au préalable la fenêtre concernée. Choisissez ensuite la commande **Fenêtre/Réorganiser**. Les fenêtres masquées ne sont pas concernées par la réorganisation. Vous pouvez également réduire en boutons les fenêtres à exclure de la réorganisation mais, dans ce cas, les boutons prennent de la place au bas de la fenêtre Excel.

Afficher et masquer des fenêtres

Choisissez la commande **Fenêtre/Masquer** pour masquer la fenêtre active. Dès qu'une fenêtre a été masquée, la commande **Afficher** s'ajoute dans le menu **Fenêtre**. Elle affiche une boîte de dialogue contenant la liste des fenêtres masquées. Sélectionnez celle que vous souhaitez afficher et cliquez sur OK.

Remarque

Masquer n'est pas fermer

La fenêtre masquée reste ouverte. Vous pouvez donc vous y référer à partir d'un autre classeur.

Une nouvelle fenêtre pour le même classeur

Pour ouvrir une nouvelle fenêtre pour le même classeur, choisissez la commande **Fenêtre/Nouvelle fenêtre**. Si vous ouvrez une nouvelle fenêtre pour un classeur nommé Budget, par exemple, elle s'appellera Budget:2. Une troisième fenêtre s'appellerait Budget:3, etc.

Vous pouvez utiliser cette fonction si vous avez besoin d'afficher en même temps plusieurs parties d'une grande feuille de calcul. Vous pouvez en effet faire défiler le contenu de chaque fenêtre indépendamment des autres. Une modification des données dans une fenêtre est automatiquement répercutée sur toutes les autres fenêtres du même classeur.

3.4 Les commandes Excel

Il y a toujours plusieurs façons d'activer des commandes : par les menus, les boutons des barres d'outils, les menus contextuels ou des combinaisons de touches. Dans ce livre, nous utilisons essentiellement la barre de menus et les menus contextuels. Rien ne vous empêche toutefois de profiter des barres d'outils ou des combinaisons de touches, si vous en connaissez. Dans la mesure du possible, nous nous efforçons toujours de reproduire les boutons correspondant aux commandes utilisées.

Remarque

Sélectionner avant d'exécuter une commande

Quelle que soit la méthode retenue pour activer les commandes, il est impératif que vous indiquiez d'abord à Excel à quelles cellules ou à quels objets vous voulez appliquer la commande. Vous devez donc toujours commencer par une sélection.

Les menus

Toutes les commandes Excel sont accessibles par la barre de menus. Pour activer une commande, cliquez d'abord sur le menu correspondant afin de l'ouvrir puis sur la commande proprement dite.

Pour refermer un menu sans choisir une commande, cliquez à n'importe quel endroit en dehors du menu ou appuyez sur la touche **Échap**.

Certaines commandes sont accompagnées de signes particuliers :

Tab. 3.4 : Éléments particuliers pouvant être trouvés dans un menu		
Signe	Signification	Exemple
Trois points (...)	Une boîte de dialogue s'affiche pour que vous puissiez fournir des informations supplémentaires nécessaires à l'exécution de la commande.	Nouveau... Ctrl+N
Triangle orienté à droite	Cette commande ouvre un sous-menu.	Zone d'impression ▶
Icône	Il existe, dans une des barres d'outils, un bouton permettant d'activer cette commande sans passer par le menu.	Aperçu avant impression
Combinaison de touches	Cette commande peut également être activée à l'aide de la combinaison de touches indiquée.	Imprimer... Ctrl+P

Tab. 3.4 : Éléments particuliers pouvant être trouvés dans un menu		
Signe	Signification	Exemple
Bouton Développer	En pointant sur ce bouton, vous ouvrez la version longue du menu, avec des commandes supplémentaires.	≽
Commande estompée	La commande n'est pas disponible compte tenu de la situation actuelle.	Collage spécial...

Les barres d'outils

Toutes les commandes les plus usuelles peuvent être activées aisément par le biais des boutons des barres d'outils. Un simple clic sur le bouton suffit, et le passage par les menus devient donc inutile. Les barres d'outils peuvent être personnalisées, les boutons pouvant être regroupés en fonction de vos besoins.

Un clic sur un bouton exécute la commande correspondante ou ouvre une boîte de dialogue si des informations complémentaires sont nécessaires.

Afficher les noms de boutons

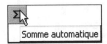 Si vous ne savez pas quelle commande représente un bouton, Excel 2000 affiche son nom dans une info-bulle lorsque le pointeur de la souris reste un court instant sur le bouton en question.

 La configuration de la barre de menus et des barres d'outils est expliquée dans ce même chapitre, dans la section intitulée **Les barres d'outils et de menus**.

Les menus contextuels

Le menu contextuel propose les commandes intéressantes en fonction de la situation en cours.

L'avantage du menu contextuel est que vous n'avez pas besoin de déplacer la souris, le menu s'affichant à proximité de l'objet sur lequel vous êtes en train de travailler.

Activer le menu contextuel

Pour ouvrir le menu contextuel, le pointeur de la souris doit être placé sur une sélection ou sur un objet à modifier. Cliquez avec le bouton droit pour ouvrir le menu contextuel correspondant à l'objet et à la situation en cours. Vous pouvez ensuite y choisir une commande, en cliquant dessus comme à l'accoutumée. Notez que dans un menu contextuel, vous pouvez également choisir une commande en cliquant avec le bouton droit de la souris, ce qui n'est pas possible dans un menu normal.

Fermer le menu contextuel

Pour fermer le menu contextuel sans choisir aucune commande, cliquez à n'importe quel endroit en dehors du menu ou appuyez sur la touche Échap.

Les combinaisons de touches

Pour activer une commande à l'aide d'une combinaison de touches, appuyez d'abord sur la première touche indiquée, tenez-la enfoncée puis appuyez sur la seconde touche. La commande est alors exécutée et vous pouvez relâcher les deux touches.

Répéter des commandes

Des commandes peuvent être répétées si vous avez besoin de les exécuter plusieurs fois de suite. Si vous avez par exemple besoin d'ajouter plusieurs lignes vides les unes sous les autres dans une feuille de calcul, insérez la première puis répétez la commande avec **Édition/**

Répéter Insertion de ligne. Vous pouvez aussi actionner la combinaison de touches **Ctrl + Y**.

Annuler des commandes

Choisissez la commande **Édition/Annuler** pour annuler une commande. La commande **Annuler** est suivie de l'indication de la dernière commande exécutée, par exemple **Annuler insertion de ligne** si la dernière commande consistait à insérer une ligne. Vous pouvez également utiliser la combinaison de touches **Ctrl + Z**. Exécutez la commande plusieurs fois de suite pour annuler plusieurs commandes successivement.

Si une commande ne peut être annulée, la commande **Annuler** dans le menu **Édition** se transforme en **Impossible d'annuler** et elle apparaît estompée.

Vous pouvez également cliquer sur le bouton **Annuler** dans la barre d'outils. La dernière commande exécutée est alors annulée. Un nouveau clic annule l'avant-dernière commande, et ainsi de suite.

Pour annuler plusieurs commandes en même temps, cliquez sur la flèche à côté du bouton **Annuler**. La liste des dernières commandes exécutées s'affiche. Sélectionnez celle à partir de laquelle toutes les suivantes doivent être annulées.

◄ Fig. 3.5 :
*Toutes les commandes
sélectionnées seront annulées
en même temps*

Rétablir des commandes

Si vous avez annulé une ou plusieurs commandes, vous pouvez les rétablir en cliquant sur le bouton **Rétablir** ou en choisissant la commande **Édition/Rétablir**. Vous pouvez ainsi rétablir jusqu'à seize actions.

3.5 Les boîtes de dialogue

Les commandes qui sont suivies par trois points dans les menus ouvrent des boîtes de dialogue pour vous permettre de donner des informations complémentaires nécessaires à la commande. Dans certaines de ces boîtes de dialogue, les paramètres et options sont répartis sous plusieurs onglets. Vous pouvez activer un onglet et l'amener au premier plan en cliquant dessus. La boîte de dialogue **Mise en page** reproduite ci-après comprend les onglets **Page**, **Marges**, **En-tête/Pied de page** et **Feuille**.

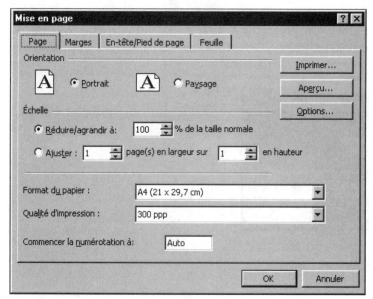

▲ Fig. 3.6 : *La boîte de dialogue Mise en page*

Les éléments de la boîte de dialogue

Tab. 3.5 : Les éléments que vous pouvez trouver dans une boîte de dialogue		
Illustration	Nom de l'élément	Description
Mise en page ❓ ❌	Barre de titre	La barre de titre indique le nom de la boîte de dialogue. Vous pouvez également saisir la boîte de dialogue par sa barre de titre pour la déplacer à l'écran.
Auto	Zone de saisie	Vous pouvez entrer du texte dans cette zone, en le tapant au clavier. Lorsque vous activez une zone de saisie à l'aide de la touche **Tab**, son contenu est automatiquement sélectionné (affiché en vidéo inverse). Vous pouvez alors taper directement le nouveau contenu, l'ancien étant supprimé. En cliquant sur le contenu d'une zone de saisie, le point d'insertion se place exactement à l'endroit où vous avez cliqué. Vous pouvez alors éditer le texte en supprimant par exemple les caractères à effacer avec les touches **Suppr** ou **Retour arrière** et en tapant un nouveau texte. Vous pouvez évidemment aussi effacer totalement l'ancien texte et en taper un nouveau.

Tab. 3.5 : Les éléments que vous pouvez trouver dans une boîte de dialogue

Illustration	Nom de l'élément	Description
	Bouton d'enroulement	Lorsqu'une plage de cellules doit être indiquée dans une zone de saisie, vous avez la possibilité d'enrouler la boîte de dialogue en cliquant sur ce bouton. La boîte de dialogue se limite alors à la seule zone de saisie correspondante et l'espace à l'écran est libéré pour vous permettre de pointer confortablement la cellule ou la plage de cellules dont la référence doit être inscrite. Un nouveau clic sur le même bouton affiche à nouveau la totalité de la boîte de dialogue.
Police : Tahoma / Symbol / System / Tahoma / Tempus Sans ITC	Zone de liste	Une zone de liste permet d'opérer un choix. Si l'option souhaitée ne se trouve pas dans la partie visible de la liste, utilisez la barre de défilement pour la faire défiler. Lorsque la zone de liste est activée, vous pouvez également atteindre rapidement une partie précise de la liste en tapant l'initiale du mot recherché.
(Aucun) / (Aucun) / A la fin de la feuille / Tel que sur la feuille	Liste déroulante	La liste déroulante n'affiche que l'option sélectionnée dans la liste. Pour ouvrir la liste, cliquez sur le bouton fléché. Sélectionnez l'option souhaitée en cliquant dessus. La liste déroulante se referme automatiquement après sélection d'une option. Vous pouvez également la refermer sans rien sélectionner en cliquant à nouveau sur le bouton fléché.

Tab. 3.5 : Les éléments que vous pouvez trouver dans une boîte de dialogue

Illustration	Nom de l'élément	Description
OK	Bouton de commande	Le bouton le plus courant est le bouton OK. Les intitulés des boutons renseignent généralement sur leur fonction. On les active en cliquant dessus. Le bouton OK ferme la boîte de dialogue en exécutant la commande. Le bouton **Annuler**, en revanche, ferme la boîte de dialogue sans exécuter la commande. Certains boutons portent un intitulé se terminant par trois points. Lorsque vous cliquez sur un de ces boutons, une nouvelle boîte de dialogue s'affiche pour vous permettre de donner des indications supplémentaires.
Impression ☑ Quadrillage ☐ En noir et blanc ☑ Qualité brouillon	Case à cocher	Une case à cocher est un petit carré que vous pouvez activer (cocher) ou désactiver en cliquant dessus. Plusieurs cases à cocher peuvent être activées en même temps.
Ordre des pages ◉ Vers le bas, puis à droite ◯ À droite, puis vers le bas	Boutons d'options	Les boutons d'option sont toujours réunis en un groupe. Un bouton rond précède le nom de l'option. On active un bouton d'option en cliquant dessus. Il comprend alors un point noir en son centre. Il est impossible d'activer plusieurs boutons d'options dans un même groupe.

Tab. 3.5 : Les éléments que vous pouvez trouver dans une boîte de dialogue

Illustration	Nom de l'élément	Description
`100 ⬍ %`	Zone de saisie avec bouton toupie	Un bouton toupie se compose de deux boutons avec des flèches orientées vers le haut et vers le bas. En cliquant sur les boutons en question, vous augmentez ou diminuez la valeur inscrite dans la zone de saisie associée au bouton.
Page | Marges | En-tête/Pied de page | Feuille	Onglets	Cliquez sur un onglet pour l'activer et l'amener au premier plan.
`?`	Bouton Aide	Le bouton **Aide** se trouve dans la partie droite de la barre de titre des boîtes de dialogue. Lorsque vous cliquez sur ce bouton, le pointeur se double d'un point d'interrogation. Vous pouvez alors cliquer sur un élément de la boîte de dialogue pour obtenir le texte d'aide correspondant.

Naviguer dans une boîte de dialogue

La façon la plus simple de passer d'un élément d'une boîte de dialogue à un autre consiste à cliquer avec la souris sur celui que l'on souhaite atteindre. Vous pouvez aussi utiliser la touche **Tab**, qui vous fait avancer d'un élément au suivant dans un ordre défini. Avec **Maj + Tab**, vous parcourez les éléments en ordre inverse.

Il existe une autre possibilité : tenir la touche **Alt** enfoncée et appuyer sur la lettre soulignée dans le nom de l'élément (option, bouton, etc.).

La touche Entrée dans une boîte de dialogue

N'utilisez pas la touche **Entrée** pour valider une entrée effectuée dans une zone de saisie d'une boîte de dialogue. Cette touche sert en effet à valider l'ensemble de la boîte de dialogue. Elle équivaut à un clic sur le bouton OK. Utilisez plutôt la touche **Tab** pour valider une zone de saisie ou une option et passer à l'élément suivant.

Boîtes de dialogue avec onglets

Dans les boîtes de dialogue avec onglets, un clic sur OK ou la validation avec la touche **Entrée** s'appliquent à tous les paramètres et options de la boîte de dialogue et pas uniquement à ceux de l'onglet actif. En cliquant sur un onglet, vous l'amenez au premier plan et vous pouvez alors y effectuer des saisies, sélectionner des options, etc. La boîte de dialogue **Mise en page**, par exemple, se compose des onglets **Page**, **Marges**, **En-tête/Pied de page** et **Feuille**. Les options sont ainsi classées par thème et elles peuvent être logées toutes dans une même boîte de dialogue.

3.6   Les barres d'outils et de menus

Dans Excel, vous pouvez choisir des commandes dans la barre de menus ainsi que dans les barres d'outils. Dans la première, elles sont représentées par leur nom, tandis qu'elles figurent dans les deuxièmes sous forme de boutons. Le principe est cependant toujours le même et dans les deux cas vous pouvez configurer les barres.

Personnaliser les boutons

La commande **Affichage/Barres d'outils/Personnaliser** ouvre la boîte de dialogue **Personnaliser** tout comme la commande **Personnaliser** du menu contextuel des barres d'outils. Vous pouvez y afficher et masquer des barres d'outils, modifier leur composition et intervenir sur la disposition et l'apparence des boutons et commandes.

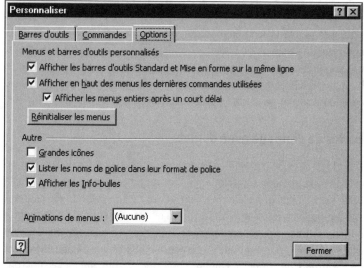

▲ Fig. 3.7 : *La boîte de dialogue Personnaliser*

- *Afficher les barres d'outils Standard et Mise en forme sur la même ligne* : si cette case à cocher est activée, les barres d'outils *Standard* et *Mise en forme* s'affichent sur une même ligne. Dans ce cas, tous les boutons ne peuvent pas être visibles en même temps, et le bouton **Autres boutons** est ajouté dans chacune. Un clic sur ce bouton affiche ceux qui ne sont pas visibles momentanément.

- *Afficher en haut des menus les dernières commandes utilisées* : Lorsque cette option est activée, les menus ne s'affichent pas avec toutes leurs commandes mais uniquement avec les dernières utilisées. La présence du bouton **Développer** montre bien que toutes les commandes ne sont pas affichées. Vous pouvez également indiquer si les menus entiers doivent être affichés après un certain délai ou non. L'option *Afficher les menus entiers après un court délai* est prévue pour cela. Si vous la désactivez, vous devrez cliquer sur le bouton **Développer** pour obtenir l'affichage de toutes les commandes.

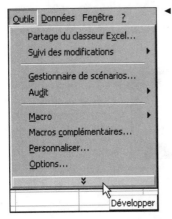

◄ Fig. 3.8 :
*Selon la
configuration
choisie, il est
parfois
nécessaire de
cliquer sur le
bouton
Développer pour
obtenir le menu
complet*

Si vous désactivez la première de ces deux options, l'autre est aussi désactivée automatiquement. Cela signifie que les menus seront alors affichés avec toutes leurs commandes organisées dans l'ordre par défaut.

- **Réinitialiser les menus** : un clic sur ce bouton remet tous les menus dans leur état initial par défaut. Il n'a cependant aucun effet sur les barres d'outils personnalisées.

- *Grandes icônes* : si vous activez cette case à cocher, les icônes sont affichées dans une version plus grande que la normale.

- *Lister les noms de police dans leur format de police* : lorsque cette case à cocher est activée, les noms de polices de caractères listés dans la zone *Police* de la barre d'outils *Mise en forme* sont présentés dans leur style d'écriture spécifique. Si l'option est désactivée, les noms de polices sont tous écrits avec la police standard (voir fig. 3.9).

- *Afficher les info-bulles* : si cette option est activée, le nom du bouton s'affiche dans une info-bulle lorsque le pointeur de la souris reste un court instant sur ce bouton.

- *Animation de menus* : dans cette liste déroulante, vous pouvez sélectionner la manière dont doivent se comporter les menus lors de leur ouverture. L'option *(Aucune)* est sélectionnée par défaut. Vous pouvez également choisir l'une des options suivantes : *Aléatoire, Déroulement, Diapositive.*

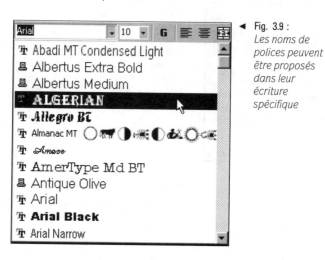

◀ Fig. 3.9 :
Les noms de polices peuvent être proposés dans leur écriture spécifique

Remarque

> **Options pour Excel et Office**
>
> La case à cocher *Afficher les barres d'outils Standard et Mise en forme sur la même ligne* et le bouton **Réinitialiser les menus** n'influencent qu'Excel 2000. Toutes les autres options voient leur effet se prolonger dans toutes les autres applications Office.

Afficher et masquer des barres d'outils

Les barres d'outils peuvent être affichées et masquées à votre guise. Vous pouvez ainsi ne laisser à l'écran que celles dont vous avez réellement besoin à un moment donné.

1. Placez le pointeur de la souris à un endroit quelconque d'une barre d'outils et cliquez avec le bouton droit afin d'ouvrir le menu contextuel des barres d'outils. Toutes les barres d'outils disponibles y sont listées. Vous pouvez également choisir la commande **Affichage/ Barres d'outils**.

2. Cliquez sur le nom de la barre d'outils que vous voulez afficher ou masquer.

Conseil

> **Quelques règles concernant les barres d'outils et de menus**
>
> Une barre d'outils ou de menus s'affiche toujours à l'endroit où elle se trouvait lorsqu'elle a été masquée. Vous ne pouvez afficher et masquer que des barres de menus personnalisées. En revanche, toutes les barres d'outils peuvent être affichées et masquées.

Déplacer des barres d'outils

Les barres d'outils et de menus peuvent être déplacées comme bon vous semble. Vous pouvez les disposer à votre guise à l'écran pour faciliter votre travail, notamment pour raccourcir les mouvements de la souris. Une barre d'outils ou de menus peut être ancrée à n'importe quel bord de la fenêtre Excel. Elle peut cependant aussi se présenter sous la forme d'une barre d'outils flottante, que vous pouvez placer où vous voulez à l'écran, y compris en dehors de la fenêtre Excel. La barre d'outils flottante se reconnaît à sa barre de titre.

Déplacer une barre d'outils ancrée

Pour déplacer une barre d'outils ancrée, pointez sur son extrémité gauche ou supérieure selon qu'elle est ancrée horizontalement ou verticalement, à l'endroit précis où se situe une petite barre, là où le pointeur prend la forme d'une quadruple flèche.

Cliquez et tenez le bouton de la souris enfoncé pendant que vous faites glisser la barre d'outils dans la fenêtre du classeur. Lorsque vous relâchez le bouton de la souris, vous obtenez une barre d'outils flottante, dans sa propre fenêtre.

Procédez de même pour déplacer une barre d'outils ancrée vers une autre bordure de la fenêtre Excel. Lâchez le bouton de la souris lorsque vous avez atteint le côté souhaité.

Un double clic sur la barre de titre d'une barre d'outils flottante a pour effet de l'ancrer à nouveau à sa position précédente.

Déplacer une barre d'outils flottante

Dès que la barre d'outils ancrée est détachée de la fenêtre Excel, elle se présente comme une barre d'outils flottante, dans sa fenêtre spécifique dotée d'une bordure et d'une barre de titre.

Vous pouvez déplacer une barre d'outils flottante en la faisant glisser par sa barre de titre à l'endroit souhaité. Si vous l'approchez d'un des bords de la fenêtre Excel, elle s'ancre à nouveau à la fenêtre d'application.

Pour ancrer une barre d'outils flottante à sa position précédente, double-cliquez sur sa barre de titre.

Modifier la forme des barres d'outils et de la barre de menus

La forme d'une barre d'outils peut être modifiée lorsqu'elle est flottante. Amenez le pointeur de la souris sur une bordure ; il prend la forme d'une double flèche. Faites glisser dans la direction souhaitée.

Personnaliser les barres d'outils

Les barres d'outils et de menus peuvent être composées en fonction de vos besoins spécifiques et de vos préférences. Vous pouvez y supprimer des boutons ou des commandes ou en ajouter à partir d'une autre barre existante.

Ajouter des boutons et commandes

Personnaliser une barre d'outils ou de menus consiste à y ajouter d'autres boutons et commandes et à en supprimer ceux qui sont inutiles, de façon qu'elle contienne exactement les éléments dont vous avez besoin.

1. 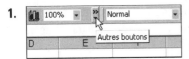 Dans la barre d'outils à laquelle vous voulez ajouter des boutons, cliquez sur le bouton **Autres boutons**.

2. Parmi les autres boutons qui s'affichent figure la commande **Ajouter/Supprimer des boutons**. Pointez ou cliquez sur ce bouton pour obtenir une liste des boutons.

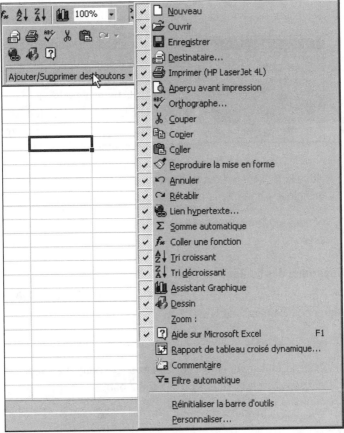

▲ Fig. 3.10 : *Liste des boutons pouvant être sélectionnés et ajoutés à la barre d'outils*

3. Cliquez sur un bouton pour l'ajouter à la barre d'outils en cours ou l'en supprimer. Les boutons cochés sont ceux qui figurent actuellement dans la barre d'outils.

4. Si le bouton que vous souhaitez ajouter ne figure pas dans la liste, choisissez la commande **Personnaliser** afin d'ouvrir la boîte de dialogue correspondante. D'autres boutons et commandes y sont proposés sur l'onglet **Commandes**.

5. Sélectionnez d'abord une catégorie dans la zone de liste *Catégories*.

6.  Recherchez ensuite le bouton souhaité, cliquez dessus et, en tenant le bouton de la souris enfoncé, faites-le glisser vers la position de la barre d'outils qui vous semble convenir le mieux. Le pointeur se double à cette occasion d'une icône représentant un bouton et d'un signe +. En outre, une épaisse barre verticale noire matérialise la position à laquelle s'insère le bouton si vous lâchez le bouton de la souris. La technique est la même pour insérer une commande.

7. Cliquez sur le bouton **Fermer** dans la boîte de dialogue **Personnaliser**.

Supprimer des boutons

Pour personnaliser une barre d'outils, il est parfois nécessaire aussi d'en retirer des éléments inutiles.

1. Affichez la barre d'outils dont vous voulez supprimer un bouton.

2. Tenez la touche **Alt** enfoncée, cliquez sur le bouton à supprimer et faites-le glisser en dehors de la barre d'outils.

3. Relâchez la touche **Alt**.

Déplacer des boutons

L'ordre des boutons peut être modifié à l'intérieur d'une barre d'outils, mais vous pouvez également déplacer des boutons d'une barre d'outils à une autre.

1. Affichez la barre d'outils dont les boutons doivent être réorganisés. Si un élément doit être déplacé d'une barre d'outils dans une autre, les deux barres doivent être à l'écran.

2. Tenez la touche **Alt** enfoncée et faites glisser le bouton vers la position souhaitée. Le bouton déplacé est entouré d'un cadre noir gras, et une épaisse barre noire indique l'endroit où il s'insèrera si vous lâchez le bouton de la souris et la touche **Alt**.

Copier des boutons

Si vous avez besoin du même bouton dans deux barres d'outils différentes, vous pouvez le copier.

1. Affichez la barre d'outils dont le bouton doit être copié ainsi que celle vers laquelle il doit être copié (il n'y a en principe aucun intérêt à copier un bouton dans la même barre d'outils).

2. Tenez les touches **Ctrl** et **Alt** enfoncées pendant que vous faites glisser le bouton à copier vers la position souhaitée dans la barre d'outils de destination.

Restaurer la configuration d'origine d'une barre d'outils

Procédez de la façon suivante pour restaurer la configuration d'origine d'une barre d'outils ou d'une barre de menus intégrées.

1. Dans la barre d'outils dont vous voulez restaurer la configuration d'origine, cliquez sur **Autres boutons**.

2. | Ajouter/Supprimer des boutons ▼ | Cliquez sur le bouton **Ajouter/Supprimer des boutons**.

3. Choisissez la commande **Réinitialiser la barre d'outils**. La barre d'outils retrouve alors sa composition initiale.

Remarque

> **Barres d'outils personnalisées**
>
> Les barres d'outils personnalisées ne peuvent pas être réinitialisées. Vous ne pouvez que les supprimer.

Créer de nouvelles barres d'outils

Vous avez vu que vous pouvez réorganiser des barres d'outils existantes. Vous avez également la possibilité d'en créer de nouvelles et de les garnir à votre guise.

C'est ce que vous ferez par exemple si vous souhaitez disposer d'une barre d'outils spéciale pour une tâche particulière et si vous ne voulez pas modifier les barres d'outils intégrées.

1. Choisissez la commande **Affichage/Barres d'outils/Personnaliser** ou la commande **Personnaliser** du menu contextuel des barres d'outils.

2. Activez l'onglet **Barres d'outils** dans la boîte de dialogue **Personnaliser**.

3. Cliquez sur le bouton **Nouvelle** afin d'ouvrir la boîte de dialogue **Nouvelle barre d'outils**.

4. Tapez un nom pour la nouvelle barre d'outils.

5. Cliquez sur OK. Vous revenez à la boîte de dialogue **Personnaliser**. Une barre d'outils vide s'affiche à l'écran.

6. Activez l'onglet **Commandes** dans la boîte de dialogue **Personnaliser**.

7. Sélectionnez une catégorie dans la zone de liste *Catégories*. Les boutons et commandes de cette catégorie s'affichent alors dans la zone de liste *Commandes*.

8. Sélectionnez un bouton et faites-le glisser dans la nouvelle barre d'outils.

9. Répétez les étapes 7 et 8 jusqu'à ce que la nouvelle barre d'outils contienne tous les boutons nécessaires. La taille de la barre d'outils est adaptée automatiquement au fur et à mesure qu'elle se garnit.

10. Cliquez sur le bouton **Fermer** dans la boîte de dialogue **Personnaliser**.

Créer une barre de menus personnalisée

Pour créer une barre de menus, vous pouvez en principe procéder comme pour une barre d'outils. Il convient toutefois de tenir compte de certaines particularités. Si vous sélectionnez la catégorie *Menus prédéfinis* à l'étape 8, les menus complets d'Excel 2000 vous sont proposés. Vous pouvez également les faire glisser dans la barre d'outils. Un épais trait vertical noir indique l'endroit où ils vont s'insérer.

Pour créer un nouveau menu, choisissez *Nouveau menu* dans la zone de liste *Catégories*. Dans la zone de liste *Commandes* s'affiche alors également *Nouveau menu* comme option unique. Faites glisser ce bouton dans la nouvelle barre de menus. Vous pouvez alors remplir le nouveau menu avec des commandes. Cliquez d'abord sur le nouveau menu afin de l'ouvrir. Choisissez ensuite une commande sous l'onglet **Commandes** et faites-la glisser dans le menu vide.

La commande s'insère dans le menu lorsque vous relâchez le bouton de la souris. Pour en ajouter une autre, sélectionnez-la à nouveau dans la boîte de dialogue et faites-la glisser à la position souhaitée. Une épaisse barre verticale matérialise cette position.

Pour ajouter un menu supplémentaire dans la barre, sélectionnez-le dans la catégorie *Menus prédéfinis* ou choisissez *Nouveau menu* et faites-le glisser dans la barre, à droite ou à gauche du premier menu. La barre verticale vous vient également en aide lors de cette opération.

Cliquez ensuite sur le bouton **Fermer**. Vous pouvez maintenant utiliser cette barre de menus de la même manière qu'une barre de menus intégrée.

Modifier des barres d'outils personnalisées

Avec le bouton **Modifier la sélection** de la boîte de dialogue **Personnaliser**, vous pouvez définir certaines propriétés de l'objet sélectionné, par exemple changer le nom d'un menu ou d'une commande.

◄ Fig. 3.11 :
*Le menu Modifier
la sélection de la
boîte de dialogue
Personnaliser*

Supprimer une barre d'outils personnalisée

Les barres d'outils personnalisées peuvent être supprimées, contrairement aux barres d'outils intégrées.

1. Choisissez la commande **Affichage/Barres d'outils/Personnaliser** ou **Personnaliser** dans le menu contextuel.

2. Dans la boîte de dialogue **Personnaliser**, activez l'onglet **Barres d'outils**.

3. Sélectionnez la barre d'outils à supprimer dans la zone de liste *Barres d'outils*.

4. Cliquez sur le bouton **Supprimer** et répondez par **Oui** à la demande de confirmation. La barre d'outils est alors irrémédiablement supprimée.

Éditer des boutons

Vous pouvez également intervenir sur l'apparence des différents boutons, par exemple en copiant une image dans une application graphique et en la collant sur un bouton. L'image devrait toutefois avoir à peu près la taille du bouton, faute de quoi elle serait méconnaissable.

Copier sur un bouton une image issue d'une application graphique

1. Copiez dans le Presse-papiers l'image qui doit être appliquée sur un bouton dans Excel 2000.

2. Activez la fenêtre Excel 2000.

3. Choisissez la commande **Affichage/Barres d'outils/Personnaliser** ou la même commande dans le menu contextuel.

4. Cliquez avec le bouton droit de la souris sur le bouton à modifier ou sélectionnez-le puis cliquez sur le bouton **Modifier la sélection** dans la boîte de dialogue **Personnaliser**. Dans les deux cas s'ouvre le même menu contextuel.

5. Choisissez la commande **Coller l'image du bouton**.

Copier l'image d'un bouton existant sur un autre bouton

1. Ouvrez la boîte de dialogue **Personnaliser** avec la commande **Affichage/Barres d'outils/Personnaliser** ou à partir du menu contextuel.

2. Cliquez avec le bouton droit dans une barre d'outils sur le bouton dont vous voulez copier l'image, et choisissez la commande **Copier l'image du bouton**. Vous pouvez également sélectionner le bouton en question puis cliquer sur **Modifier la sélection** dans la boîte de dialogue **Personnaliser** et choisir la commande dans le menu qui s'affiche.

3. Cliquez avec le bouton droit de la souris sur le bouton auquel vous voulez appliquer l'image copiée et choisissez la commande **Coller l'image du bouton**. Vous pouvez de même sélectionner le bouton et cliquer sur **Modifier la sélection** dans la boîte de dialogue **Personnaliser** puis choisir la commande dans le menu.

Éditer un bouton avec l'Éditeur de boutons

1. Ouvrez la boîte de dialogue **Personnaliser** avec la commande **Affichage/Barres d'outils/Personnaliser** ou à partir du menu contextuel.

2. Cliquez avec le bouton droit de la souris sur le bouton dont vous souhaitez modifier l'image et choisissez la commande **Éditeur de boutons**. Vous pouvez également sélectionner le bouton en question puis cliquer sur **Modifier la sélection** dans la boîte de dialogue **Personnaliser** et choisir la commande dans le menu qui s'affiche. L'Éditeur de boutons s'affiche dans les deux cas.

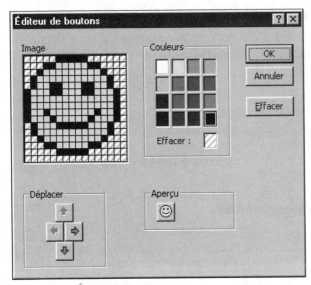

▲ Fig. 3.12 : *L'Éditeur de boutons*

Modifier l'image d'un bouton

1. Ouvrez la boîte de dialogue **Personnaliser** avec la commande **Affichage/Barres d'outils/Personnaliser** ou à partir du menu contextuel.

2.  Cliquez avec le bouton droit de la souris sur le bouton à modifier et choisissez la commande **Modifier l'image du bouton** dans le menu contextuel. Vous pouvez également choisir la même commande après avoir sélectionné le bouton à modifier et cliqué sur **Modifier la sélection** dans la boîte de dialogue **Personnaliser**. Dans les deux cas s'ouvre la "réserve" de boutons prédéfinis.

3. Cliquez dans la palette sur le bouton de votre choix.

Rétablir le bouton d'origine

1. Ouvrez la boîte de dialogue **Personnaliser** avec la commande **Affichage/Barres d'outils/Personnaliser** ou à partir du menu contextuel.

2. Cliquez avec le bouton droit de la souris sur le bouton à rétablir. Vous pouvez également sélectionner le bouton à modifier et cliquer sur **Modifier la sélection** dans la boîte de dialogue **Personnaliser**.

3. Choisissez la commande **Rétablir l'image du bouton** dans le menu contextuel.

Affecter une macro à un bouton

Les boutons peuvent aussi être associés à des macros. Vous avez ainsi le moyen de constituer des barres d'outils avec vos propres commandes.

Renvoi   Pour plus d'informations sur l'affectation de macros à des boutons, reportez-vous au chapitre intitulé *Programmer Excel avec VBA*.

Chapitre 4

Le classeur Excel

4.1   Gestion des classeurs 89

4.2   Gestion des feuilles de calcul 106

Le système d'exploitation de l'ordinateur gère les données dans des fichiers. Un fichier n'est rien d'autre qu'un ensemble organisé de données.

On fait habituellement la distinction entre les fichiers de programmes et les fichiers de données. Lorsque vous enregistrez un classeur, un fichier de données est créé sur le disque dur.

4.1 Gestion des classeurs

Une des tâches les plus importantes lors de l'enregistrement d'un classeur est le choix du nom et du lieu d'enregistrement, afin d'avoir une chance de retrouver le fichier par la suite, même quelques années plus tard. Il est important, de ce point de vue, de bien réfléchir à la gestion des fichiers.

Ouvrir un classeur

L'ouverture d'un classeur peut concerner un classeur neuf ou un fichier déjà enregistré.

Ouvrir un classeur vide

Un classeur vide est automatiquement chargé au démarrage d'Excel 2000.

 Le moyen le plus simple d'ouvrir un nouveau classeur vide est de cliquer sur le bouton **Nouveau** dans la barre d'outils *Standard*.

Si vous choisissez la commande **Fichier/Nouveau**, vous obtenez la boîte de dialogue **Nouveau**.

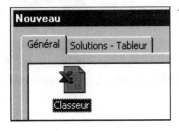

◄ Fig. 4.1 :
La boîte de dialogue Nouveau

Par défaut, l'onglet **Général** est activé et l'icône *Classeur* est sélection-née. Il vous suffit par conséquent de cliquer sur OK pour ouvrir un nouveau classeur.

Ouvrir un classeur existant

La procédure est différente s'il s'agit d'amener à l'écran, en vue de le modifier, un classeur que vous avez déjà enregistré sur le disque dur en tant que fichier. Sous Windows 95/98, les moyens d'ouvrir des fichiers enregistrés sont si nombreux qu'il serait trop long de les présenter tous. Nous allons donc nous concentrer sur la méthode la plus simple, qui est probablement aussi celle que vous emploierez le plus souvent.

1. Choisissez la commande **Fichier/Ouvrir**. La boîte de dialogue **Ouvrir** s'affiche.

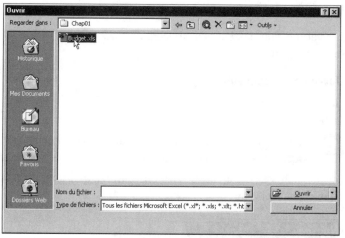

▲ Fig. 4.2 : *La boîte de dialogue Ouvrir*

2. Le contenu du dossier courant est affiché dans la zone de liste. Si le fichier à ouvrir se trouve dans ce dossier, double-cliquez sur son nom pour l'ouvrir, ou sélectionnez-le et cliquez ensuite sur **Ouvrir**.

Astuce

Protéger les fichiers contre l'accès en écriture

Si vous voulez protéger le fichier à ouvrir contre toute modification, vous pouvez l'ouvrir en lecture seule. Cliquez à cet effet sur la flèche à côté du bouton **Ouvrir**. Vous pouvez alors choisir la commande **Ouvrir en lecture seule**. Une autre solution consiste à ouvrir le fichier avec la commande **Ouvrir une copie**. Vous pouvez alors modifier cette copie à votre guise et l'enregistrer ensuite sous un autre nom, l'original restant inchangé.

3. Si le fichier se trouve sur un autre lecteur, ouvrez la liste déroulante *Regarder dans* en cliquant sur le bouton fléché correspondant et sélectionnez ensuite le lecteur souhaité.

4. Pour passer au dossier parent, cliquez sur le bouton **Dossier parent**. Pour ouvrir un dossier, double-cliquez dessus ou sélectionnez-le et cliquez ensuite sur **Ouvrir**.

Astuce

Ouvrir plusieurs classeurs en même temps

Vous pouvez sélectionner plusieurs classeurs dans la boîte de dialogue **Ouvrir** si vous tenez la touche Ctrl enfoncée pendant que vous cliquez sur les noms de fichiers correspondants. Si les noms de fichiers se suivent tous dans la liste, vous pouvez sélectionner le bloc entier en cliquant sur le premier puis sur le dernier, mais en tenant cette fois la touche Maj enfoncée. Si vous avez sélectionné un classeur de trop, cliquez dessus en tenant la touche Ctrl enfoncée pour le retirer de la sélection.

Astuce

Ouvrir le dernier classeur modifié

Les quatre derniers classeurs modifiés sont listés automatiquement à la fin du menu **Fichier**. Cliquez sur un nom de fichier dans ce menu pour ouvrir le classeur correspondant. Cela vous dispense de passer par la boîte de dialogue **Ouvrir**. Si la liste des fichiers n'apparaît pas dans le menu **Fichier**, choisissez la commande **Outils/Options** et activez l'onglet **Général**. Cochez l'option *Liste des derniers fichiers utilisés*. Si vous souhaitez augmenter le nombre de fichiers de la liste, modifiez la valeur de la zone de saisie correspondante.

La boîte de dialogue Ouvrir

Pour vous aider à trouver facilement le fichier que vous cherchez, la boîte de dialogue **Ouvrir** offre différentes façons de présenter les contenus des dossiers. Cette même boîte de dialogue met également à votre disposition un certain nombre de fonctions de gestion de fichiers. Vous pouvez ainsi supprimer des fichiers, les renommer, les copier, etc. Il convient de mentionner aussi la fonction de recherche que vous utiliserez pour trouver des classeurs dont vous ne vous rappelez plus le nom exact.

Modes d'affichage de la boîte de dialogue Ouvrir

La recherche d'un fichier peut être grandement facilitée grâce à une utilisation judicieuse des différents modes d'affichage de la boîte de dialogue.

◄ Fig. 4.3 :
*Les modes d'affichage sont
proposés dans le menu du
bouton Affichages*

Un clic sur la flèche du bouton **Affichages** dans la boîte de dialogue **Ouvrir** ouvre un menu dans lequel sont proposés les différents modes d'affichage disponibles.

- **Liste** : affiche les noms de dossiers et de fichiers sans autres précisions dans la zone de liste de la boîte de dialogue.

- **Détails** : affiche les noms de dossiers et de fichiers, leur taille, leur type ainsi que la date et l'heure de la dernière modification. En cliquant sur les en-têtes des différentes colonnes, vous pouvez en outre trier les fichiers selon ces différents critères. En cliquant par exemple sur l'en-tête **Nom**, les fichiers sont triés d'après les noms.

- **Propriétés** : affiche les noms des dossiers et fichiers ainsi que les propriétés du fichier sélectionné : titre, auteur, etc.

Reportez-vous dans ce même chapitre à la section intitulée *Enregistrer un classeur* pour savoir comment saisir et modifier ces informations pour les classeurs que vous enregistrez.

Renvoi

- **Aperçu** : affiche le contenu du fichier avant son ouverture, afin que vous puissiez vous assurer que c'est bien celui que vous cherchez.

Changer rapidement de mode d'affichage

Chaque clic sur le bouton **Affichages** active le mode d'affichage suivant, selon l'ordre dans lequel ces modes figurent dans le menu.

Astuce

Gestion de fichiers dans la boîte de dialogue Ouvrir

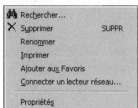

La boîte de dialogue **Ouvrir** permet certes d'ouvrir des classeurs, mais aussi d'effectuer certaines opérations de gestion des fichiers. Les commandes suivantes vous sont proposées lorsque vous cliquez sur le bouton **Outils**.

Chaque fichier possède en outre son menu contextuel, que vous pouvez ouvrir en plaçant le pointeur de la souris sur le fichier en question et en cliquant avec le bouton droit. Ce menu contextuel contient également un certain nombre de commandes servant à la gestion des fichiers.

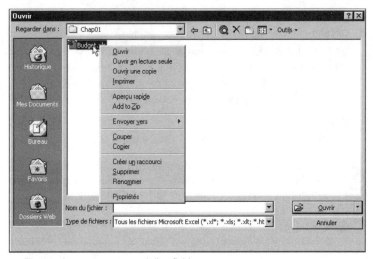

▲ Fig. 4.4 : *Le menu contextuel d'un fichier*

Classeurs préférés

Vous ouvrirez plus rapidement les classeurs dont vous avez souvent besoin si vous créez un raccourci vers les fichiers correspondants dans le dossier *Favoris*. L'avantage est que vous n'avez plus besoin de vous souvenir dans quel dossier a été enregistré le fichier en question, car vous pourrez l'activer directement depuis le dossier *Favoris*, indépendamment de l'endroit où il est effectivement stocké. Pour ouvrir un classeur qui se trouve dans le dossier *Favoris*, cliquez sur le bouton **Favoris** dans la boîte de dialogue **Ouvrir**.

Pour que le classeur soit proposé dans le dossier *Favoris*, il vous faut tout d'abord créer un raccourci.

Ajouter un classeur aux favoris

1. Choisissez la commande **Fichier/Ouvrir** et sélectionnez le fichier à ajouter aux favoris.

2. Cliquez sur le bouton **Outils** et choisissez la commande **Ajouter aux favoris**. Un raccourci vers ce fichier est alors enregistré dans le dossier *Favoris*.

3. Si vous cliquez à présent sur le bouton **Favoris** dans la partie gauche de la boîte de dialogue, le contenu du dossier *Favoris* s'affiche, et vous pouvez ouvrir le classeur en double-cliquant sur le raccourci que vous venez de créer.

Enregistrer des classeurs dans le dossier XLOuvrir

Si vous souhaitez qu'un classeur soit ouvert automatiquement à chaque démarrage d'Excel, vous devez enregistrer ce classeur dans un dossier spécial appelé XLOuvrir, qui se trouve sous le dossier dans lequel vous avez installé Office 2000.

Notez que vous avez également la possibilité de démarrer Excel en ouvrant en même temps le document souhaité si vous lancez le programme par l'intermédiaire de la commande **Documents** du menu **Démarrer**.

Laisser Excel rechercher des classeurs

Si vous ne vous souvenez plus du dossier dans lequel vous avez enregistré un classeur, laissez Excel effectuer la recherche.

Choisissez la commande **Fichier/Ouvrir** et cliquez sur le bouton **Outils** dans la boîte de dialogue. Choisissez la commande **Rechercher**. La boîte de dialogue ci-après s'affiche.

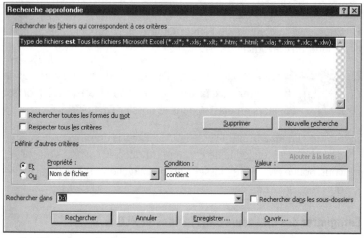

▲ Fig. 4.5 : *La boîte de dialogue Recherche approfondie*

Les options de la boîte de dialogue Recherche approfondie

Tab. 4.1 : Les options de la boîte de dialogue Recherche approfondie	
Option	Signification
Rechercher les fichiers qui correspondent à ces critères	Ici s'affichent les critères selon lesquels Excel effectue la recherche. Par défaut, ce sont des fichiers Excel 2000.
Rechercher toutes les formes du mot	Recherche également des mots apparentés.
Respecter tous les critères	Si cette case à cocher est activée, il est tenu compte des majuscules et des minuscules dans la recherche.
Propriété	Vous avez la possibilité de rechercher des propriétés de fichier, à condition que vous ayez saisi ces propriétés lors de l'enregistrement du fichier. Si vous voulez par exemple rechercher tous les fichiers créés par une certaine personne, sélectionnez l'option *Auteur* et tapez le nom de l'auteur dans la zone de saisie *Valeur*.

Tab. 4.1 : Les options de la boîte de dialogue Recherche approfondie	
Option	Signification
Condition	Différents opérateurs de texte sont proposés ici, en fonction du critère *Propriété* choisi. Pour le critère *Nombre de lignes*, par exemple, vous pouvez indiquer s'il doit être inférieur, supérieur ou égal à la valeur spécifiée.
Et/Ou	Si deux critères sont spécifiés, indiquez ici s'ils doivent être remplis tous les deux ou si vous recherchez seulement l'un des deux.
Ajouter à la liste	Avec ce bouton, vous ajoutez les critères à la liste.
Rechercher dans	Indiquez ici le lecteur ou le dossier dans lequel la recherche doit avoir lieu.
Rechercher dans les sous-dossiers	Activez cette case à cocher si la recherche doit être effectuée dans les sous-dossiers du dossier spécifié.
Rechercher	Démarre la recherche.
Enregistrer	Permet d'enregistrer le jeu de critères de recherche afin de l'employer à nouveau par la suite.
Ouvrir	Ouvre une boîte de dialogue contenant les noms des jeux de critères enregistrés.

Astuce

Optimiser la gestion de fichiers

Pour pouvoir profiter au maximum des fonctions de recherche, prenez l'habitude de définir des propriétés de fichier pour chaque classeur. C'est plus facile si vous faites en sorte que la boîte de dialogue **Propriétés** s'ouvre automatiquement à chaque enregistrement. Choisissez à cet effet la commande **Outils/Options**, activez l'onglet **Général** et cochez l'option *Afficher la fenêtre des propriétés*.

Enregistrer un classeur

Trois situations peuvent se produire lors de l'enregistrement d'un fichier :

1. Vous enregistrez un classeur pour la première fois.

2. Vous enregistrez une nouvelle fois un classeur qui a déjà été enregistré.

3. Vous enregistrez un classeur existant mais sous un nouveau nom.

Premier enregistrement

Toutes les méthodes vous conduisent au résultat recherché dans ce cas.

1. Vous pouvez cliquer sur le bouton **Enregistrer** dans la barre d'outils *Standard*. Vous pouvez aussi choisir la commande **Fichier/Enregistrer** ou **Fichier/Enregistrer sous**. En outre, un clic droit sur la barre de titre de la fenêtre de classeur ouvre un menu contextuel contenant également les deux commandes d'enregistrement.

2. Quelle que soit la méthode employée, vous aboutissez à la boîte de dialogue **Enregistrer sous**. Si nécessaire, vous pouvez sélectionner un lecteur et un dossier dans la liste déroulante *Enregistrer dans*.

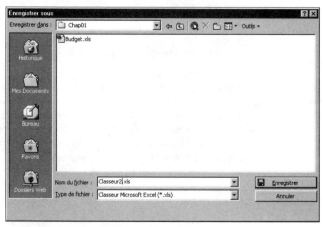

▲ Fig. 4.6 : *La boîte de dialogue Enregistrer sous*

3. Entrez le nom de fichier dans la zone de saisie *Nom du fichier*.

4. Sélectionnez le type sous *Type de fichier*, si ce n'est pas un classeur Excel 2000. Inutile de modifier quoi que ce soit si vous enregistrez un classeur Excel 2000 car c'est le cas de figure le plus courant, et le type par défaut a été défini en conséquence.

5. Cliquez sur le bouton **Enregistrer**.

Enregistrer un classeur une nouvelle fois

Si vous venez de modifier un classeur existant, vous pouvez l'enregistrer sans devoir indiquer à nouveau le nom de fichier. Cliquez simplement sur le bouton **Enregistrer** ou choisissez la commande **Fichier/Enregistrer**. Le classeur est alors enregistré au même endroit et sous le même nom.

Enregistrer un classeur sous un nouveau nom

Pour enregistrer sous un nouveau nom un classeur qui avait déjà été enregistré, choisissez la commande **Fichier/Enregistrer sous** et indiquez un nouveau nom de fichier dans la boîte de dialogue. Le même fichier existe alors deux fois sur le disque dur, sous des noms différents.

Faciliter l'enregistrement des classeurs

Il ne peut en fait rien vous arriver de grave lors de l'enregistrement d'un classeur. Même si vous quittez le programme sans enregistrer le fichier en cours, Excel vous rappelle à l'ordre. Par ailleurs, vous pouvez aussi décider d'enregistrer un classeur directement dans le dossier *Favoris*, ce qui est judicieux s'il s'agit d'un document dont vous aurez souvent besoin. En outre, pour améliorer la gestion des fichiers, vous pouvez définir des propriétés pour chacun. Vous avez également la possibilité de protéger le classeur contre toute tentative d'accès non autorisé.

Enregistrer tous les fichiers en même temps

Si vous quittez Excel alors que plusieurs classeurs non enregistrés sont encore ouverts, une boîte de dialogue vous demande si vous souhaitez enregistrer les modifications.

▲ Fig. 4.7 : *Excel vous rappelle à l'ordre*

Cliquez sur le bouton **Oui pour tout** si vous voulez être sûr que toutes les modifications de tous les fichiers seront enregistrées.

Enregistrer un classeur dans le dossier Favoris

Enregistrez dans le dossier *Favoris* les classeurs que vous utilisez souvent. Cela vous évite d'avoir à vous souvenir de l'endroit où vous avez enregistré tel ou tel fichier.

Renvoi   La création d'un raccourci dans le dossier Favoris a été expliquée dans la précédente section.

Le bouton **Favoris** est toujours présent dans la boîte de dialogue **Ouvrir**. Vous pouvez donc activer aisément le dossier *Favoris* en cliquant sur ce bouton.

Vous pouvez enregistrer un fichier directement dans le dossier *Favoris* ou y créer seulement un raccourci. Si un classeur figure dans le dossier *Favoris* en tant que raccourci, le fichier proprement dit est enregistré dans un autre dossier, mais vous pouvez tout de même ouvrir le classeur à partir du dossier *Favoris*.

Définir des propriétés de fichier

La gestion des fichiers peut aussi être facilitée si vous prenez soin de définir des propriétés lors de l'enregistrement. Ces informations peuvent être utilisées par la suite pour rechercher des fichiers car les propriétés peuvent servir de critères de recherche.

1. Si le fichier pour lequel vous voulez définir des propriétés est ouvert, choisissez la commande **Fichier/Propriétés** afin d'ouvrir la fenêtre **Propriétés**.

2. Activez l'onglet souhaité.

3. Remplissez les différentes zones de saisie.

4. Cliquez sur OK.

Les informations saisies dans la boîte de dialogue **Propriétés** sont affichées dans la boîte de dialogue **Ouvrir** si le mode d'affichage Propriétés est actif.

Astuce

Remplir automatiquement la zone de saisie Auteur

La zone de saisie *Auteur* peut être remplie automatiquement avec votre nom. Il suffit pour cela que vous inscriviez votre patronyme dans la zone *Nom d'utilisateur*, sous l'onglet **Général** de la boîte de dialogue **Options** (commande **Outils/Options**). Le contenu de cette zone de saisie est en effet reporté automatiquement dans la boîte de dialogue **Propriétés**.

Protéger un classeur

Dans la boîte de dialogue **Enregistrer sous**, cliquez sur le bouton **Outils** et choisissez la commande **Options générales**. La boîte de dialogue **Options d'enregistrement** s'affiche. Elle permet d'enregistrer une copie de sauvegarde et de définir l'organisation en cas d'utilisation commune des données.

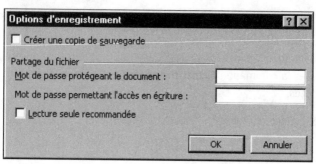

▲ Fig. 4.8 : *La boîte de dialogue des options d'enregistrement*

- *Créer une copie de sauvegarde* : si cette case à cocher est activée, une copie de sauvegarde est créée automatiquement lors de chaque enregistrement dans le même dossier que l'original.

- *Mot de passe protégeant le document* : tapez un mot de passe dans cette zone de saisie si vous voulez empêcher que des personnes non autorisées n'accèdent à votre fichier. Il peut avoir jusqu'à quinze caractères de long et il est tenu compte des majuscules et des minuscules. Le mot de passe sera alors demandé à chaque ouverture du fichier. L'ouverture sera refusée si le mot de passe indiqué est erroné.

- *Mot de passe permettant l'accès en écriture* : si vous définissez un mot de passe dans cette zone de saisie, le fichier pourra être ouvert en lecture seule, mais il sera impossible de le modifier puis de l'enregistrer sous le même nom. Les modifications et l'enregistrement du fichier original ne seront possibles que si le mot de passe est connu. Il peut avoir jusqu'à quinze caractères de long et il est tenu compte des majuscules et des minuscules.

- *Lecture seule recommandée* : si cette case à cocher est activée, une boîte de dialogue s'affiche à l'ouverture du fichier. Vous devez y décider dans quel mode le fichier sera ouvert. Cliquez sur **Oui** pour l'ouverture en lecture seule, sur **Non** si vous préférez avoir le droit de modifier le fichier puis de l'enregistrer sous le même nom.

Enregistrement automatique pour plus de sûreté

La macro complémentaire Enregistrement automatique enregistre des fichiers automatiquement et à intervalles réguliers, pour éviter des pertes de données durant le travail.

Si vous avez installé la macro complémentaire en question à l'aide du Gestionnaire de macros complémentaires, la commande **Enregistrement automatique** peut être activée dans le menu **Outils**. La boîte de dialogue de même nom s'affiche.

Activez la case à cocher *Enregistrement toutes les* et indiquez un délai en minutes entre deux sauvegardes. Activez l'option *Enregistrer uniquement le classeur actif* ou *Enregistrer tous les classeurs ouverts* selon que vous préférez l'un ou l'autre des modes de sauvegarde.

Activez également la case à cocher *Alerte avant enregistrement* si vous souhaitez confirmer chaque enregistrement automatique.

Enregistrer un environnement de travail

Pour enregistrer plusieurs classeurs dans un seul fichier, vous devez les enregistrer en tant qu'environnement de travail. Cela vous permet d'ouvrir plusieurs classeurs en même temps et dans la disposition exacte qui était la leur au moment de leur enregistrement.

1. Organisez les classeurs tels que vous souhaitez les trouver à l'ouverture.

2. Choisissez la commande **Fichier/Enregistrer un environnement**. La boîte de dialogue **Enregistrer l'espace de travail** s'affiche.

3. Excel propose un nom dans la zone de saisie *Nom du fichier*. Vous pouvez l'accepter ou le remplacer. Le type de fichier doit être *Environnements*.

4. Si nécessaire, sélectionnez un autre lecteur et un autre dossier.

5. Cliquez sur le bouton **Enregistrer**.

Remarque

> **Extension .xlw**
>
> Excel enregistre automatiquement les fichiers d'environ-
> nement avec l'extension *.xlw*.

Ouvrir un environnement

Un environnement s'ouvre comme tout autre fichier avec **Fichier/ Ouvrir**. Les fichiers d'environnement sont également proposés dans la zone de liste.

L'icône à gauche du nom de fichier vous permet de savoir qu'il s'agit d'un fichier d'environnement. En mode d'affichage Détails, vous pouvez également voir dans la colonne Type qu'il s'agit d'un environnement Excel.

Si vous sélectionnez l'option *Environnements* dans la liste déroulante *Type de fichiers*, seuls les fichiers d'environnement sont proposés dans la liste.

Protéger la disposition des fenêtres du classeur

Si plusieurs personnes sont appelées à travailler avec un même classeur, il est judicieux de protéger la structure des fenêtres du classeur.

1. Ouvrez le classeur que vous voulez protéger.

2. Choisissez la commande **Outils/Protection/Protéger le classeur**.

3. Tapez un mot de passe dans la zone de saisie prévue à cet effet, si vous ne voulez pas que n'importe qui ôte la protection que vous définissez.

4. Activez la case à cocher *Structure* si vous le souhaitez.

5. Activez également l'option *Fenêtres* si vous le jugez nécessaire.

- *Structure* : empêche que les documents soient déplacés, supprimés, affichés, masqués et renommés dans le classeur. Il n'est pas
  possible non plus d'ajouter une nouvelle feuille de calcul dans le
  classeur.

- *Fenêtres* : empêche que les fenêtres soient déplacées, agrandies ou réduites, affichées ou masquées, et fermées.

- *Mot de passe* : si vous indiquez un mot de passe et cliquez sur OK, vous obtenez une boîte de dialogue vous demandant de confirmer le mot de passe. Tapez-le une fois encore et cliquez sur OK. Le mot de passe peut avoir jusqu'à quinze caractères de long et il peut contenir des lettres, des chiffres, des espaces et des caractères spéciaux.

Ôter la protection du classeur

Si un classeur a été protégé à l'aide d'un mot de passe, vous ne pouvez ôter cette protection que si vous connaissez ce mot de passe.

1. Ouvrez le classeur.

2. Choisissez la commande **Outils/Protection/Ôter la protection du classeur**.

3. Si vous avez défini un mot de passe de protection, vous êtes alors invité à taper ce mot de passe. Cliquez ensuite sur OK.

Fermer un classeur

Un classeur peut être fermé de différentes manières :

- ☒ En cliquant sur le bouton **Fermer**. Il se trouve à l'extrémité droite de la barre de titre et représente une croix.

- En choisissant la commande **Fichier/Fermer**.

- Avec la combinaison de touches **Ctrl + F4**.

La commande **Fermer** supprime la fenêtre du classeur actif, mais pas la fenêtre d'application d'Excel 2000. Si votre classeur n'avait pas été enregistré depuis les dernières modifications, une boîte de dialogue s'affiche pour vous y inviter. Cliquez sur le bouton **Oui** si les modifications doivent être enregistrées.

Fermer tous les classeurs en même temps

Si plusieurs classeurs sont ouverts et si vous souhaitez les fermer tous ensemble, procédez de la façon suivante :

1. Appuyez sur la touche **Maj** pendant que vous ouvrez le menu **Fichier**. La commande **Fermer** y est alors remplacée par **Fermer tout**.

2. Choisissez la commande **Fermer tout**.

Remarque

Commande Fermer tout

Attention, la commande **Fermer tout** ne ferme pas les macros complémentaires.

4.2   Gestion des feuilles de calcul

Un classeur peut contenir jusqu'à 255 feuilles, de différents types. Des feuilles de calcul peuvent être activées, insérées, supprimées, renommées, copiées et déplacées à l'intérieur d'un même classeur, copiées et déplacées d'un classeur à un autre, affichées ou masquées, etc.

Activer une feuille de calcul

Au démarrage d'Excel 2000, c'est normalement un classeur avec trois feuilles de calcul vierges qui est ouvert. La première de ces feuilles de calcul est active. Pour activer la feuille de calcul suivante, par exemple pour y effectuer une saisie ou en consulter le contenu, cliquez simplement sur son onglet. Elle est alors amenée au premier plan et le texte de son onglet s'inscrit en gras.

Boutons de navigation

Les boutons de navigation permettent de faire défiler les onglets lorsqu'ils ne sont pas tous visibles. Ils ne sont réellement utiles que lorsque le nombre de feuilles de calcul est tel que tous les onglets ne peuvent pas être affichés en même temps ou lorsque les noms des feuilles de calcul sont relativement longs.

Barre de fractionnement

Entre la zone des onglets et la barre de défilement horizontale se trouve une petite barre de fractionnement que vous pouvez déplacer pour attribuer davantage de place soit aux onglets, soit à la barre de défilement. Amenez le pointeur de la souris sur la barre. Il est bien positionné lorsqu'il se transforme en une double flèche séparée au milieu par un double trait vertical. En faisant glisser la barre de fractionnement vers la gauche, vous allongez la barre de défilement, mais au détriment de la zone réservée aux onglets. En la faisant glisser vers la droite, vous accordez davantage de place aux onglets, mais c'est alors la barre de défilement qui devient plus trapue. Un double clic sur la barre de fractionnement la ramène à sa position par défaut.

Menu contextuel des onglets de feuille de calcul

Une autre manière d'activer une feuille de calcul dont l'onglet n'est pas visible consiste à afficher un menu contextuel contenant tous les noms de feuilles de calcul. Amenez à cet effet le pointeur de la souris sur les boutons de navigation et cliquez avec le bouton droit de la souris ; le menu contextuel des onglets s'affiche. Sélectionnez la feuille de calcul que vous souhaitez activer.

Activer un groupe de feuilles de calcul

Vous pouvez travailler sur plusieurs feuilles de calcul en même temps en les regroupant. Lorsque des feuilles de calcul sont groupées, toutes les saisies et mises en forme effectuées dans celle qui se trouve au premier plan sont également reproduites sur toutes les autres feuilles de calcul du groupe. Lorsque des données sont copiées dans une feuille de calcul appartenant à un groupe, elles sont également copiées dans toutes les autres feuilles de ce groupe.

Grouper des feuilles de calcul

1. Cliquez sur l'onglet de la première feuille de calcul qui doit faire partie du groupe.

2. Tenez la touche **Maj** enfoncée et cliquez sur la dernière feuille de calcul du groupe.

La mention [Groupe de travail] s'affiche dans la barre de titre du classeur. Pour grouper des feuilles de calcul dont les onglets ne se suivent pas, tenez la touche **Ctrl** enfoncée pendant que vous cliquez sur les onglets.

Grouper toutes les feuilles de calcul d'un classeur

1. Cliquez avec le bouton droit de la souris sur n'importe quel onglet de feuille de calcul afin d'ouvrir le menu contextuel.

2. Choisissez la commande **Sélectionner toutes les feuilles**.

Dissocier un groupe

- Lorsque toutes les feuilles de calcul d'un classeur sont groupées, vous pouvez dissocier le groupe en cliquant simplement sur une feuille autre que la feuille active.

- Si quelques feuilles de calcul seulement ont été groupées, vous pouvez cliquer sur les différentes feuilles sans défaire le groupe pour autant. Pour le dissocier, vous devez cliquer sur une feuille de calcul qui ne fait pas partie du groupe.

Dans tous les cas, le menu contextuel des onglets permet de dissocier le groupe. Cliquez avec le bouton droit de la souris sur un onglet du groupe afin d'ouvrir le menu contextuel. Choisissez la commande **Dissocier le groupe**.

Se déplacer dans une feuille de calcul

C'est facile de trouver les données tant qu'elles sont toutes visibles à l'écran. Cela devient nettement plus difficile et surtout plus long au fur et à mesure que leur volume augmente et lorsqu'il faut travailler avec les barres de défilement.

Fort heureusement, Excel 2000 propose d'autres solutions pour déplacer rapidement le pointeur de cellule dans la feuille de calcul.

La zone Nom

La zone *Nom* de la barre de formule peut être utilisée pour rechercher des cellules :

1. Tapez l'adresse de cellule ou le nom dans la zone *Nom* ou ouvrez la liste déroulante en cliquant sur le bouton fléché et sélectionnez le nom dans la liste.

Vous pouvez entrer une référence de cellule, par exemple A1, ou de plage de cellules, par exemple A1:B15, dans la zone *Nom*. Pour sélectionner plusieurs cellules ou plages de cellules en même temps, leurs adresses doivent être séparées par des points-virgules.

Vous pouvez également entrer une référence à un autre classeur. Dans ce cas, vous devez saisir une référence externe de ce type : [Classeur]Feuille!Référence.

Si la feuille de calcul contient des cellules ou plages de cellules nommées, elles sont listées dans la zone *Nom*.

2. Appuyez sur la touche **Entrée**. Excel sélectionne alors les cellules indiquées.

Sélectionner des cellules avec la commande Atteindre

Vous pouvez aussi utiliser la boîte de dialogue **Atteindre** pour sélectionner rapidement des cellules. La commande **Édition/Atteindre** sélectionne en effet les cellules que vous spécifiez dans la boîte de dialogue.

La référence peut être tapée dans la zone de saisie ou sélectionnée dans la liste si elle s'y trouve.

1. Choisissez la commande **Édition/Atteindre** ou actionnez la combinaison de touches **Ctrl + T**.

2. Dans la zone de liste, sélectionnez la cellule souhaitée si elle s'y trouve. Toutes les cellules, plages de cellules nommées et tous les objets auxquels un nom a été affecté sont listés ici. On y trouve également les quatre dernières références sélectionnées.

3. Vous pouvez également taper une référence ou un nom dans la zone de saisie *Référence*.

4. Cliquez sur le bouton OK. La plage de cellules nommée ou la référence spécifiée est alors sélectionnée.

Remarque

Revenir à la cellule d'origine avec la fonction Atteindre

Si vous souhaitez revenir à votre point de départ, c'est-à-dire à la position à partir de laquelle vous avez exécuté la commande **Atteindre**, exécutez une nouvelle fois cette m ême commande. Excel a en effet noté la référence de la dernière cellule active et la propose par défaut dans la zone de saisie *Référence*. Vous n'avez donc plus qu'à cliquer sur OK.

Sélectionner des cellules en fonction de leur contenu

Le bouton **Cellules** de la boîte de dialogue **Atteindre** est un outil puissant lorsqu'il s'agit de sélectionner des cellules en fonction du type de leur contenu. La commande **Édition/Atteindre** suivie d'un clic sur le bouton **Cellules** ouvre une boîte de dialogue dans laquelle vous pouvez indiquer très exactement quels contenus de cellules doivent servir de critère de sélection (voir fig. 4.9).

Si vous activez par exemple l'option *Commentaires*, Excel sélectionne dans la feuille de calcul active toutes les cellules contenant un commentaire.

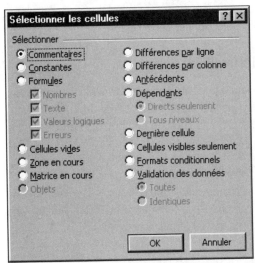

▲ Fig. 4.9 : *La boîte de dialogue Sélectionner les cellules*

Si vous sélectionnez l'option *Constantes* ou *Formules*, Excel active également les cases à cocher *Nombres*, *Texte*, *Valeurs logiques* et *Erreurs* afin de vous permettre de restreindre davantage encore les critères.

Astuce

Limiter la recherche à une partie de la feuille de calcul

Vous pouvez limiter la recherche à une partie de la feuille de calcul en sélectionnant une plage de cellules avant d'exécuter la commande. Dans ce cas, seules les cellules situées dans la sélection initiale et qui correspondent aux critères sont sélectionnées.

L'option *Zone en cours* sélectionne la zone de données en cours. Cela signifie que toutes les cellules qui sont situées autour du pointeur de cellule, qui forment un bloc et qui sont délimitées par des lignes et des colonnes vides ou par des bordures seront sélectionnées.

Vous pouvez également sélectionner la zone de données en cours à l'aide du bouton **Sélectionner cette région**.

Insérer une nouvelle feuille de calcul

Bien souvent, les trois feuilles de calcul initiales ne sont pas suffisantes. Excel 2000 peut gérer jusqu'à 255 feuilles dans un classeur. Vous pouvez en insérer une seule ou un certain nombre, bien précis, en une seule fois.

Insérer une feuille de calcul

Activez la feuille de calcul devant laquelle vous voulez insérer une nouvelle feuille. Choisissez ensuite la commande **Insertion/Feuille** . Une nouvelle feuille est ajoutée devant la feuille active.

Astuce

Insérer plusieurs feuilles

Pour insérer plusieurs feuilles, activez autant d'onglets de feuilles de calcul que vous souhaitez obtenir de nouvelles feuilles et choisissez ensuite la commande **Insertion/ Feuille.**

Renommer une feuille de calcul

Chaque onglet de feuille de calcul possède un nom. Par défaut, les feuilles de calcul s'appellent Feuil1, Feuil2, etc. Vous pouvez changer ces noms à votre guise ; vous disposez de 31 caractères pour cela, les espaces étant également comptées.

1. Double-cliquez sur l'onglet de la feuille de calcul à renommer. Le nom est sélectionné. Vous pouvez également cliquer sur l'onglet avec le bouton droit de la souris et choisir la commande **Renommer**.

2. Tapez le nouveau nom. Le précédent est purement et simplement effacé dès que vous tapez le premier caractère.

Si vous préférez simplement effectuer une petite correction, vous pouvez placer le point d'insertion dans le nom existant et l'éditer.

3. Validez la saisie avec la touche **Entrée** ou cliquez à n'importe quel endroit du classeur.

Remarque

Caractères spéciaux dans les noms de feuilles de calcul

Les caractères ci-après ne doivent pas être utilisés dans les noms de feuilles de calcul : [ ] : / \? *.

Afficher/masquer des feuilles de calcul et des classeurs

Les feuilles de calcul et classeurs que vous ne voulez pas laisser accessibles pour n'importe qui peuvent être rendus invisibles à l'aide de la commande **Masquer**. Les références à ces classeurs continuent cependant de fonctionner.

Masquer une feuille de calcul

1. Activez la feuille de calcul à masquer.

2. Choisissez la commande **Format/Feuille/Masquer**.

Astuce

Masquer plusieurs feuilles en même temps

Vous pouvez masquer plusieurs feuilles en même temps si vous prenez soin de les grouper avant d'exécuter la commande.

Afficher une feuille de calcul masquée

1. Choisissez la commande **Format/Feuille/Afficher**.

2. Dans la boîte de dialogue **Afficher**, sélectionnez la feuille à afficher.

3. Cliquez sur OK.

Remarque

Pas de sélection multiple

Il n'est pas possible d'effectuer une sélection multiple dans la zone de liste de la boîte de dialogue **Afficher**. Vous devez par consé quent afficher les feuilles de calcul une à une.

Masquer un classeur

1. Ouvrez le classeur que vous souhaitez masquer.

2. Choisissez la commande **Fenêtre/Masquer**. Tout le classeur devient alors invisible.

Remarque

Le classeur reste ouvert

Bien qu'il soit invisible, le classeur masqué reste ouvert.

Afficher un classeur masqué

1. Choisissez la commande **Fenêtre/Afficher**.

2. Dans la zone de liste de la boîte de dialogue **Afficher**, sélectionnez le classeur à afficher.

3. Cliquez sur OK.

Déplacer et copier des feuilles de calcul

L'ordre des feuilles de calcul dans le classeur peut être modifié à volonté. Vous pouvez par exemple placer au début du classeur une feuille de calcul dont vous avez souvent besoin et qui se trouvait à la fin jusqu'à présent. Vous pouvez tout aussi bien copier une feuille de calcul et vous en servir comme base pour une nouvelle feuille.

Déplacer une feuille de calcul

1. Activez la feuille de calcul à déplacer. Pour en déplacer plusieurs à la fois, groupez-les au préalable.

2. Cliquez sur l'onglet de la feuille de calcul, tenez le bouton de la souris enfoncé et faites glisser vers la gauche ou la droite. Une icône de feuille suit le pointeur pendant le déplacement et un petit triangle noir vous indique à quel endroit s'insérera la feuille si vous lâchez le bouton de la souris.

3.  Relâchez le bouton de la souris lorsque le triangle noir est à la position souhaitée.

Copier une feuille de calcul

La copie d'une feuille de calcul s'effectue comme son déplacement, mais vous devez tenir la touche **Ctrl** enfoncée pendant que vous faites glisser l'onglet. Vous pouvez contrôler qu'une copie est en cours en observant le signe + qui s'inscrit sur l'icône de la feuille qui accompagne le pointeur de la souris pendant la manœuvre. La feuille de calcul copiée reçoit le même nom que l'original, mais avec un numéro de copie. Elle peut être renommée sans problème si vous le souhaitez.

Déplacer ou copier une feuille de calcul dans un autre classeur

Pour déplacer ou copier une feuille de calcul d'un classeur dans un autre, il faut que les deux classeurs soient ouverts. Disposez-les à l'écran de telle sorte que leurs onglets soient bien visibles. Procédez comme décrit ci-dessus pour le déplacement et la copie.

Fractionner une feuille de calcul

Les feuilles de calcul peuvent être fractionnées en deux ou en quatre volets. C'est intéressant si l'on a besoin de voir en même temps des parties éloignées d'une grande feuille de calcul. Il existe deux méthodes pour fractionner une feuille de calcul : le curseur de fractionnement ou la commande **Fractionner**.

Le curseur de fractionnement ne peut être utilisé que si les barres de défilement sont visibles. Pour afficher ou masquer les barres de défilement, choisissez la commande **Outils/Options** et activez l'onglet **Affichage**. Les cases à cocher correspondant aux barres de défilement se trouvent dans la rubrique *Fenêtres*.

Fractionner une feuille de calcul horizontalement ou verticalement avec le curseur de fractionnement

1. Amenez le pointeur de la souris sur le curseur de fractionnement. C'est le petit rectangle qui se trouve au-dessus de la barre de défilement verticale ou à droite de la barre horizontale. Le pointeur est bien positionné s'il se transforme en une double flèche séparée en deux par un double trait.

2. Faites glisser ce curseur de fractionnement à la position souhaitée. Dès que la souris se déplace, une grosse barre grise, la barre de fractionnement, apparaît en travers de la feuille de calcul.

3. Lâchez le bouton de la souris lorsque la barre de fractionnement se trouve à la position souhaitée.

Fractionnement à l'aide du menu

Cette méthode est à utiliser lorsque les barres de défilement ont été masquées ou lorsque vous souhaitez obtenir rapidement un fractionnement horizontal et vertical.

1. Fractionnement horizontal : sélectionnez, dans la colonne A, une cellule située à la hauteur souhaitée pour le fractionnement, par exemple A8 si la feuille de calcul doit être fractionnée entre les lignes 7 et 8.
Fractionnement vertical : sélectionnez, dans la ligne 1, une cellule située près de la colonne souhaitée, par exemple E1 si la feuille de calcul doit être fractionnée entre les colonnes D et E.

Fractionnement horizontal et vertical : sélectionnez une cellule dans la feuille de calcul, sachant que les barres de fractionnement suivront ses bordures supérieure et gauche.

2. Choisissez la commande **Fenêtre/Fractionner**. La ou les barres de fractionnement s'affichent alors en fonction de la position de la cellule active.

Déplacer la barre de fractionnement

Pour déplacer une barre de fractionnement, amenez le pointeur de la souris dessus. Il doit prendre la forme d'une double flèche. Faites glisser la barre à la position souhaitée puis relâchez le bouton de la souris. De la même manière, vous pouvez supprimer un fractionnement en faisant glisser la barre correspondante hors de la fenêtre de classeur.

Défilement dans des feuilles de calcul fractionnées

Dans le cas d'un fractionnement horizontal et vertical, vous disposez d'une barre de défilement pour chacun des volets, supérieur et inférieur, gauche et droit.

Changement de volet dans une feuille de calcul fractionnée

Pour passer d'un volet à un autre dans une feuille de calcul fractionnée, cliquez simplement dans le volet souhaité.

Astuce

Changer de volet avec précision

Si vous avez fractionné une feuille de calcul en deux ou quatre volets, vous pouvez passer de l'un à l'autre à l'aide de la touche F6 . Le pointeur de cellule parcourt les volets dans le sens des aiguilles d'une montre, et c'est toujours la cellule située dans le coin supérieur gauche du volet qui est activée. Si toutefois vous aviez explicitement activé une autre cellule du volet, c'est celle-ci qui sera activée par la touche F6. Vous pouvez ainsi définir avec précision quelle partie d'un volet vous souhaitez atteindre.

Supprimer le fractionnement

Un double clic sur une barre de fractionnement la supprime. Vous pouvez ainsi les ôter l'une après l'autre de la feuille de calcul. Vous pouvez cependant aussi utiliser la commande **Fenêtre/Supprimer le fractionnement**. Elle supprime les deux barres à la fois.

Figer des titres dans des feuilles de calcul

Lorsque vous faites défiler de grandes feuilles de calcul, les titres de colonnes et de lignes disparaissent généralement en haut ou à gauche de l'écran. Vous ne savez plus, dans ce cas, à quoi correspondent les valeurs que vous lisez en fin de lignes ou de colonnes. Pour pallier cet inconvénient, vous avez la possibilité de figer les titres de lignes ou de colonnes.

Figer les titres

La cellule active détermine quelle partie de la feuille de calcul sera figée à l'écran. Si vous activez par exemple la cellule A3, les lignes 1 et 2 seront figées.

Pour figer en même temps une ligne et une colonne, sélectionnez la cellule qui se trouve directement sous les titres de colonnes et à droite des titres de lignes. Les colonnes à gauche et les lignes au-dessus de cette cellule seront en effet figées.

1. Activez une cellule afin de déterminer quelles lignes et colonnes seront figées ou fractionnez la feuille de calcul à l'endroit souhaité.

2. Choisissez la commande **Fenêtre/Figer les volets** ou cliquez sur le bouton **Verrouiller les volets**. Des lignes noires délimitent les parties figées de la feuille de calcul.

Libérer les volets

Le verrouillage des titres peut être annulé avec la commande **Fenêtre/ Libérer les volets**. Peu importe quelle feuille de calcul est active. Vous pouvez aussi utiliser le bouton **Verrouiller les volets**.

Chapitre 5

La feuille de calcul Excel

5.1	Structure d'une feuille de calcul Excel	121
5.2	Saisie des données dans les feuilles de calcul	124
5.3	Édition des feuilles de calcul	130
5.4	Des aides pour l'édition des feuilles de calcul	142

Un minimum de réflexion préliminaire est indispensable pour travailler efficacement avec un tableur : comment la feuille de calcul doit-elle être présentée, quelles données contiendra-t-elle, dans quelle mise en forme ? Quelles formules seront nécessaires ?

Pour que vous puissiez vous appuyer sur des bases solides lors de la planification de vos travaux, nous vous présentons ici la structure des feuilles de calcul Excel ainsi que les différents types de données. Les méthodes de saisie des données sont également expliquées.

5.1   Structure d'une feuille de calcul Excel

Dans Microsoft Excel, la feuille de calcul est l'endroit dans lequel vous pouvez enregistrer et modifier les données. Elle se compose de cellules organisées en lignes et en colonnes. Une feuille de calcul est toujours enregistrée en tant que composant d'un classeur.

Une feuille de calcul Excel 2000 se compose de 65 536 lignes et de 256 colonnes. La partie visible à l'écran ne représente donc qu'une toute petite partie de la totalité de la feuille.

Les lignes sont numérotées en continu de 1 à 65 536.

Les colonnes sont désignées par des lettres : les vingt-six premières portent les lettres de A à Z. À partir de la vingt-septième, elles sont désignées par des combinaisons de lettres : AA, AB, AC, etc. La dernière s'appelle IV.

Les spécifications d'une feuille de calcul Excel sont résumées dans le tableau ci-dessous :

Tab. 5.1 : Spécifications d'une feuille de calcul Excel 2000	
Caractéristique	Valeur
Taille d'une feuille de calcul	65 536 lignes x 256 colonnes.
Largeur de colonne	255 caractères.

Tab. 5.1 : Spécifications d'une feuille de calcul Excel 2000	
Caractéristique	Valeur
Hauteur de ligne	409 points.
Longueur maximale du contenu d'une cellule (texte)	32 767 caractères ; l'affichage dans la cellule est limité à 1 024 caractères, mais tous les 32 767 caractères s'affichent dans la barre de formule.

L'adresse de cellule

L'intersection d'une ligne et d'une colonne forme une cellule. L'adresse de la cellule située à l'intersection de la sixième colonne et de la dixième ligne, par exemple, est F10 . Vous pouvez entrer des données ou des formules dans les cellules de la feuille de calcul.

Les types de données

Excel 2000 utilise les types de données suivants :

- valeurs numériques ;
- dates et heures ;
- texte ;
- valeurs logiques ;
- valeurs d'erreur.

Valeurs numériques

- Les valeurs numériques peuvent être écrites avec les chiffres (0 à 9) et les caractères spéciaux suivants : + - ( ) , / $ % . E e.

- Une virgule unique dans un nombre est interprétée comme un séparateur décimal.

- Le signe + est ignoré lorsqu'il est tapé devant un nombre.

- Les valeurs négatives doivent être précédées du signe - ou mises entre parenthèses.

Dates et heures

Excel 2000 est bien évidemment paré pour le passage à l'an 2000. Si vous enregistrez les années sur quatre chiffres (1999 au lieu de 99), vous n'aurez aucun problème de traitement des dates.

Les valeurs de date et d'heure peuvent être saisies directement dans une même cellule, en les séparant par un deux-points. Le format par défaut pour les heures est le format 24 heures.

Excel 2000 enregistre toutes les valeurs de dates en tant que numéros de série et les heures en tant que fraction décimale, indépendamment de la manière dont elles ont été mises en forme. C'est ce qui rend possible le calcul avec les dates et heures.

Excel 2000 prend en charge deux systèmes de dates : les systèmes 1900 (standard) et 1904 (par souci de compatibilité avec le Macintosh). Ils se différencient par le jour servant de point de départ au calcul des numéros de série. C'est le système 1900 qui est utilisé par défaut. Le choix du système de calendrier se fait avec la commande **Outils/Options**, sur l'onglet **Calcul**.

Renvoi

Pour plus d'informations sur la manière dont Excel 2000 maîtrise le problème de l'an 2000, reportez-vous au chapitre *Mise en forme professionnelle*, à la section intitulée *Excel et l'an 2000*.

Texte

Toute chaîne de caractères qui n'est pas reconnue comme étant un nombre, une formule, une date, une heure, une valeur logique ou une valeur d'erreur est interprétée comme étant du texte. Les caractères saisis sont alignés à gauche dans la cellule.

Valeurs logiques

Il existe deux valeurs logiques : VRAI et FAUX. Les valeurs logiques sont utilisées pour l'exploitation d'expressions logiques.

Valeurs d'erreur

Les valeurs d'erreur sont affichées par Excel pour signaler des erreurs.

5.2   Saisie des données dans les feuilles de calcul

Techniques fondamentales de saisie des données

C'est habituellement l'utilisateur qui entre les données dans les cellules.

1. Sélectionnez la cellule dans laquelle vous voulez saisir des données.

2. Tapez les données au clavier ; les caractères tapés s'affichent aussi bien dans la cellule active que dans la barre de formule. Le point d'insertion se trouve dans la cellule.

3. ☑ Cliquez sur le bouton **Entrer** dans la barre de formule ou validez avec la touche **Entrée** ou une touche de direction.

Remarque

> **Cellule active après validation**
>
> Si vous cliquez sur le bouton **Entrer**, la cellule dans laquelle les données ont été saisies reste active. Si vous appuyez sur la touche Entrée, en revanche, le pointeur de cellule est déplacé d'une cellule vers le bas en fonctionnement standard. Si vous utilisez les touches de direction, le pointeur est déplacé d'une cellule dans la direction correspondant à la touche. Par défaut, les nombres sont alignés à droite et les textes à gauche.

La barre de formule

Pour corriger les données, par exemple pour supprimer ou ajouter des caractères, vous pouvez les éditer dans la barre de formule.

1. Sélectionnez la cellule contenant les données à modifier.

2. Cliquez dans la zone d'édition de la barre de formule afin de l'activer. Le point d'insertion doit y être visible.

3. Effectuez les modifications souhaitées.

4. Cliquez sur le bouton **Entrer** dans la barre de formule ou appuyez sur la touche **Entrée**.

A4	▼	✕ ✓ =	9		
	A	**B**	**C**	**D**	**E**
1	Base	Puissance	Valeur		
2	10	1	10		
3	10	2	100		
4	9	3	729		
5					
6					

▲ Fig. 5.1 : *Édition de données dans la barre de formule*

Remarque

Édition dans la barre de formule

Dans la barre de formule, vous pouvez amener le point d'insertion à la position souhaitée à l'aide des touches de direction ou en cliquant avec la souris. La touche Retour arrière efface les caractères à gauche du curseur, la touche Suppr ceux qui se trouvent à droite.

Astuce

Sélectionner rapidement des caractères à supprimer

Pour effacer un caractère isolé, la touche Retour arrière ou Suppr convient parfaitement. En revanche, lorsque vous devez effacer plusieurs caractères, il est plus pratique de les sélectionner au préalable. Vous pouvez les sélectionner à l'aide de la souris en faisant glisser le pointeur par-dessus. L'opération est parfois délicate. Essayez plutôt cette autre méthode : cliquez devant le premier caractère à sélectionner, appuyez sur la touche Maj puis cliquez après le dernier caractère. Pour sélectionner un mot, double-cliquez dessus. Ces méthodes peuvent aussi être employées pour une édition directe dans la cellule.

Édition de données dans les cellules

Depuis Excel 5.0, les données peuvent être éditées directement dans les cellules. C'est pratique dans la mesure où cela vous permet de ne pas afficher la barre de formule et de gagner ainsi un peu d'espace de travail à l'écran. C'est également une forme de travail plus intuitive que le passage par la barre de formule.

1. Double-cliquez sur la cellule concernée ; le point d'insertion y clignote.

2. Saisissez ou modifiez les données.

3. Appuyez sur la touche **Entrée** pour valider le nouveau contenu.

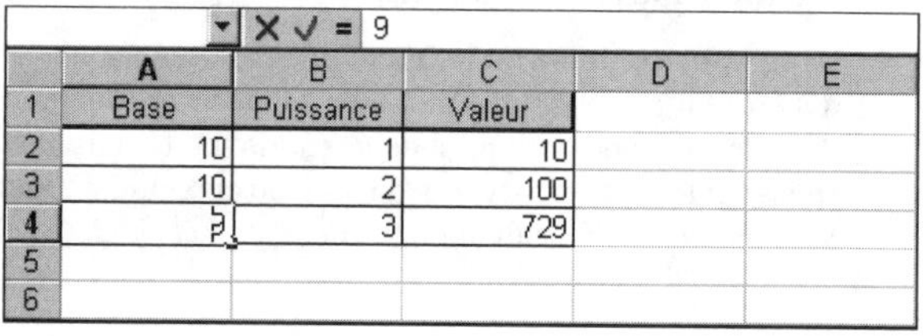

	A	B	C	D	E
	Base	Puissance	Valeur		
1					
2	10	1	10		
3	10	2	100		
4	3	3	729		
5					
6					

(barre de formule : ✗ ✓ = 9)

▲ **Fig. 5.2** : *Un double clic sur une cellule ouvre celle-ci en mode Édition*

Il est possible d'annuler une saisie ou une modification en cours et de rétablir le contenu initial de la cellule.

Abandonner une saisie

☒ Cliquez sur le bouton **Annuler** ou appuyez sur la touche Échap. Le contenu initial de la cellule est alors rétabli. Cela ne fonctionne cependant que tant que vous n'avez pas appuyé sur la touche **Entrée** ou une touche de direction ou cliqué sur le bouton **Entrer**. Dans ce cas, il ne vous reste plus que le recours à la commande **Édition/Annuler**.

Aides à la saisie

Voici maintenant quelques fonctions qui vous faciliteront la saisie des données.

Saisie rapide

Excel comprend une fonction permettant de saisir rapidement des données dans une cellule. Pour que cette fonction soit disponible, l'option *Saisie semi-automatique des valeurs de cellule* doit être activée sur l'onglet **Modification** de la boîte de dialogue **Options** (commande **Outils/Options**). Les valeurs de cellule qui contiennent uniquement des nombres, des dates ou des heures ne sont pas complétées automatiquement.

Vous n'avez pas besoin de retaper sans cesse les mêmes données. En effet, chaque fois que vous tapez le premier caractère dans une cellule, Excel examine la colonne et y recherche d'éventuelles entrées qui commencent par ce même caractère. S'il en trouve une, il vous la propose, qu'il s'agisse de texte pur ou combiné avec des chiffres. Lorsque plusieurs entrées commencent par le caractère tapé, vous devez taper un ou plusieurs caractères supplémentaires afin de permettre à Excel d'affiner la comparaison. Si vous tenez par exemple un registre de vos dépenses quotidiennes, vous deviez auparavant taper souvent les mêmes intitulés : Alimentation, Journaux, etc. Vous pouvez à présent laisser Excel se charger de ce travail. Si la proposition qui vous est faite ne vous convient pas, vous pouvez bien entendu continuer à taper votre texte, sans que vous soyez obligé d'effacer l'entrée qui s'est inscrite automatiquement.

Astuce

Sélectionner plutôt que taper

Si vous avez désactivé l'option *Saisie semi-automatique des valeurs de cellule,* vous pouvez néanmoins profiter des entrées déjà effectuées dans la même colonne. Ouvrez à cet effet le menu contextuel de la cellule et choisissez la commande **Liste de choix**. Vous pouvez alors sélectionner une entrée dans la liste plutôt que la taper entièrement au clavier. Non seulement vous gagnez du temps, mais vous évitez aussi des fautes de frappe.

	A	B
1	**Catégorie**	**Budget**
2	Achat terrain	350 000,00
3	Permis de construire	8 500,00
4	Maison clés en main	840 000,00
5	Plus-value/Moins-value	40 000,00
6	Branchements réseaux	35 000,00
7	Suppléments finitions	40 000,00
8	Aménagement extérieur	68 000,00
9		
10	Achat terrain	
11	Aménagement extérieur	
	Branchements réseaux	
12	Maison clés en main	
13	Permis de construire	
14	Plus-value/Moins-value	
15	Suppléments finitions	

◀ Fig. 5.3 :
*Saisie de données
par l'intermédiaire
d'une liste de choix*

Saisir des données dans une plage de cellules sélectionnée

Vous pouvez faciliter la saisie de données dans une plage de cellules en sélectionnant celle-ci au préalable. Le pointeur de cellule ne se déplace alors que dans cette plage de cellules.

1. Sélectionnez la plage de cellules dans laquelle des données doivent être saisies, par exemple A1:B10. La première cellule de cette plage est active : elle est affichée en blanc tandis que les autres sont en couleur.

2. Saisissez les données dans la cellule active.

3. Appuyez sur la touche **Entrée**.

Le pointeur de cellule est déplacé sur la ligne suivante, et vous pouvez donc entrer directement la valeur suivante. Lorsqu'il sera arrivé à la fin de la plage de cellules sélectionnée, dans la première colonne, il se placera automatiquement en haut de la deuxième colonne, par exemple en B1. Et lorsqu'il aura atteint la fin de la sélection, c'est-à-dire le coin inférieur droit, il retournera automatiquement au début, dans notre exemple dans la cellule A1.

Si vous appuyez sur **Maj + Entrée**, le pointeur de cellule se déplace du bas vers le haut. Avec la touche **Tab**, il se déplace de gauche à droite et passe à la ligne suivante à chaque fin de ligne. Avec la combinaison de touches **Maj + Tab**, le pointeur avance de la droite vers la gauche et passe à la ligne supérieure lorsqu'il arrive en début de ligne. Vous pouvez également sélectionner plusieurs plages de cellules pour y saisir des données. Dans ce cas, dès qu'une plage est remplie, le pointeur de cellule passe automatiquement au début de la suivante.

Saisir une valeur dans toutes les cellules sélectionnées

Si vous devez remplir toutes les cellules d'une plage avec la même valeur, vous n'êtes pas obligé de taper cette valeur dans chacune d'elles.

1. Sélectionnez la plage de cellules dans laquelle la même valeur doit être inscrite dans toutes les cellules.

2. Tapez la valeur dans la cellule active.

3. Validez avec la combinaison de touches **Ctrl + Entrée**. Toutes les cellules sélectionnées sont alors remplies avec cette valeur.

Saisie de données numériques et de formules

Saisie de nombres

Pour saisir un nombre en tant que valeur constante, activez la cellule et tapez le nombre en question. Pour vérifier qu'Excel l'a interprété comme une valeur numérique, assurez-vous qu'il a été aligné à droite.

Saisie de valeurs de dates et heures

Pour saisir une date dans une feuille de calcul, activez la cellule et tapez le jour, le mois et l'année en séparant chaque partie de la suivante par un trait oblique (/) ou un tiret (-). Vous pouvez saisir uniquement le jour et le mois. Les données numériques contenant un ou deux traits obliques ou tirets sont interprétées par Excel comme étant des dates. Celles qui contiennent un ou deux deux-points (:) sont reconnues comme étant des valeurs d'heures.

Saisir des nombres dans une formule

Lorsque des nombres doivent être saisis dans une formule, les parenthèses ne sont pas interprétées comme le signe d'une valeur négative ;
elles servent exclusivement à définir la priorité des opérations dans la
formule. Dans les formules, vous ne devez pas taper d'espace pour
séparer les milliers ni de symboles monétaires.

Lorsqu'un nombre est suivi du signe de pourcentage (%), Excel interprète ce caractère comme l'opérateur de pourcentage et divise le
nombre par 100.

Saisir des dates et heures dans des formules

Lorsque vous saisissez des valeurs aux formats de dates et heures dans
des formules, elles doivent être mises entre guillemets. Lors du calcul,
Excel convertit le texte pour en faire les valeurs numériques correspondantes.

5.3   Édition des feuilles de calcul

Dans le cadre du travail avec Excel, l'édition des feuilles de calcul est un
aspect essentiel que vous ne pouvez pas vous permettre de négliger.
Vous devez savoir sélectionner, insérer, supprimer des cellules, supprimer, copier et coller leur contenu, etc.

Sélectionner des cellules et plages de cellules

Pour manipuler des contenus de cellules, vous devez d'abord sélectionner les cellules correspondantes. Vous pouvez sélectionner des cellules
isolées, des plages de cellules, des lignes ou des colonnes. Lorsqu'une
sélection ne forme pas un seul et unique bloc rectangulaire de cellules,
on parle de sélection multiple. La même sélection peut en outre être
répétée dans plusieurs feuilles de calcul.

Sélectionner une seule cellule

Pour sélectionner une cellule unique, il suffit de cliquer dessus. Vous pouvez également y placer le pointeur de cellule à l'aide des touches de direction.

Sélectionner une plage de cellules

On parle de plage de cellules lorsque plusieurs cellules constituant un bloc rectangulaire sont sélectionnées. Amenez le pointeur de la souris au début de la plage à sélectionner, par exemple le coin supérieur gauche, cliquez, tenez le bouton de la souris enfoncé et faites glisser jusqu'à l'angle opposé.

Si la plage de cellules à sélectionner doit déborder des limites de la partie visible à l'écran, appuyez le pointeur de la souris contre le bord de la fenêtre. Excel fait alors défiler la feuille jusqu'à ce que vous lâchiez le bouton de la souris et sélectionne en même temps les cellules.

Astuce

Sélectionner de grandes plages de cellules

La sélection avec la souris n'est pas très pratique pour les très grandes plages de cellules car l'on a du mal à se repérer sur la feuille de calcul. Essayez plutôt cette méthode : cliquez sur la première cellule, par exemple sur le coin supérieur gauche. Faites défiler la feuille de calcul de manière que la cellule opposée soit visible. Appuyez sur la touche Maj et cliquez sur cette dernière cellule.

Sélectionner plusieurs cellules ou plages de cellules non contiguës

1. Appuyez sur la touche **Ctrl** et tenez-la enfoncée pendant toute l'opération.

2. Sélectionnez les différentes plages de cellules successivement.

3. Relâchez la touche **Ctrl**.

Remarque

Utilisation de la touche Ctrl durant la sélection

Tant que vous tenez la touche Ctrl enfoncée pendant une sélection, vous pouvez cliquer et relâcher le bouton de la souris tant que vous voulez, toutes les sélections en cours sont conservées.

Sélectionner des colonnes et des lignes

Pour sélectionner une colonne ou une ligne entière, cliquez sur son en-tête. Pour sélectionner plusieurs lignes ou colonnes qui se suivent, faites glisser le pointeur de l'en-tête de la première à celui de la dernière puis relâchez le bouton de la souris.

Sélectionner plusieurs lignes ou colonnes non contiguës

Si vous tenez la touche **Ctrl** enfoncée pendant que vous cliquez sur les en-têtes de lignes ou de colonnes, vous pouvez sélectionner plusieurs lignes ou colonnes non contiguës.

Sélectionner la feuille de calcul entière

Cliquez sur le bouton situé au point d'intersection des en-têtes de lignes et de colonnes, dans le coin supérieur gauche de la feuille. Toute la feuille de calcul est alors sélectionnée.

Sélectionner des cellules dans plusieurs feuilles de calcul

La sélection effectuée dans une feuille de calcul peut être reproduite dans d'autres feuilles. Il faut pour cela grouper les feuilles concernées et activer une d'elles. La sélection que vous définissez alors concerne toutes les feuilles du groupe de travail.

Annuler des sélections

Cliquez simplement à n'importe quel endroit de la feuille de calcul pour annuler la sélection en cours.

Insérer des cellules, lignes ou colonnes vides

Vous pouvez à tout moment insérer des cellules vides dans une feuille de calcul, par exemple pour ajouter des données supplémentaires entre des valeurs existantes dans un tableau. Vous pouvez ajouter des cellules isolées, des lignes ou des colonnes.

Insérer une ligne ou une colonne

1. Sélectionnez la ligne ou la colonne entière en cliquant sur son en-tête ou uniquement une cellule dans la ligne ou la colonne.

2. Choisissez la commande **Insertion/Lignes** ou **Insertion/Colonnes**. Une ligne ou une colonne est alors insérée devant la sélection.

Pour ajouter plusieurs lignes ou colonnes à la fois, sélectionnez d'abord autant de lignes ou de colonnes que vous souhaitez en insérer, avant de choisir la commande **Insertion/Lignes** (ou la commande **Insertion/Colonnes**).

Insérer des cellules vides

Vous pouvez tout aussi bien insérer des cellules isolées dans une feuille de calcul. Les cellules voisines doivent alors être décalées en fonction du résultat recherché.

1. Sélectionnez les cellules à l'endroit où vous voulez en ajouter de nouvelles. Le nombre de cellules sélectionnées doit être égal au nombre de cellules à insérer.

2. Choisissez la commande **Cellules** dans le menu **Insertion** ou dans le menu contextuel.

3. Sélectionnez une des options de la boîte de dialogue qui s'affiche.

4. Cliquez sur OK.

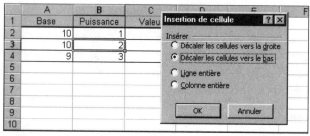

▲ Fig. 5.4 : *Insertion d'une cellule en B3*

	A	B	C	D
1	Base	Puissance	Valeur	
2	10	1	10	
3	10		100	
4	9	2	729	
5		3		
6				

◄ Fig. 5.5 :
Une cellule a été insérée, les suivantes ont été décalées vers le bas

Insérer des cellules vides à l'aide de la souris

1. Activez la cellule à partir de laquelle vous voulez insérer des cellules vides.

2. Amenez le pointeur de la souris sur la poignée de recopie, au coin inférieur droit de la cellule, là où il prend la forme d'une petite croix. Appuyez sur la touche **Maj**. Le pointeur prend la forme d'une double flèche. Faites-le glisser dans la direction souhaitée de manière à insérer le nombre de cellules nécessaire.

Supprimer des cellules, lignes ou colonnes

Vous pouvez bien entendu également supprimer des cellules, lignes ou colonnes.

Supprimer des lignes ou des colonnes

1. Sélectionnez les lignes ou les colonnes à supprimer.

2. ⬚ Choisissez la commande **Supprimer** dans le menu **Édition** ou dans le menu contextuel. Les lignes ou colonnes sélectionnées sont alors supprimées de la feuille de calcul.

Supprimer des cellules

Des cellules isolées d'une feuille de calcul peuvent aussi être supprimées. Notez cependant que les cellules voisines sont alors décalées en fonction de l'option que vous aurez sélectionnée dans la boîte de dialogue associée à la fonction.

1. Sélectionnez les cellules à supprimer.

2. ⬚ Choisissez la commande **Supprimer** dans le menu **Édition** ou dans le menu contextuel. La boîte de dialogue **Supprimer** s'affiche.

3. Sélectionnez l'option de votre choix dans la boîte de dialogue.

4. Cliquez sur OK.

Supprimer des contenus de cellules

Les cellules ne se limitent pas au contenu de textes, de valeurs ou de formules que vous pouvez y saisir. Elles peuvent aussi contenir des commentaires, des caractéristiques de mise en forme ou un lien hypertexte.

Pour ne pas supprimer totalement une cellule de la feuille de calcul mais effacer uniquement une partie de son contenu, sélectionnez le composant à supprimer dans le sous-menu **Édition/Effacer**.

1. Sélectionnez les cellules dont le contenu doit être effacé.

2. Choisissez la commande **Édition/Effacer**. Un sous-menu s'ouvre.

3. Sélectionnez ce qui doit être effacé. La commande est aussitôt exécutée.

- **Tout** : supprime le contenu, le format et le commentaire des cellules sélectionnées.

- 🧽 **Formats** : supprime uniquement le format et rétablit le format par défaut des cellules sélectionnées.

- 🖊 **Contenu** : supprime le contenu des cellules sélectionnées. Le format est conservé.

- 🗨 **Commentaires** : supprime uniquement le commentaire associé à la cellule. Le format et le contenu sont conservés.

Remarque

Commande Effacer le contenu du menu contextuel

Si vous choisissez la commande **Effacer le contenu** dans le menu contextuel, le contenu de la cellule est effacé sans demande de confirmation. Cela équivaut à appuyer sur la touche Suppr ou à choisir la commande **Édition/Effacer/Contenu**.

Effacer des contenus de cellules avec la souris

Vous pouvez également effacer des contenus de cellules avec la souris. Cette méthode ne permet de supprimer que les contenus : les formats, commentaires, etc. sont conservés.

1. Sélectionnez la ou les cellules dont le contenu doit être effacé.

2. Amenez le pointeur de la souris sur la poignée de recopie, dans le coin inférieur droit de la bordure de sélection. Il prend la forme d'une petite croix.

3. Cliquez et faites glisser jusqu'à la bordure supérieure de la sélection, qui devient grisée.

4. Lâchez le bouton de la souris ; les contenus sont effacés.

Copier et insérer des cellules

Procédez de la façon suivante pour copier à un autre endroit de la feuille de calcul le contenu de certaines cellules.

1. Sélectionnez les cellules à copier.

2. Choisissez la commande **Copier** dans le menu **Édition** ou dans le menu contextuel. Les cellules sélectionnées sont alors entourées d'une bordure animée.

3. Activez la cellule constituant le coin supérieur gauche de la plage de cellules dans laquelle les cellules originales doivent être copiées.

4. Appuyez sur la touche **Entrée**. Le contenu des cellules originales est alors copié à ce nouvel emplacement.

Si vous voulez copier les cellules sélectionnées à différents endroits dans la feuille de calcul, ignorez la dernière étape ci-dessus. Choisissez à la place la commande **Coller** dans le menu **Édition** ou dans le menu contextuel. Vous pouvez alors coller le contenu de la sélection à plusieurs endroits, tant que la bordure animée reste visible autour de l'original. Pour désactiver cette bordure, appuyez sur la touche **Échap** ou choisissez n'importe quelle autre commande.

Copier des cellules avec la souris

1. Sélectionnez la cellule ou la plage de cellules à copier.

2. Amenez le pointeur de la souris sur la bordure de la sélection. Il doit avoir la forme d'une flèche.

3. En tenant la touche **Ctrl** enfoncée, faites glisser la sélection à la position souhaitée.

Durant l'opération, un cadre gris indique la taille et la position courantes de la sélection. Excel indique en outre l'adresse de la cellule ou de la plage de cellules de destination dans une info-bulle.

Si les cellules copiées doivent être insérées entre des cellules existantes sans les remplacer, tenez la combinaison de touches **Maj** + **Ctrl** enfoncée. Les cellules existantes sont alors décalées pour faire de la place aux autres.

Faire glisser avec le bouton droit de la souris

Si, au lieu du bouton gauche, vous utilisez le bouton droit de la souris pour faire glisser une sélection à un autre endroit dans la feuille de calcul, vous obtenez un menu contextuel dès que vous relâchez le bouton de la souris. Ce menu contient des commandes de déplacement et de copie. Après avoir amené la plage de cellules sélectionnée à sa nouvelle position, vous devez décider de quelle manière elle doit être traitée.

Copier uniquement la mise en forme

Lorsque des cellules sont copiées, cela ne concerne pas seulement le contenu, c'est-à-dire les valeurs ou les formules. Toutes les propriétés affectées à la cellule sont également copiées, par exemple les formats et commentaires. Si vous ne voulez copier que certaines de ces composantes, vous devez le communiquer explicitement à Excel.

1. Sélectionnez la cellule contenant la mise en forme à copier.

2. Cliquez sur le bouton **Reproduire la mise en forme**. Le pointeur de la souris se double d'une icône représentant un pinceau.

3. Sélectionnez la cellule ou la plage de cellules sur laquelle la mise en forme doit être reproduite.

Cette méthode est la plus rapide pour appliquer uniquement la mise en forme d'une cellule à d'autres cellules. Si les cellules de destination ne sont pas toutes contiguës, double-cliquez sur le bouton **Reproduire la mise en forme**. Il reste alors actif jusqu'à ce que vous cliquiez à nouveau dessus ou jusqu' à ce que vous appuyiez sur la touche **Échap**.

Collage spécial

Avec cette autre méthode de copie et collage, vous pouvez sélectionner très précisément quelles propriétés des cellules d'origine doivent être copiées et dupliquées.

1. Sélectionnez la cellule ou la plage de cellules à copier.

2. Choisissez la commande **Copier** dans le menu **Édition** ou dans le menu contextuel.

3. Sélectionnez la cellule ou la plage de cellules dans laquelle doit être collé le contenu des cellules copiées. Si vous avez sélectionné une plage de cellules, contentez-vous de définir l'angle supérieur gauche de la plage de destination.

4. Choisissez la commande **Collage spécial** dans le menu **Édition** ou dans le menu contextuel. La boîte de dialogue **Collage spécial** s'affiche.

5. Sélectionnez l'option souhaitée dans la rubrique *Coller*.

6. Cliquez sur le bouton OK.

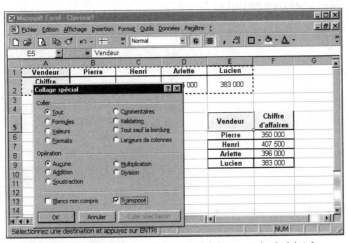

▲ Fig. 5.6 : *La boîte de dialogue Collage spécial permet de choisir très exactement ce qui doit être collé*

Si vous activez par exemple la case à cocher *Transposé*, les données sélectionnées sont transposées lors du collage : les lignes et colonnes sont interverties.

Copier les cellules visibles uniquement

Si vous avez masqué des lignes ou des colonnes dans une feuille de calcul et si vous voulez travailler uniquement avec les cellules visibles, vous avez besoin de la commande **Sélectionner les cellules visibles**.

1. Sélectionnez la plage de cellules à copier.

2. Cliquez sur le bouton **Sélectionner les cellules visibles**.

3. Cliquez sur le bouton **Copier**.

4. Sélectionnez le coin supérieur gauche de la plage de destination.

5. Cliquez sur le bouton **Coller**.

Déplacer des cellules

Déplacer des cellules signifie couper les contenus et les mises en forme à un endroit de la feuille de calcul et les insérer à un autre endroit.

1. Sélectionnez la cellule ou plage de cellules à déplacer.

2. Choisissez la commande **Couper** dans le menu **Édition** ou dans le menu contextuel. Les cellules sélectionnées sont entourées d'une bordure animée.

3. Sélectionnez la cellule constituant l'angle supérieur gauche de la zone de destination des cellules copiées.

4. Choisissez la commande **Coller** dans le menu **Édition** ou dans le menu contextuel ou appuyez sur la touche **Entrée**.

Remarque

Attention aux données dans la zone cible

Si les cellules de la zone de destination ne sont pas vides, leurs contenus sont remplacés.

Insérer des cellules coupées

Si les cellules coupées doivent être collées entre d'autres cellules non vides, vous devez procéder de la façon suivante à l'étape 4 : ouvrez le menu contextuel et choisissez la commande **Insérer les cellules coupées**.

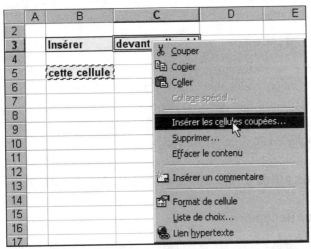

▲ Fig. 5.7 : *La cellule coupée doit être insérée entre les deux autres*

La boîte de dialogue **Insérer et coller** s'affiche.

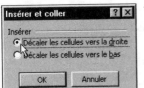

◄ Fig. 5.8 :
La boîte de dialogue Insérer et coller

Sélectionnez l'option de votre choix, selon que vous voulez décaler les cellules existantes vers la droite ou vers le bas.

	A	B	C	D	
2					
3		**Insérer**	**cette cellule**	**devant celle-ci !**	
4					

▲ Fig. 5.9 : *Le résultat*

Déplacer des cellules à l'aide de la souris

1. Sélectionnez les cellules à déplacer.

2. Amenez le pointeur de la souris sur la bordure de la sélection. Il prend la forme d'une flèche.

3. Faites glisser la sélection vers sa nouvelle position.

Un cadre indiquant la taille et la position de la sélection s'affiche durant le déplacement pour vous aider à positionner les cellules.

Si les cellules que vous déplacez doivent venir s'insérer entre des cellules existantes, vous devez tenir la touche **Maj** enfoncée pendant l'exécution de l'étape 3.

5.4 Des aides pour l'édition des feuilles de calcul

La fonction Recopier

Dans le cas le plus simple, la fonction Recopier sert à copier le contenu d'une cellule dans une plage de cellules. Si vous avez besoin de la même valeur dans dix cellules différentes, vous n'avez donc pas besoin de la taper dix fois car la fonction Recopier peut la dupliquer autant de fois que vous le souhaitez dans les cellules situées au-dessous ou à côté de l'original. Cette fonction peut cependant aussi être utilisée pour générer des séries de valeurs, celles-ci pouvant être déduites automatiquement à partir d'une ou de deux valeurs de départ.

1. Tapez une valeur dans la première cellule.

2. Placez le pointeur de la souris sur la poignée de recopie. Il prend la forme d'une petite croix. Cliquez et faites glisser par-dessus les cellules dans lesquelles la valeur doit être copiée.

Générer une série à partir d'une valeur

1. Tapez une valeur dans la première cellule.

2. Appuyez sur la touche Ctrl, faites glisser la poignée de recopie par-dessus les cellules dans lesquelles doit être générée une série incrémentée par pas de 1.

Si, par exemple, vous avez besoin d'une numérotation en continu pour un tableau, tapez la valeur 1 dans la première cellule. En tenant la touche Ctrl enfoncée, faites glisser la poignée de recopie par-dessus les cellules qui doivent contenir les numéros suivants.

Remarque

Effacer les numéros en trop

Si vous avez fait glisser la poignée de recopie un peu trop loin, vous pouvez la repousser en arrière pour effacer à nouveau les valeurs que vous ne souhaitez pas garder.

Générer une série à partir de deux valeurs au minimum

En précisant au minimum deux valeurs de départ, vous pouvez définir vous-même quel type de série vous allez obtenir. Excel 2000 vérifie le type de données et analyse la différence entre la première et la deuxième valeur. Sur la base de ces informations, il génère ensuite la série, en augmentant ou en diminuant la valeur suivante de la même manière. Si vous avez par exemple tapé les valeurs 1 et 3 dans les deux premières cellules, puis sélectionné ces deux cellules et fait glisser la poignée de recopie, chaque cellule suivante contiendra une valeur augmentée de 2 par rapport à la précédente. Cette fonction peut également être utilisée pour des séries de dates ainsi que pour des séries régulières de nombres. Vous pouvez de la même manière générer

automatiquement des séries de titres telles que Janvier, Février, etc.
ou Caisse 1, Caisse 2, etc.

Recopier avec le menu contextuel

Si vous faites glisser la poignée de recopie avec le bouton droit de la
souris, vous ouvrez un menu contextuel dans lequel vous pouvez choisir
différentes commandes.

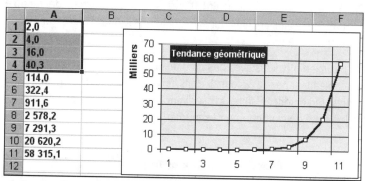

▲ **Fig. 5.10 :** *Calcul d'une série exponentielle à partir de quatre valeurs, avec la commande Tendance géométrique*

Tab. 5.2 : Les commandes du menu contextuel de la poignée de recopie	
Commande	**Résultat**
Copier les cellules	Copie le contenu des cellules sélectionnées, y compris les formats, dans la plage de destination.
Incrémenter une série	Génère une série à partir des données sélectionnées.
Recopier le format	Copie uniquement les formats des cellules sélectionnées dans la plage de destination.
Incrémenter les valeurs	Copie le contenu des cellules sélectionnées, sans les formats, dans la plage de destination.
Incrémenter les jours	Génère une série de dates, en incrémentant les jours.

Tab. 5.2 : Les commandes du menu contextuel de la poignée de recopie	
Commande	Résultat
Incrémenter les jours ouvrés	Génère une série de dates en incrémentant les jours ouvrés.
Incrémenter les mois	Génère une série de dates en incrémentant les mois.
Incrémenter les années	Génère une série de dates en incrémentant les années.
Tendance linéaire	Calcule une tendance linéaire simple.
Tendance géométrique	Calcule une tendance'exponentielle.
Série	Ouvre la boîte de dialogue **Série de données**, permettant de définir des séries personnalisées.

La commande **Édition/Recopier/Série** propose également d'autres méthodes pour générer des séries de valeurs.

Recopier des listes personnalisées

Différentes listes exploitables par la fonction Recopier sont disponibles sous Excel 2000. Si vous tapez par exemple `Janvier` dans une cellule, vous pouvez obtenir la liste des douze mois de l'année en agissant sur la poignée de recopie. Au cours de votre travail avec Excel, vous aurez cependant besoin de listes qui ne sont pas prédéfinies dans Excel, par exemple des listes de produits ou de noms. Pour pouvoir néanmoins utiliser la fonction de recopie, vous avez la possibilité de définir vos propres listes.

Créer une liste personnalisée

1. Choisissez la commande **Outils/Options**.

2. Activez l'onglet **Listes pers.**.

3. Sélectionnez l'option *Nouvelle liste* sous *Listes personnalisées*. Le point d'insertion se place alors dans la zone *Entrées de la liste*.

4. Tapez le premier nom de la liste.

5. Appuyez sur la touche **Entrée** pour passer à la ligne suivante et taper le deuxième nom.

6. Répétez les étapes 4 et 5 jusqu'à ce que la liste soit complète.

7. Cliquez sur **Ajouter** ou sur OK. Le bouton **Ajouter** vous permet de définir d'autres listes, OK ferme la boîte de dialogue.

À l'avenir, lorsque vous taperez un des noms de la liste, vous pourrez générer automatiquement la liste entière grâce à la fonction de recopie.

Si vous avez déjà saisi une liste dans la feuille de calcul et si vous voulez vous en servir pour créer une liste personnalisée utilisable à l'aide de la fonction de recopie, procédez de la façon suivante.

Importer une liste de la feuille de calcul

1. Sélectionnez dans la feuille de calcul les cellules contenant les valeurs devant être utilisées dans la liste.

2. Choisissez la commande **Outils/Options**.

3. Activez l'onglet **Listes pers.**. La référence de la sélection est inscrite dans la zone *Importer la liste des cellules*.

4. Cliquez sur le bouton **Importer**. Les valeurs sont affichées dans la zone *Entrées de la liste*.

5. Cliquez sur OK.

Supprimer une liste personnalisée

1. Choisissez la commande **Outils/Options**.

2. Sélectionnez dans la zone de liste *Listes personnalisées* celle qui doit être supprimée.

3. Cliquez sur le bouton **Supprimer**.

Remarque

> **Listes intégrées**
>
> Les listes prédéfinies d'Excel 2000 ne peuvent être ni modifiées ni supprimées.

La correction automatique

La fonction de correction automatique

Toutes les entrées figurant dans la boîte de dialogue **Correction automatique** sont corrigées automatiquement par Excel pendant la saisie. Si vous tapez par exemple le mot `absisse` dans une cellule, vous constaterez qu'il est immédiatement corrigé et transformé en `abscisse`.

Si vous êtes coutumier de quelques fautes de frappe ou d'orthographe, par exemple des inversions de caractères, et si ces fautes ne sont pas encore corrigées automatiquement, vous pouvez les ajouter dans la boîte de dialogue **Correction automatique**.

Créer une correction automatique

1. Choisissez la commande **Outils/Correction automatique**.

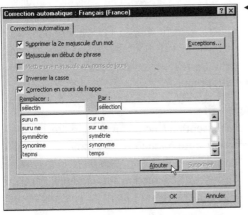

◀ Fig. 5.11 :
La boîte de dialogue Correction automatique

2. Tapez dans la zone de saisie *Remplacer* le mot avec sa mauvaise orthographe.

3. Tapez dans la zone de saisie *Par* le mot correctement orthographié.

4. Cliquez sur le bouton **Ajouter**. Vous pouvez ensuite ajouter d'autres corrections. Cliquez sur OK pour fermer la boîte de dialogue.

Astuce

Utiliser la correction automatique pour des insertions automatiques

La fonction de correction automatique peut être détournée pour saisir automatiquement des textes que vous devez taper fréquemment, par exemple un nom de société ou de produit ou encore votre propre nom. Si votre société s'appelle Eléonore Buidèle & Cie, vous pourriez taper une abréviation dans la zone de saisie *Remplacer*, comme eb, et la dénomination complète dans la zone de saisie *Par*. Par la suite, il vous suffira de taper dans une cellule eb suivi de Entrée ou d'une espace pour obtenir le nom complet.

Modifier et supprimer des corrections automatiques

Pour modifier ou supprimer une correction automatique, choisissez la commande **Outils/Correction automatique**, faites défiler la liste afin de trouver l'entrée à corriger et sélectionnez-la. Elle s'inscrit dans les deux zones de saisie au-dessus de la liste. Pour la corriger, cliquez dans une des deux zones et modifiez le texte en conséquence. Pour la supprimer, cliquez sur le bouton **Supprimer** .

L'exception à la règle

Cliquez sur le bouton **Exceptions** pour ouvrir la boîte de dialogue **Exceptions de correction automatique** . Vous pouvez y définir les exceptions à la règle. Si vous avez activé l'option *Majuscule en début de phrase* dans la boîte de dialogue **Correction automatique**, Excel mettra une majuscule à l'initiale après chaque point, y compris après une abréviation ou etc. Vous pouvez contourner ce problème en énumérant les cas particuliers dans la boîte de dialogue **Exceptions de correction automatique**. Excel a d'ailleurs déjà prévu toute une série d'exceptions.

Correction automatique de formules

Lors de la saisie de formules aussi, ce sont souvent les mêmes erreurs qui sont commises. Excel a donc également prévu une fonction de correction pour les formules. Le programme connaît les causes d'erreur les plus fréquentes et vous propose des corrections en conséquence. Une fenêtre s'affiche à cet effet pour attirer votre attention sur le fait que la formule contient une erreur et pour vous proposer une correction possible. Si celle-ci vous convient, vous n'avez plus qu'à cliquer sur **Oui**.

Sur l'exemple ci-dessous, la formule comprend une parenthèse de trop. Excel s'est rendu compte de l'erreur et propose de la corriger lui-même.

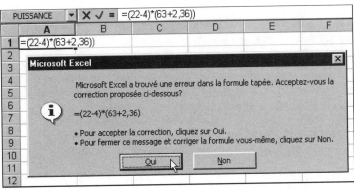

▲ **Fig. 5.12** : *Excel propose de corriger l'erreur détectée dans la formule*

Chapitre 6

Calculer avec Excel

6.1	Qu'est-ce qu'une formule ?	153
6.2	Références relatives, absolues et mixtes	159
6.3	Dis-moi ton nom	165
6.4	Exemples pratiques avec formules et références	173
6.5	Qu'est-ce qu'une fonction ?	187
6.6	Exemples pratiques avec fonctions	190
6.7	Calcul de valeur cible	208
6.8	La troisième dimension	211

Dans ce chapitre, il sera question de la tâche principale d'Excel : le calcul. Tous les calculs que vous pouvez effectuer avec Excel sont basés sur des tableaux. Vous avez déjà vu qu'une feuille de calcul Excel n'est en réalité rien d'autre qu'un ensemble de cellules organisées en lignes et en colonnes, les unes étant identifiées par des numéros et les autres par des lettres ou combinaisons de lettres.

Les cellules peuvent contenir des données ou des formules. Celles-ci utilisent les données contenues dans les différentes cellules pour fournir des résultats. Du fait des innombrables possibilités d'adressage de cellules et plages de cellules et de la très grande diversité des moyens disponibles pour effectuer des calculs avec les données contenues dans ces cellules, y compris si nécessaire en vous aidant des nombreuses fonctions intégrées d'Excel, vous disposez d'un outil extrêmement puissant avec lequel vous pouvez envisager toutes sortes d'applications : mathématiques, scientifiques, statistiques, financières, commerciales, etc.

6.1   Qu'est-ce qu'une formule ?

Pour effectuer des opérations, vous devez travailler avec des formules. Une formule met des valeurs en relation entre elles par le biais d'opérateurs. Excel ne reconnaît une formule en tant que telle que si elle commence par le signe = . Voici un exemple de formule :

▢ =50+100

Cette formule donne à Excel la consigne d'additionner les valeurs 50 et 100. Le résultat sera donc 150.

Toutefois, le but du tableur est de pouvoir réutiliser les formules pour différentes valeurs. C'est la raison pour laquelle elles ne sont que rarement constituées de valeurs constantes. Elles contiennent bien plus souvent des références à des valeurs. Une telle formule se présente ainsi :

▢ =B1+B2

Dans cette formule, la consigne donnée à Excel est d'additionner la valeur qui se trouve en B1 avec celle qui se trouve en B2. Le résultat de la formule dépendra par conséquent des valeurs inscrites dans les cellules B1 et B2.

La première formule

Pour comprendre la différence entre l'utilisation de valeurs absolues et de références dans des formules, créez d'abord une formule utilisant des valeurs constantes puis une autre avec des références.

Créer une formule avec des valeurs absolues

1. Sélectionnez la cellule devant contenir le résultat, en l'occurrence la cellule A2.

2. Tapez dans cette cellule la formule suivante : **=50+100**.

3. Validez avec la touche **Entrée**. Le résultat s'inscrit dans la cellule : 150.

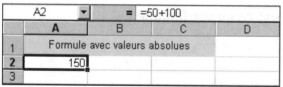

▲ **Fig. 6.1** : *Une formule avec des valeurs absolues*

Créer une formule avec des références

1. Tapez dans la cellule A2 la valeur **50**.

2. Tapez dans la cellule B2 la valeur **100**.

3. Activez la cellule dans laquelle vous souhaitez voir s'inscrire le résultat, en l'occurrence C2.

4. Tapez le signe **=**.

5. Cliquez sur la cellule A2 ; la référence correspondante est automatiquement inscrite dans la formule.

6. Tapez l'opérateur, à savoir le signe + pour notre exemple.

7. Cliquez sur la cellule B2.

8. Validez la formule avec la touche **Entrée**.

C2	▼	=	=A2+B2	
	A	B	C	D
1	Formule avec références			
2	50	100	150	
3				

▲ Fig. 6.2 : *Une formule avec des références*

Le résultat est le même que dans le premier exemple. La différence est toutefois de taille car vous ne travaillez plus avec des valeurs constantes mais avec des références à des valeurs contenues dans des cellules.

Le résultat change par conséquent dès que changent les valeurs inscrites dans les cellules A2 et B2.

Lorsque vous calculez avec Excel, vous lui communiquez donc les valeurs avec lesquelles il doit calculer non pas directement, mais indirectement, par le biais de références aux cellules contenant ces valeurs.

Une formule peut cependant être bien plus complexe que dans notre exemple. Elle peut comprendre les éléments suivants :

■ Des constantes : une constante est une valeur figée qui peut être entrée directement dans une cellule. Les constantes peuvent être des nombres, des valeurs de dates et d'heures, des valeurs logiques ou du texte.

■ Des références de cellules : les références de cellules désignent des cellules au moyen de leurs adresses. Une référence identifie une cellule dans la feuille de calcul.

■ Des noms : dans Excel 2000, vous pouvez affecter des noms à des cellules ou à des plages de cellules. Vous pouvez alors vous référer à ces cellules ou plages de cellules en utilisant ces noms.

- Des fonctions : une fonction est une formule qui effectue automatiquement certaines opérations. Les fonctions peuvent être utilisées seules ou dans d'autres formules. Excel 2000 met à votre disposition un nombre impressionnant de fonctions intégrées.

- Des opérateurs : l'opérateur indique d'après quelle consigne les éléments d'une formule doivent être mis en relation les uns avec les autres.

Les opérateurs

Les opérateurs déterminent le type d'opération qui sera effectué à l'aide des éléments contenus dans une formule. Excel 2000 distingue quatre types d'opérateurs : arithmétiques, de comparaison, de texte et de référence.

Opérateurs arithmétiques

Les opérateurs arithmétiques servent à effectuer des opérations mathématiques élémentaires.

Tab. 6.1 : Les opérateurs arithmétiques

Opérateur arithmétique	Opération	Exemple de formule
+	Addition	=8+5
-	Soustraction	=5-2
*	Multiplication	=6*6
/	Division	=100/3
%	Pourcentage	=15 %
^	Puissance	=10^3

Opérateurs de comparaison

Les opérateurs de comparaison permettent de comparer deux expressions. Dans les exemples du tableau ci-après, A1 et B1 sont des références à des cellules qui contiennent les expressions à comparer. Le résultat d'une telle comparaison est une valeur logique : VRAI ou FAUX.

Tab. 6.2 : Les opérateurs de comparaison		
Opérateur de comparaison	Signification	Exemple de formule
=	Égal	=A1=B1
>	Supérieur	=A1>B1
<	Inférieur	=A1<B1
>=	Supérieur ou égal	=A1>=B1
<=	Inférieur ou égal	=A1<=B1
<>	Différent	=A1<>B1

Opérateurs de texte

L'opérateur de concaténation & permet de chaîner plusieurs textes en une seule chaîne de caractères.

Tab. 6.3 : L'opérateur de texte		
Opérateur de texte	Opération	Exemple de formule
&	Concaténation	="conca"&"ténation"

Opérateurs de référence

Les opérateurs de référence permettent de définir des plages de cellules pour les calculs.

Tab. 6.4 : Les opérateurs de référence

Opérateur de référence	Opération	Exemple de formule
: (deux-points)	Crée une référence à toutes les cellules situées entre deux cellules de référence (y compris ces cellules de référence).	=Somme(B5:B15)
, (virgule)	Opérateur d'union, génère une référence qui inclut les deux références.	=Somme(B1:B19,D2:D8)
(espace)	Opérateur d'intersection, génère une seule référence pour toutes les cellules communes à deux références.	=Somme(B5:C15 A6:F9)

Les valeurs d'erreur

Lorsqu'il est impossible de calculer une formule, Excel 2000 affiche un message d'erreur en guise de résultat. La liste ci-dessous contient toutes les valeurs d'erreur et leur signification.

Tab. 6.5 : Valeurs d'erreur d'Excel 2000

Valeur d'erreur	Signification
#DIV/0!	La formule tente d'effectuer une division par zéro.
#N/A	La valeur attendue n'est pas disponible, par exemple en raison d'une référence à une cellule vide.
#NOM?	Le nom utilisé dans la formule n'est pas connu, peut-être parce qu'il n'a pas encore été défini.
#NOMBRE!	Un nombre est utilisé de manière incorrecte, par exemple parce que vous avez utilisé un mauvais argument dans une fonction.
#NUL!	Vous avez spécifié une intersection de deux plages qui ne se rencontrent pas.
#REF!	La formule fait référence à une cellule non valide, peut-être parce que la cellule a été supprimée.
#VALEUR!	Le type d'un argument ou d'un opérande est incorrect.

6.2 Références relatives, absolues et mixtes

Lorsque, dans des formules, vous vous référez à des valeurs contenues dans des cellules, Excel doit être en mesure d'identifier clairement ces cellules. Chacune doit par conséquent avoir une adresse bien précise. Vous avez déjà vu que ces adresses se composent à partir de la lettre de la colonne et du numéro de ligne, par exemple B1 pour une cellule qui se trouve dans la colonne B et sur la ligne 1. Pour Excel, ces références sont des références relatives.

Références relatives

Une référence est dite relative parce qu'elle est adaptée lors de la copie d'une formule dans une autre cellule. Excel tient en effet compte de la position relative des cellules auxquelles se réfère la formule et de celle qui contient la formule.

Ce comportement n'est cependant pas toujours souhaitable car il arrive que l'on ait besoin de se référer toujours à la même cellule, quel que soit l'endroit où l'on copie la formule. Pour cette raison, il est possible de convertir une référence relative en référence absolue.

Références absolues

Il est parfois nécessaire de travailler avec des références absolues. La feuille de calcul de l'illustration ci-dessous en montre un exemple.

D2	▼	=	=A2+B2+C2	
	A	B	C	D	E
1	Référence relative à la cellule A2				
2	1000	6	2	1008	
3		9	2	11	
4		12	2	14	
5		15	2	17	
6					

▲ **Fig. 6.3** : *Utilisation erronée de références relatives*

Dans cette feuille de calcul, il s'agit d'additionner les valeurs des colonnes B et C et le contenu de la cellule A2.

La formule **=A2+B2+C2** a été inscrite à cet effet dans la cellule D2. Cette formule a ensuite été copiée dans les cellules D3 à D5. Le résultat qui s'affiche dans les cellules D3 à D5 n'est cependant pas juste car Excel a adapté automatiquement toutes les références lors de la copie, y compris celle de la cellule A2.

Nous trouvons à présent, dans la cellule D3, la formule **=A3+B3+C3**. Or la cellule A3 est vide, ce qui explique l'erreur dans le résultat. Excel aurait dû travailler avec une référence absolue afin de laisser la référence à la cellule A2 inchangée.

L'illustration ci-dessous montre comment on arrive à ce résultat. La cellule D2 contient cette fois la formule suivante : **=$A$2+B2+C2**.

D2	▼	**=**	=$A$2+B2+C2	
	A	B	C	D	E
1	Référence absolue à la cellule A2				
2	1000	6	2	1008	
3		9	2	1011	
4		12	2	1014	
5		15	2	1017	
6					

▲ Fig. 6.4 : *Une référence absolue à la cellule A2 résout le problème*

La formule a ensuite été copiée dans les cellules D3 à D5. On obtient que la référence soit interprétée comme une référence absolue par Excel en plaçant le signe dollar ($) devant la lettre de colonne et devant le numéro de ligne. Cliquez sur la cellule D5 pour vérifier que c'est bien la formule suivante qui s'y trouve : **=$A$2+B5+C5**.

Vous pouvez constater que la référence à la cellule A2 est conservée. C'est le principe de la référence absolue.

Références mixtes

Vous pouvez également définir des références dans lesquelles seule la référence à la ligne ou la référence à la colonne est absolue ou relative.

On appelle cela des références mixtes. Si vous copiez une formule contenant par exemple la référence $A3, la référence à la colonne A sera conservée tandis que la référence de ligne sera adaptée.

Si vous copiez une formule contenant la référence B $3, c'est la référence à la colonne qui est adaptée tandis que la référence de ligne reste inchangée.

D3	▼	=	=$A3+B$3	
A	B	C	**D**	E
1		Références mixtes		
2	Mesure	Correction 1	Correction 2	Résultat 1	Résultat 2
3	1000	1,1	-0,8	1001,1	999,2
4	2000			2001,1	1999,2
5	3000			3001,1	2999,2
6	4000			4001,1	3999,2

▲ **Fig. 6.5** : *Formules avec références mixtes*

Cet exemple montre l'intérêt de ces références mixtes. Il s'agit d'additionner à une mesure inscrite dans la colonne A l'un des facteurs de correction des cellules B3 et C3, en fonction de l'instrument de mesure utilisé. Les résultats figurent dans les colonnes D et E. Si vous travaillez avec des références mixtes, vous n'avez besoin de copier la formule qu'une seule fois pour la cellule D3 et vous pouvez la copier ensuite dans les autres cellules des colonnes D et E. Le résultat sera juste dans tous les cas. Vous pouvez essayer de déterminer ce que vous auriez obtenu si vous aviez utilisé des références absolues ou relatives dans la formule.

Changer le type de référence

Excel vous vient en aide lors de la saisie des références relatives, absolues ou mixtes. Vous n'avez donc pas besoin de taper le caractère $ au clavier.

Lorsque le point d'insertion se trouve juste derrière la référence, dans la barre de formule ou dans la cellule, appuyez sur la touche **F4** pour convertir automatiquement la référence dans l'ordre suivant :

Tab. 6.6 : Ordre de conversion des références avec la touche F4		
État initial		après appui sur F4
A1	devient	$A $1
$A $1	devient	A $1
A $1	devient	$A1
$A1	devient	A1

Style de référence L1C1

Excel vous donne également la possibilité de changer de style de référence et d'opter pour le style L1C1, qui peut être utile pour mieux comprendre le principe des références relatives.

La feuille de calcul change alors dans la mesure où les colonnes sont numérotées comme les lignes et non plus désignées par des lettres. En activant ce style de référence, vous comprendrez mieux la signification réelle des références.

Les lettres L et C représentent respectivement la ligne et la colonne. Au lieu de A1, on trouvera ainsi la référence L1C1, C4 devenant L4C3, E9 se transformant en L9C5, et ainsi de suite.

Pour mieux comprendre les références relatives et le style de référence L1C1, entrez la valeur 10 dans la cellule A2 d'une feuille de calcul et la même valeur 10 dans la cellule B3. Cliquez ensuite sur la cellule C4 et tapez la formule suivante : =A2*B3.

Sélectionner le style de référence

Choisissez la commande **Outils/Options**. Activez l'onglet **Général**. Cochez l'option *Style de réfé rence L1C1* puis cliquez sur OK. Les numéros prennent alors la place des lettres dans les en-têtes de colonnes, et les références sont modifiées en conséquence.

L4C3	▼		=	=L(-2)C(-2)*L(-1)C(-1)		
1	2	3	4	5	6	7
		Bezugsformat Z1S1				
10						
	10					
		100				

▲ Fig. 6.6 : *Une formule simple en style L1C1*

Traduit en langage usuel, cela signifie que la cellule A2 (ou L2C1) se trouve deux lignes au-dessus et deux colonnes à gauche de la cellule contenant la formule (L(-2)C(-2)) et que la cellule B3 (ou L3C2) se trouve une ligne au-dessus et une colonne à gauche de la cellule contenant la formule (L(-1)C(-1)).

On comprend ainsi que la référence relative indique toujours la position relative de la cellule à laquelle il est fait référence par rapport à celle qui contient la formule. La référence peut être définie à l'aide de nombres négatifs ou positifs.

- Valeur négative derrière L (L(-2) par exemple) : la cellule à laquelle il est fait référence se trouve au-dessus de la cellule contenant la formule.

- Valeur positive derrière L (L(2) par exemple) : la cellule à laquelle il est fait référence se trouve au-dessous de la cellule contenant la formule.

- Pas de valeur après L : la cellule à laquelle il est fait référence se trouve sur la même ligne que la cellule contenant la formule.

- Valeur négative derrière C (C(-2) par exemple) : la cellule à laquelle il est fait référence se trouve à gauche de la cellule contenant la formule.

- Valeur positive derrière C (C(2) par exemple) : la cellule à laquelle il est fait référence se trouve à droite de la cellule contenant la formule.

- Pas de valeur après C : la cellule à laquelle il est fait référence se trouve dans la même colonne que la cellule contenant la formule.

Même lorsque vous copiez la formule dans une autre cellule, par exemple en G4 (ou L4C7), la première valeur à multiplier sera toujours cherchée deux lignes au-dessus et deux colonnes à gauche de la cellule contenant la formule et la deuxième valeur, une ligne au-dessus et une colonne à gauche.

Le résultat du calcul dépendra par conséquent des valeurs qui se trouveront dans les cellules référencées par la formule.

L4C7	▼	=	=L(-2)C(-2)*L(-1)C(-1)			
1	**2**	**3**	**4**	**5**	**6**	**7**
1			Style de référence L1C1			
2	10				5	
3		10				5
4			100			25
5						
6						

▲ Fig. 6.7 : *Après la copie dans une autre cellule, la formule reste inchangée bien que le résultat change*

Références relatives et absolues en style de réfé rence L1C1

Si la valeur derrière L ou C est écrite sans parenthèses, par exemple L2C2, il s'agit d'une référence absolue . Si la valeur est écrite entre parenthèses, par exemple L(-2)C(-2), la référence est relative. Si une valeur est écrite entre parenthèses et l'autre non, la ré férence est mixte.

Choisir le style de référence A1

Pour désactiver le style de référence L1C1 et revenir au style A1 habituel, choisissez **Outils/Options** et activez l'onglet **Général**. Dé-sactivez l'option *Style de référence L1C1*. Validez avec OK. Lorsque la boîte de dialogue est refermée, vous constatez que les colonnes sont à nouveau désignées par des lettres.

Astuce

> **Aide à la saisie et à l'édition de formules en mode direct**
>
> Si vous éditez une formule en mode direct dans la cellule, vous constatez que les références de la formule sont représentées en couleur et que les cellules correspondantes sont également entourées de bordures de la même couleur. C'est une aide visuelle qui simplifie considérablement le contrôle, la recherche d'erreurs et les modifications dans des feuilles de calcul complexes.

6.3 Dis-moi ton nom

Excel 2000 vous offre la possibilité de donner des noms à des constantes, des formules, des cellules et des plages de cellules. Les noms peuvent également être donnés à des références 3D, qui représentent des blocs de cellules tridimensionnels. Ces noms contribuent à clarifier le travail dans les feuilles de calcul. Tant que les tableaux ne dépassent pas certaines dimensions, il n'est pas difficile de savoir ce que calculent les formules dans les cellules. Mais au fur et à mesure que les feuilles de calcul se développent, le contrôle de l'ensemble du travail est de plus en plus délicat. Les formules contenant des noms sont plus lisibles que celles qui sont bâties avec les références classiques.

Pour pouvoir utiliser des noms dans des formules, il faut que ces noms aient été définis au préalable.

Définir des noms

Un nom peut être défini pour une cellule, une plage de cellules ou une sélection multiple. Avant de définir un nom, sélectionnez la cellule ou la plage de cellules concernée. Voici la procédure à suivre avec l'exemple d'une feuille de calcul servant à comparer différentes offres de prix.

Définir un nom dans la zone Nom

La méthode la plus simple est de taper le nom dans la zone *Nom*.

1. Sélectionnez la plage de cellules à laquelle doit être affecté un nom, par exemple B2:D2.

2. Cliquez dans la zone *Nom*. Le point d'insertion vient s'y placer. Tapez un nom, par exemple `Catalogue`.

3. Appuyez sur la touche `Entrée`.

PrixCatalogue ▼	=	478	
A	**B**	**C**	**D**
1	Offre 1	Offre 2	Offre 3
2 Prix catalogue	**478,00**	**455,00**	**499,00**
3 Quantité livrée	100	100	100
4 Remise	5,00%	5,00%	5,00%
5 Prix d'objectif			
6 Escompte (%)	3,00%	3,00%	3,00%
7 Prix net			

▲ Fig. **6.8** : *Définition d'un nom dans la zone Nom*

Définir un nom par le biais du menu

1. Sélectionnez la plage de cellules à laquelle doit être affecté un nom.

2. Choisissez la commande **Insertion/Nom/Définir**. La boîte de dialogue **Définir un nom** s'affiche.

3. Tapez le nom souhaité dans la zone de saisie ou acceptez celui qui est proposé par Excel. Si vous avez par exemple sélectionné la plage de cellules B2:D2, Excel propose le nom `Prix_catalogue`.

4. Tapez une référence de cellule dans la zone de saisie *Fait référence à* ou acceptez celle qui est proposée par le programme.

5. Cliquez sur le bouton OK.

Créer des noms

Une autre possibilité d'affecter des noms à des cellules d'une feuille de calcul est de les reprendre directement dans la feuille de calcul.

1. Sélectionnez la plage de cellules qui doit être nommée, en incluant le titre de ligne ou de colonne.

A3 ▼ =	Quantité livrée			
A	**B**	**C**	**D**	
1	Offre 1	Offre 2	Offre 3	
2 Prix catalogue	**478,00**	**455,00**	**499,00**	
3 Quantité livrée	100	100	100	
4 Remise	5,00%	5,00%	5,00%	
5 Prix d'objectif				
6 Escompte (%)	3,00%	3,00%	3,00%	
7 Prix net				

▲ **Fig. 6.9** : *Sélection d'une plage de cellules en vue de reprendre le titre de ligne comme nom*

2. Choisissez la commande **Insertion/Nom/Créer**.

3. Dans la boîte de dialogue **Créer des noms**, sélectionnez la case à cocher de votre choix selon la ligne ou la colonne dont vous voulez récupérer le texte en guise de nom.

◄ Fig. 6.10 :
La boîte de dialogue Créer des noms

4. Cliquez sur OK.

Règles pour la définition de noms

Les règles suivantes doivent être respectées lors de la définition de noms : un nom ne doit pas avoir plus de 255 caractères et il ne peut contenir que des lettres, des chiffres, le point (.) et le trait de soulignement (_).

Le premier caractère d'un nom doit toujours être une lettre ou un caractère souligné, auquel cas il peut s'agir aussi d'un caractère autre qu'une lettre. Le nom ne doit pas contenir d'espace. Le trait de soulignement ou le point peuvent être employés comme séparateurs entre les mots. Les majuscules et minuscules n'ont aucune importance. Les noms ne doivent pas pouvoir être confondus avec des références de cellules.

Utiliser des noms dans les formules

Maintenant que les noms ont été créés, voyons comment les utiliser dans des formules.

1. Sélectionnez la cellule B5.

2. Choisissez la commande **Insertion/Nom/Coller**. La boîte de dialogue **Coller un nom** s'affiche.

3. Sélectionnez le nom *Prix_catalogue* dans la zone de liste de la boîte de dialogue et cliquez sur OK.

◄ Fig. 6.11 :
La boîte de dialogue Coller un nom

4. Tapez *. Ce caractère représente l'opérateur de la multiplication.

5. Choisissez une nouvelle fois la commande **Insertion/Nom/Coller**.

6. Sélectionnez le nom *Quantité_livrée* dans la zone de liste de la boîte de dialogue et cliquez sur OK.

7. Complétez la formule de la manière suivante :
`=Prix_catalogue*Quantité_livrée*(1-Remise)`. Le nom Remise peut être collé de la même manière que les deux précédents.

PUISSANCE	▼ X √ =	=Prix_catalogue*Quantité_livrée*(1-Remise)		
	A	B	C	D	E
1		Offre 1	Offre 2	Offre 3	
2	Prix catalogue	**478,00**	455,00	499,00	
3	Quantité livrée	100	100	100	
4	Remise	5,00%	5,00%	5,00%	
5	Prix d'objectif	=Prix_catalogue*Quantité_livrée*(1-Remise)			
6	Escompte (%)	3,00%	3,00%	3,00%	
7	Prix net				

▲ **Fig. 6.12** : *La formule complète, construite avec les noms*

8. Validez la saisie avec la touche **Entrée** ou en cliquant sur le bouton **Entrer** dans la barre de formule.

Le montant du prix d'objectif figure à présent dans la cellule B5 pour l'offre 1. Copiez le contenu de la cellule B5 en C5 et D5. Si vous sélectionnez la cellule D5, vous pouvez alors y lire aussi la formule correcte pour le calcul du prix d'objectif.

Astuce

Définir des valeurs constantes en tant que noms

Dans Excel, vous pouvez aussi définir des noms indépendamment des cellules ou plages de cellules. Choisissez la commande **Insertion/Nom/Définir** pour ouvrir la boîte de dialogue **Définir un nom**. Tapez le nom à définir dans la zone de saisie *Noms dans le classeur*, par exemple TVA20. Dans la zone de saisie *Fait référence à*, n'entrez pas une référence de cellule mais une valeur, par exemple =20,6 %. Un nom défini de cette manière peut être utilisé dans toutes les formules du classeur à la place de la valeur numérique (20,6 %) correspondante. Vous pourriez de la même manière définir un autre nom, TVA5, pour la TVA à 5,5 % et si un jour, par bonheur, cet impôt venait à baisser, il vous suffirait de modifier la valeur dans la boîte de dialogue **Définir un nom** pour que tout le classeur soit à nouveau à jour.

Supprimer un nom

Procédez de la façon suivante pour supprimer un nom :

1. Choisissez la commande **Insertion/Nom/Définir**.

2. Dans la boîte de dialogue **Définir un nom**, sélectionnez le nom à effacer.

3. Cliquez sur le bouton **Supprimer**. Le nom est alors supprimé.

4. Cliquez sur OK.

Modifier un nom

L'édition de noms est nécessaire si vous voulez changer de nom pour une raison quelconque ou si vous devez corriger la référence de plage de cellules correspondante, par exemple après que la feuille de calcul a été complétée et développée.

Imaginons qu'un quatrième devis nous soit parvenu et que nous voulions le faire figurer dans notre petit tableau. Après avoir saisi les données spécifiques à l'offre, nous copions également les formules dans la colonne suivante. Mais voilà qu'Excel ré agit avec un message d'erreur.

E5	= =Prix_catalogue*Quantité_livrée*(1-Remise)			
	A	B	C	D	E
		Offre 1	Offre 2	Offre 3	Offre 4
1					
2	Prix catalogue	478,00	455,00	499,00	439,00
3	Quantité livrée	100	100	100	100
4	Remise	5,00%	5,00%	5,00%	5,00%
5	Prix d'objectif	45 410,00	43 225,00	47 405,00	#VALEUR!
6	Escompte (%)	3,00%	3,00%	3,00%	3,00%
7	Prix net	44 047,70	41 928,25	45 982,85	#VALEUR!
8					

▲ Fig. 6.13 : *Les noms ne sont pas définis et la formule produit une valeur d'erreur*

Ce n'est pas étonnant car, tels qu'ils étaient définis jusqu'à présent, les noms n'englobaient pas les plages de cellules qui ont été ajoutées. Il convient, par conséquent, d'étendre les références correspondantes.

Adapter des noms ou des références

1. Choisissez la commande **Insertion/Nom/Définir**.

2. Sélectionnez le nom à modifier dans la zone de liste.

3. Cliquez dans la zone de saisie *Fait référence à*. La plage de cellules à laquelle se réfère ce nom est à présent entourée d'une bordure animée.

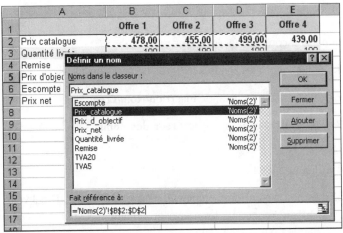

▲ Fig. 6.14 : *Le nom est sélectionné, la zone de saisie de la référence est activée et la plage de cellules est entourée d'une bordure animée*

4. Corrigez la référence dans la zone de saisie *Fait ré férence à*. Vous pouvez saisir directement la nouvelle référence dans la zone de saisie ou la pointer avec la souris dans la feuille de calcul après avoir cliqué sur le bouton situé à l'extrémité de la zone, pour réduire la boîte de dialogue. Lorsque la référence correcte est inscrite, vous pouvez à nouveau développer la boîte de dialogue entière en cliquant une nouvelle fois sur le bouton à l'extrémité de la zone de saisie.

▲ Fig. 6.15 : *La boîte de dialogue en version réduite, pour vous permettre de pointer une plage de cellules*

5. Cliquez sur OK. Le nom est à présent étendu à la nouvelle plage de cellules. Vous pouvez le vérifier en sélectionnant la plage de cellules. Le nom apparaît alors dans la zone *Nom*.

Si, comme c'est le cas dans notre exemple de feuille de calcul, vous pouvez récupérer les noms dans la feuille de calcul même, la modification est encore plus facile et plus rapide.

1. Sélectionnez les lignes 2 à 7 avec les titres de lignes.

2. Choisissez la commande **Insertion/Nom/Créer**.

3. Dans la boîte de dialogue **Créer des noms**, sélectionnez l'option *Colonne de gauche*.

4. Cliquez sur OK.

5. Les noms étant déjà employés dans des formules, Excel vous demande de confirmer les nouvelles définitions. Cliquez sur **Oui** dans chaque boîte de dialogue.

Modifier uniquement le nom

1. Choisissez la commande **Insertion/Nom/Définir**.

2. Sélectionnez le nom à modifier dans la zone de liste.

3. Placez le point d'insertion dans la zone de saisie *Noms dans le classeur* en cliquant dessus et éditez le nom.

4. Validez avec OK. Le nouveau nom est alors défini, mais l'ancien est conservé.

Atteindre des cellules nommées

Un autre avantage des noms de plages de cellules est qu'ils vous permettent de déplacer très rapidement le pointeur de cellule d'un endroit à un autre de la feuille de calcul.

1. Ouvrez la liste déroulante de la zone *Nom* dans la barre de formule en cliquant sur le bouton fléché correspondant.

2. Sélectionnez le nom correspondant à la plage de cellules que vous souhaitez atteindre. Cette plage de cellules est aussitôt sélectionnée.

Astuce

Vue d'ensemble des noms

Au fil du temps, vous pouvez constituer ainsi un système très complet, voire complexe, de noms de cellules et de plages de cellules dans une feuille de calcul ou dans un classeur. Pour en avoir une bonne vue d'ensemble, vous avez la possibilité de coller une liste de tous les noms dans la feuille de calcul.

Appuyez sur la touche F3 pour ouvrir la boîte de dialogue **Coller un nom**. Tous les noms définis dans le classeur y sont listés. Pour copier cette liste dans la feuille de calcul, cliquez sur le bouton **Coller une liste**. La cellule active détermine le coin supérieur gauche de la zone de destination.

6.4 Exemples pratiques avec formules et références

L'utilisation efficace des différents formats de références dans des formules nécessite non seulement que l'on comprenne bien le principe des différents composants d'une formule, mais aussi quelques connaissances mathématiques sur les relations entre les différents facteurs et leur organisation dans la feuille de calcul.

Voici quelques exemples pratiques qui vous aideront à mieux comprendre le principe des formules et des références. Les tâches qui vous attendent dans la réalité seront parfois bien plus complexes que ce que nous vous montrons ici, mais le principe de base est toujours le même.

Quelle machine est la plus intéressante ?

Imaginez la situation suivante : vous êtes gérant d'une grosse entreprise. Des machines doivent être achetées et vous devez choisir, parmi trois offres, celle qui est la plus avantageuse pour votre société.

Pour résoudre ce problème, vous créez un tableau comparatif des offres. Vous déterminez les coûts générés par les différentes machines et vous comparez ces coûts.

La machine dont le coût est le plus faible sera considéré comme étant la plus avantageuse. Vous disposez des données suivantes :

Tab. 6.7 : Ces données sont disponibles pour vous permettre de faire votre choix			
	Machine 1	Machine 2	Machine 3
Prix d'achat	150 000	130 000	80 000
Durée d'utilisation	10 ans	10 ans	10 ans
Production annuelle	20 000	20 000	20 000
Taux d'intérêt	13 %	13 %	13 %
Traitements fixes	20 000	20 000	20 000
Salaires/Pièce	3,50	3,80	4,65
Fournitures/Pièce	9,00	9,00	9,00
Valeur résiduelle	0	0	0

Entrez ces données dans une feuille de calcul comme sur l'illustration ci-après. N'oubliez pas de donner un nom à votre feuille, par exemple Coûts.

Pour comparer les coûts des différentes solutions, il faut déterminer les coûts globaux des différentes machines. Ceux-ci résultent de la somme de frais fixes et variables.

	A	B	C	D
1		**Comparaison de coûts**		
2		Machine 1	Machine 2	Machine 3
3	Prix d'achat	150 000,00	130 000,00	80 000,00
4	Durée d'utilisation	10 ans	10 ans	10 ans
5	Production annuelle	20 000	20 000	20 000
6	Valeur résiduelle	0	0	0
7	Taux d'intérêt	13%	13%	13%
8	Salaires/pièce	3,5	3,8	4,65
9	Fournitures/pièce	9,0	9,0	9,0
10	Amortissement			
11	Intérêts			
12	Traitements	20 000,00	20 000,00	20 000,00
13	Coûts fixes			
14	Charges de salaires			
15	Charges de fournitures			
16	Coûts variables			
17	**Coût total**			

▲ Fig. 6.16 : *Calcul de comparaison de coûts*

Les coûts fixes se composent de :

■ l'amortissement ;

■ les intérêts ;

■ les traitements fixes.

Les frais variables se composent :

■ des salaires par pièce ;

■ des coûts des fournitures.

La formule pour le calcul de l'amortissement est la suivante :

```
amortissement = (prix d'achat - valeur résiduelle) /
Durée d'utilisation
```

La formule pour le calcul des intérêts est la suivante :

● Intérêts = (Prix d'achat x Taux d'intérêt) / 2

Formule pour l'amortissement en B10

Entrez la formule de l'amortissement dans la cellule B10. Activez la cellule, tapez le signe = afin de signaler à Excel qu'il doit effectuer un calcul dans cette cellule et cliquez sur B3. Cette cellule est entourée d'une bordure animée. Tapez le caractère /, qui est le signe de la division, puis cliquez sur B4. C'est maintenant cette cellule qui a la bordure animée. La formule se présente ainsi dans la barre de formule : =B3/B4. Validez avec la touche **Entrée**. Le résultat s'affiche dans la cellule B10 : 15 000,00 F.

Formule pour les intérêts en B11

Activez la cellule B11 pour le calcul des intérêts. Tapez la formule : =B3/2*B7. Vous devez travailler avec une constante, c'est-à-dire avec une valeur fixe. Tapez cette formule au clavier, pour changer. Inutile de saisir les lettres des références en majuscules. Si vous tapez b7, par exemple, Excel convertit automatiquement la référence en B7. Validez avec la touche **Entrée**. Le résultat s'affiche : 9 750,00 F.

Formule pour les coûts fixes en B13

Toutes les données pour calculer les coûts fixes sont maintenant disponibles, et vous pouvez donc les additionner. Le plus simple est d'utiliser le bouton **Somme automatique** de la barre d'outils *Standard*.

Σ Sélectionnez la cellule B13. Cliquez sur le bouton **Somme automatique** dans la barre d'outils. Les cellules qu'Excel se propose d'additionner sont alors entourées d'une bordure animée. Dans notre exemple, il s'agit de la plage de cellules B3:B12, ce qui n'est pas correct. Pointez avec la souris sur la plage de cellules B10:B12. Validez avec la touche **Entrée**. Le résultat est : 44 750,00 F. La fonction inscrite dans la cellule B13 est : =SOMME(B10:B12).

Formule pour les charges de salaires en B14

Les charges de salaires résultent de la multiplication des salaires par pièce par le nombre de pièces. Activez la cellule B14 et saisissez la formule : **=B8*B5**. Validez avec **Entrée**. Le résultat annoncé est : 70 000,00 F.

Formule pour les charges de fournitures en B15

Les charges de fournitures se calculent en multipliant le coût des fournitures par pièce par le nombre de pièces. Activez la cellule B15 et saisissez la formule : **=B9*B5**. Validez avec **Entrée**. Le résultat affiché est : 180 000,00 F.

Formule pour les coûts variables en B16

Les coûts variables résultent de l'addition des charges de salaires et de fournitures. Activez la cellule B16 et cliquez sur le bouton **Somme automatique**. Cette fois, Excel reconnaît correctement les valeurs à additionner : ce sont les cellules B14 et B15, qui sont entourées d'une bordure animée. Il ne vous reste donc plus qu'à valider avec **Entrée**. Le résultat inscrit en B16 est : 250 000,00 F.

Formule pour le coût total en B17

La somme des coûts variables et des coûts fixes donne le coût total. Activez la cellule B17 et cliquez sur le bouton **Somme automatique**. Excel vous propose de calculer la somme de toute la colonne, ce qui ne convient évidemment pas. Cliquez sur la première cellule à additionner, en l'occurrence sur B13, puis, en tenant la touche **Ctrl** enfoncée, sur la deuxième, B16. La formule est ainsi complétée comme il se doit. Vous auriez évidemment aussi pu entrer les deux références à l'aide du clavier. Validez avec **Entrée**. Le résultat s'affiche en B17 : 294 750,00 F.

Le bouton Somme automatique

Comme vous avez pu le constater, un clic sur le bouton **Somme automatique** permet d'inscrire la fonction SOMME dans la formule, et Excel pousse même le zèle jusqu'à proposer la plage de cellules à additionner.

Cette proposition est d'ailleurs souvent fort judicieuse, et vous n'avez plus qu'à valider la fonction. Si ce n'est pas le cas, et si les cellules à additionner forment une plage de cellules unique, sélectionnez-les simplement avec la souris puis appuyez sur la touche **Entrée**.

Si les cellules à additionner ne forment pas une plage de cellules d'un seul tenant, vous devez saisir leurs références en les séparant par des points-virgules, par exemple : =SOMME(A1;B2:B5;C10). Vous pouvez également entrer les références en cliquant dessus dans la feuille de calcul mais, cette fois, vous devez tenir la touche **Ctrl** enfoncée.

Astuce

> **Somme rapide**
>
> Σ Un double clic sur le bouton **Somme automatique** affiche immédiatement le résultat dans la cellule.

Copier des formules

Il s'agit à présent de calculer les mêmes coûts totaux pour les machines 2 et 3, en utilisant les mêmes formules. Vous n'allez bien évidemment pas recommencer tout le travail puisque vous savez déjà que vous pouvez copier des formules. Comme il s'agit exclusivement de références relatives, Excel les adapte automatiquement. Copiez d'abord la formule calculant l'amortissement. Sélectionnez donc la cellule B10. Choisissez la commande **Édition/Copier**. La cellule sélectionnée est entourée d'une bordure animée. Sélectionnez ensuite les cellules C10 et D10 en faisant glisser le pointeur par-dessus. Appuyez sur la touche **Entrée**. La formule est copiée dans les deux cellules. Le résultat en C10 est de 13 000 F et en D10 de 8 000 F (voir fig. 6.17).

Copiez à présent la fonction calculant les intérêts en utilisant la poignée de recopie. Sélectionnez la cellule B11, amenez le pointeur de la souris sur la poignée de recopie, où il prend la forme d'une petite croix, et faites glisser jusqu'à la cellule D11. Lorsque vous relâchez le bouton de la souris, la formule est copiée de B11 en C11 et D11. Les résultats sont respectivement de 8 450 F et de 5 200 F. Copiez de même les formules restantes. Vous constaterez que la machine 1 est la plus intéressante car c'est elle qui génère les coûts les moins élevés.

A	B	C	D
Comparaison de coûts			
	Machine 1	Machine 2	Machine 3
3 Prix d'achat	150 000,00	130 000,00	80 000,00
4 Durée d'utilisation	10 ans	10 ans	10 ans
5 Production annuelle	20 000	20 000	20 000
6 Valeur résiduelle	0	0	0
7 Taux d'intérêt	13%	13%	13%
8 Salaires/pièce	3,5	3,8	4,65
9 Fournitures/pièce	9,0	9,0	9,0
10 Amortissement	15 000,00	13 000,00	8 000,00
11 Intérêts	9 750,00	8 450,00	5 200,00
12 Traitements	20 000,00	20 000,00	20 000,00
13 Coûts fixes	44 750,00	41 450,00	33 200,00
14 Charges de salaires	70 000,00	76 000,00	93 000,00
15 Charges de fournitures	180 000,00	180 000,00	180 000,00
16 Coûts variables	250 000,00	256 000,00	273 000,00
17 **Coût total**	294 750,00	297 450,00	306 200,00

▲ Fig. 6.17 : *Les formules ont été copiées, les coûts sont calculés pour les trois options*

Enregistrer le classeur

Enregistrez le classeur contenant la feuille de calcul Coûts. Choisissez la commande **Enregistrer sous** et donnez un nom au fichier, par exemple Machines.xls.

Simulation

Voyons maintenant quelle serait la meilleure machine avec une production annuelle de 10 000 pièces seulement au lieu de 20 000. Sélectionnez à cet effet la cellule B5. Tapez la valeur **10 000** et copiez-la dans les cellules C5 et D5. Vous constatez que pour une cadence de production inférieure, c'est la machine 2 qui est la plus avantageuse.

	A	B	C	D
1		\multicolumn{3}{c}{**Comparaison de coûts**}		
2		Machine 1	Machine 2	Machine 3
3	Prix d'achat	150 000,00	130 000,00	80 000,00
4	Durée d'utilisation	10 ans	10 ans	10 ans
5	Production annuelle	10 000	10 000	10 000
6	Valeur résiduelle	0	0	0
7	Taux d'intérêt	13%	13%	13%
8	Salaires/pièce	3,5	3,8	4,65
9	Fournitures/pièce	9,0	9,0	9,0
10	Amortissement	15 000,00	13 000,00	8 000,00
11	Intérêts	9 750,00	8 450,00	5 200,00
12	Traitements	20 000,00	20 000,00	20 000,00
13	Coûts fixes	44 750,00	41 450,00	33 200,00
14	Charges de salaires	35 000,00	38 000,00	46 500,00
15	Charges de fournitures	90 000,00	90 000,00	90 000,00
16	Coûts variables	125 000,00	128 000,00	136 500,00
17	**Coût total**	169 750,00	169 450,00	169 700,00

▲ Fig. 6.18 : *Comparaison des coûts pour une cadence de production de 10 000 pièces/an*

Quelle machine sera amortie le plus rapidement ?

Remettez-vous dans la peau du dirigeant d'entreprise qui doit déterminer quelle machine est la plus avantageuse.

Il ne veut pas se fier uniquement aux comparaisons de coûts mais aimerait déterminer dans quel délai les différentes machines seraient amorties, autrement dit au bout de combien de temps les dépenses effectuées seraient récupérées.

La formule pour le calcul de l'amortissement est la suivante :

```
Durée d'amortissement = (prix d'achat - valeur résiduelle) /
(bénéfice annuel moyen + amortissements annuels)
```

Vous disposez des données suivantes :

On compte avec un bénéfice annuel moyen de 30 000 F pour la machine 1, de 32 000 F pour la machine 2 et de 25 000 F pour la machine 3.

Les prix d'achats sont de 150 000 F pour la machine 1, de 130 000 F pour la machine 2 et de 80 000 F pour la machine 3.

La durée de service prévue pour les machines est dans tous les cas de 10 ans. Saisissez ces valeurs dans une nouvelle feuille de calcul. Cliquez à cet effet sur l'onglet suivant dans le classeur Machines.xls et nommez cette feuille Amortissement.

Voici d'abord un conseil en ce qui concerne la structure de la formule pour le calcul de la durée d'amortissement. Si vous entrez la formule dans la cellule cible en suivant l'ordre "naturel" des opérations, elle a la structure suivante :

    =150000 / 30000 + 150000 / 10

Le résultat de cette formule serait erroné. Vous devez déterminer l'ordre des calculs à l'aide de parenthèses. Une expression entre parenthèses est toujours calculée en priorité. Lorsqu'il existe plusieurs jeux de parenthèses, ce sont les parenthèses internes qui sont prioritaires.

Remarque

Priorité des opérations

Pour l'utilisation des formules dans les feuilles de calcul, il est important de savoir que les opérateurs sont soumis à une hiérarchie. Excel 2000 obéit à la règle habituelle qui veut que les divisions et multiplications soient effectuées avant les additions et les soustractions. L'élévation à la puissance a la priorité la plus élevée. Vous pouvez modifier cette priorité en utilisant des parenthèses.

Compte tenu de cette règle, la formule aura par conséquent la structure suivante :

    = 150000 / (30000 + 150000 / 10)

L'expression entre parenthèses est calculée en premier et, dans celle-ci, c'est la division qui est effectuée d'abord.

Voici le détail des différentes étapes de ce calcul :

1. Division dans la parenthèse : 150 000 / 10 = 15 000. La formule se simplifie en conséquence :

⬛ = 150000 / (30000 + 15000)

2. Calcul de la parenthèse : 30 000 + 15 000 = 45 000. La formule se simplifie une fois de plus :

⬛ = 150000 / 45 000

3. Résultat final : 150 000 / 45 000 = 3,33.

Si vous avez saisi les formules correctement, vous devriez obtenir le résultat ci-dessous.

	A	B	C	D
1		**Durées d'amortissement**		
2		Machine 1	Machine 2	Machine 3
3	Prix d'achat	150 000,00	130 000,00	80 000,00
4	Durée d'utilisation	10 ans	10 ans	10 ans
5	Bénéfice	30 000	32 000	25 000
6	**Durée d'amortissement**	**3,33**	**2,89**	**2,42**

▲ Fig. 6.19 : *Comparaison des durées d'amortissement*

Quelle machine permettra d'obtenir le gain le plus important ?

La mise en relation de feuilles de calcul est judicieuse chaque fois qu'une modification dans une feuille doit entraîner des modifications dans une ou plusieurs autres feuilles de calcul.

Rappelez-vous le tableau de comparaison des coûts que vous avez créé au début de cette section, sur la feuille de calcul Coûts du classeur Machines.xls. Les coûts totaux calculés dans ce tableau pourraient être mis en liaison avec un calcul de bénéfice pour les machines 1 à 3. On trouverait, dans ce tableau que nous allons créer, les coûts totaux ainsi que les quantités annuelles produites.

Les données suivantes sont à votre disposition.

Tab. 6.8 : Les données pour un nouveau calcul			
	Machine 1	Machine 2	Machine 3
Bénéfice/pièce produite	26,2375 F	16,4725 F	16,5600 F
Quantité produite	20 000	20 000	20 000
Coûts totaux	294 750 F	297 450 F	306 200F

Entrez les données dans une nouvelle feuille de calcul. Donnez-lui un nom significatif en renommant son onglet en conséquence. Appelez-la par exemple Bénéfice.

Il s'agit à présent de déterminer quel produit peut être réalisé avec les différentes machines sur la base d'une production annuelle de 20 000 pièces et quel bénéfice peut en être retiré. L'illustration ci-dessous représente le calcul de bénéfice pour les machines 1 à 3.

	A	B	C	D
1		Comparaison des bénéfices		
2		Machine 1	Machine 2	Machine 3
3	Produit/Pièce	16,2375	16,4725	16,5600
4	Production annuelle	20 000,00	20 000,00	20 000,00
5	Coût total	294 750,00	297 450,00	306 200,00
6	Produit/Pièce	324 750,00	329 450,00	331 200,00
7	**Bénéfice**	**30 000**	**32 000**	**25 000**

▲ Fig. 6.20 : *Comparaison des bénéfices*

La formule en B6 est : =B3*B4, celle en B7 est : =B6-B5. Copiez ces formules de B6:B7 vers C6:D7.

Si vous incluez le calcul d'amortissement dans la réflexion, vous constaterez que les trois feuilles de calcul utilisent en fait les mêmes données.

Lier des feuilles de calcul

Les trois feuilles de calcul peuvent être liées les unes aux autres. Toute modification effectuée dans l'une d'elles aurait alors immédiatement des conséquences dans les deux autres.

La condition d'une liaison est que les deux feuilles de calcul concernées comprennent des cellules de liaison identiques. Dans notre exemple, le coût total ainsi que la production annuelle figurent à la fois dans la feuille de calcul de comparaison des coûts et dans la feuille de calcul de comparaison des bénéfices. Le bénéfice annuel calculé dans cette feuille de calcul peut être utilisé à son tour dans la feuille de calcul des durées d'amortissement (en tant que valeur estimée pour le bénéfice moyen des années à venir).

Quelques définitions doivent être précisées avant de commencer à lier des feuilles de calcul entre elles :

- Feuille de calcul source : dans une liaison, la feuille de calcul source est celle à laquelle une autre feuille de calcul se réfère dans une référence externe.

- Feuille de calcul dépendante : une feuille de calcul dépendante contient une référence externe, c'est-à-dire qu'elle se réfère à une ou plusieurs cellules d'une autre feuille de calcul (la source).

Formule contenant une référence externe

Deux ou plusieurs feuilles de calcul sont liées entre elles au moyen d'une formule contenant une référence à une valeur située dans une autre feuille de calcul. Cette formule doit comporter les éléments suivants :

- le signe d'égalité ;
- le nom de la feuille de calcul source ;
- le point d'exclamation ;
- la cellule à laquelle il est fait référence.

Exemple :

```
=BILAN.XLS! $A $1
```

Créer une liaison

Le moment est venu d'essayer ! Ouvrez le classeur contenant les trois feuilles de calcul servant au calcul du coût total, de la durée d'amortissement et du bénéfice.

Dans notre exemple, la feuille de calcul du coût total est la feuille de calcul source car c'est à elle que se réfèrent les deux autres. Comparez d'abord la feuille de calcul du coût total et celle du bénéfice. Vous observez que le coût total ainsi que la production annuelle sont deux valeurs que l'on trouve aussi bien dans l'une que dans l'autre de ces deux feuilles. En liant les feuilles de calcul, on fait en sorte qu'il ne soit plus nécessaire de saisir ou de calculer les données que dans une seule feuille de calcul, en l'occurrence celle où est calculé le coût total.

Lorsque le coût total ou les valeurs de production annuelle changent dans la feuille de calcul Coûts, les modifications sont immédiatement répercutées dans la feuille de calcul Bénéfice. Procédez de la façon suivante pour créer une liaison entre ces deux feuilles de calcul :

1. Activez la cellule B5 dans la feuille de calcul Bénéfice.

2. Tapez le signe **=**. Cliquez sur l'onglet de la feuille de calcul Coûts afin de l'activer.

3. Dans la feuille de calcul Coûts, cliquez sur la cellule contenant le coût total, en l'occurrence B17. La formule suivante s'inscrit dans la barre de formule : **=Coûts!B17**.

4. Appuyez sur la touche **Entrée**. Vous revenez ainsi à la feuille de calcul Bénéfice. La valeur du coût total est inscrite dans la cellule B5.

5. Copiez la cellule B5 vers C5 et D5.

6. Procédez de même pour la production annuelle dans la plage de cellules B4:D4 de la feuille de calcul Bénéfice, en créant une liaison avec la plage de cellules B5:D5 de la feuille de calcul Coûts.

Vous pouvez maintenant lier aussi la feuille de calcul Amortissement avec la feuille Bénéfice, de manière que le bénéfice calculé soit automa-

tiquement reporté dans le tableau de calcul de la durée d'amortissement. Dans ce cas, la feuille Bénéfice est la feuille source et la feuille
Amortissement, la feuille dépendante.

1. Cliquez dans la feuille de calcul dépendante sur la cellule qui doit
être liée avec la feuille de calcul source. Dans l'exemple, c'est la
cellule B6 de la feuille Amortissement.

2. Tapez le signe d'égalité.

3. Activez la feuille de calcul source, c'est-à-dire Bénéfice dans cet
exemple, et cliquez sur la cellule contenant le calcul du bénéfice. La
valeur calculée doit être reportée automatiquement dans la feuille
Amortissement.

4. Appuyez sur **Entrée**. Vous revenez ainsi à la feuille de calcul Amortissement.

5. Copiez la cellule B6 vers C6 et D6.

Vérifiez la réussite de l'opération en augmentant à 15 % le taux d'intérêt pour la machine 1 dans la feuille de calcul Coûts. Le coût total pour
cette machine s'élève aussitôt à 296 250,00 F. Cette valeur est automatiquement reportée dans le tableau de calcul du bénéfice. Le bénéfice pour cette machine est réduit à 28 500,00 F et la durée d'amortissement est allongée à 3,45 années.

Supprimer des références externes et figer les valeurs

Lorsque vous voulez à nouveau supprimer la référence externe à une
cellule ou une plage de cellules dans votre feuille de calcul dépendante,
vous ne voulez normalement pas supprimer la valeur mais uniquement
la formule de référence. Procédez alors de la façon suivante :

1. Sélectionnez dans la feuille de calcul dépendante la cellule contenant la référence externe à supprimer. Il peut s'agir aussi d'une
plage de cellules. Dans la feuille de calcul Bénéfice, vous pouvez
sélectionner par exemple la plage de cellules B4:D5.

2. Choisissez la commande **Édition/Copier**.

3. Choisissez la commande **Édition/Collage spécial**. La boîte de dialogue **Collage spécial** s'affiche.

4. Sélectionnez l'option *Valeurs* dans la rubrique *Coller*.

5. Cliquez sur OK.

6. Appuyez sur les touches **Entrée** ou **Échap**.

Observez la barre de formule ; vous constatez que son contenu a changé. À la place de la formule, vous ne trouvez maintenant plus que la dernière valeur calculée de la cellule.

6.5 Qu'est-ce qu'une fonction ?

Excel 2000 met à votre disposition un nombre important de fonctions pour différentes applications. Mais qu'est-ce qu'une fonction ?

Une fonction est une consigne de calcul. Elle fonctionne à la manière d'une boîte noire : vous entrez quelque chose d'un côté et il en sort quelque chose de l'autre côté. Une fonction attend une ou plusieurs entrées appelées arguments. Elle effectue ensuite un calcul sur la base de ces arguments et à l'aide de formules plus ou moins compliquées, puis renvoie un résultat. Les arguments peuvent être des constantes, des références de cellules ou de plages de cellules, ou d'autres fonctions.

Chaque fonction possède un nom spécifique, par exemple SOMME. Ce nom, qui est souvent une abréviation, est généralement écrit en majuscules. Il est toujours suivi d'une parenthèse ouvrante. Viennent ensuite les arguments. Lorsqu'ils sont plusieurs, ils doivent être séparés par des points-virgules. La fonction se termine toujours par une parenthèse fermante.

Excel 2000 indique pour chaque fonction quels arguments sont nécessaires.

Exemple : SOMME(nombre1;nombre2;...)

Dans cet exemple, `nombre1` et `nombre2` représentent les arguments que vous êtes invité à spécifier.

Les fonctions intégrées d'Excel 2000 sont groupées par catégories :

- fonctions financières ;
- fonctions de dates et d'heures ;
- fonctions statistiques ;
- fonctions matricielles ;
- fonctions de base de données ;
- fonctions de texte ;
- fonctions logiques ;
- fonctions d'information.

Une référence complète de toute les fonctions est disponible dans l'aide en ligne d'Excel 2000.

L'Assistant Fonction

Vous pouvez normalement saisir les fonctions manuellement, dans la cellule ou dans la barre de formule. Cela suppose évidemment que vous en connaissez le nom et que vous savez quels arguments sont attendus. C'est certainement la méthode la plus rapide pour les fonctions simples. Mais lorsqu'il s'agit de fonctions plus complexes, mieux vaut utiliser les services de l'Assistant Fonction.

Nous vous montrons ici la mise en œuvre de l'Assistant Fonction à l'aide de la fonction RACINE pour calculer des racines carrées.

1. Activez la cellule qui doit contenir la fonction.

2. Cliquez sur le bouton **Coller une fonction**. La boîte de dialogue **Coller une fonction** s'affiche. Sélectionnez une catégorie dans la liste de gauche et la fonction souhaitée dans celle de droite. La boîte de dialogue se colle à présent sous la barre de formule et le nom de la fonction s'inscrit dans la zone d'édition de la barre de formule.

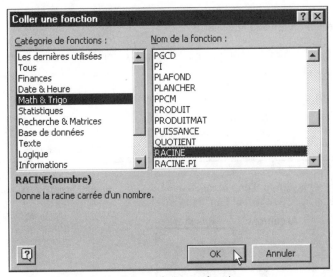

▲ Fig. 6.21 : *La boîte de dialogue Coller une fonction*

3. Des zones de saisie sont prévues pour la saisie des arguments de la fonction. Le nom de l'argument est inscrit devant cette zone de saisie. S'il est écrit en gras, cela signifie que l'argument est indispensable. La fonction RACINE utilisée dans l'exemple ne requiert qu'un seul argument, un nombre. Nous n'allons cependant pas indiquer un nombre mais la référence d'une cellule contenant une valeur numérique.

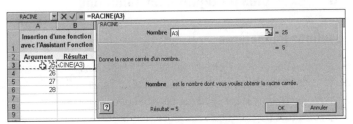

▲ Fig. 6.22 : *L'argument de la fonction est une référence de cellule*

4. Lorsque vous avez saisi une valeur pour chaque argument obligatoire, le résultat de la fonction s'affiche dans la partie inférieure de la boîte de dialogue. Pour notre exemple, avec l'argument 25, la fonction renvoie la valeur 5.

5. Cliquez sur OK pour inscrire la fonction complète dans la feuille de calcul.

6. La formule ainsi créée peut ensuite être copiée si on veut l'appliquer à d'autres arguments.

◄ Fig. 6.23 :
En copiant la fonction dans la plage de cellules B4:B6, elle est appliquée aux arguments suivants

Pour insérer une fonction dans une formule existante, placez le point d'insertion à l'endroit souhaité dans la formule et activez ensuite l'Assistant Fonction. Vous pouvez ainsi imbriquer plusieurs fonctions les unes dans les autres.

6.6 Exemples pratiques avec fonctions

Fonctions financières

Pour vous faire découvrir le travail avec les fonctions financières, nous partons de l'hypothèse suivante : vous venez de gagner 5 000 F à un jeu et vous cherchez à placer cet argent à la banque. Vous souhaitez calculer la valeur future du capital si vous placez ces 5 000 F pendant 10 ans au taux de 8 %. La valeur future est la valeur atteinte par capitalisation des intérêts.

Les financiers utilisent des formules relativement complexes pour ces calculs. Vous pouvez cependant trouver le même résultat que votre banquier grâce aux fonctions intégrées d'Excel 2000. Il vous suffit de fournir les arguments nécessaires, et la fonction renvoie le résultat souhaité.

Pour notre exemple, la fonction dont nous avons besoin s'appelle VC (valeur calculée). Sa syntaxe est la suivante :

`VC(taux;npm;vpm;va;type)`

La signification des arguments est la suivante.

Tab. 6.9 : Arguments de la fonction VC	
Argument	**Signification**
taux	Taux d'intérêt par période.
npm	Nombre de périodes de remboursement (mensualités, "trimestrialités" , annuités, etc.).
vpm	Montant du remboursement pour chaque période. Ce montant doit être constant.
va	Valeur actuelle.
type	Valeur 0 ou 1. 0 signifie que le remboursement a lieu en fin de période ; 1, qu'il a lieu en début de période. Si l'argument est omis, c'est la valeur 0 qui est utilisée par défaut.

Pour notre exemple, nous disposons des arguments *taux*, *npm* et *va*. Nous utiliserons donc ces données dans la fonction. Notez que la valeur *va* doit être saisie en tant que valeur négative afin d'obtenir un résultat positif. Les conventions commerciales veulent en effet que tout montant que vous déboursez, par exemple un dépôt sur un compte épargne, soit inscrit sous forme de nombre négatif et que toute somme encaissée, par exemple les intérêts d'un placement, soit inscrite en tant que nombre positif.

1. Créez la feuille de calcul ci-dessous.

	A	B	C	D
1	Valeur future d'un placement			
2	Valeur actuelle	Durée	Taux	Valeur future
3	-5000	10	8,00%	
4	-5000	8	8,00%	
5	-5000	5	8,00%	
6	-5000	3	8,00%	

▲ Fig. 6.24 : *Données initiales pour un calcul de placement*

2. Activez la cellule D3.

3. Cliquez sur le bouton **Coller une fonction**. Sélectionnez la catégorie *Finances* et la fonction VC. Cliquez sur OK. Vous êtes alors invité à entrer les différents arguments de la fonction.

4. Indiquez le premier en cliquant sur la cellule C3. La fenêtre de l'Assistant Fonction masque normalement la cellule en question. Vous pouvez cependant la faire glisser avec la souris à un endroit plus approprié.

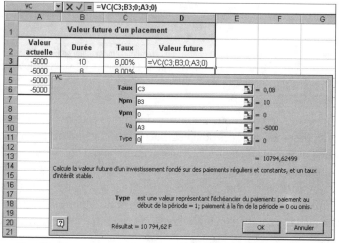

▲ Fig. 6.25 : *Pour vous permettre d'atteindre toutes les parties de la feuille de calcul, vous pouvez déplacer la fenêtre de l'Assistant Fonction*

5. Cliquez dans la zone de saisie *Npm*. Saisissez la référence ou cliquez sur la cellule B3.

6. Tapez la valeur 0 dans la zone de saisie *Vpm* car aucun versement régulier n'est effectué.

7. Dans la zone de saisie *Va*, vous devez entrer la référence de la cellule A3.

8. Aucune valeur ne doit être entrée dans la zone de saisie *Type*. La valeur par défaut 0 sera donc utilisée.

9. Cliquez sur le bouton OK.

Copiez la cellule D3 vers D4:D6. Vous obtenez ainsi les résultats pour les différentes durées.

	A	B	C	D
H14		=		
1	Valeur future d'un placement			
2	Valeur actuelle	Durée	Taux	Valeur future
3	-5000	10	8,00%	10 794,62 F
4	-5000	8	8,00%	9 254,65 F
5	-5000	5	8,00%	7 346,64 F
6	-5000	3	8,00%	6 298,56 F

▲ Fig. 6.26 : *Les valeurs calculées*

Astuce

> **Erreur dans la fonction ? Interrompre la saisie sans dommage**
>
> Si vous n'arrivez pas à trouver rapidement une erreur dans la fonction, vous pouvez appuyer sur la touche Échap pour abandonner l'édition de la formule, mais dans ce cas vous perdez tout ce qui a déjà été saisi. Il y a un moyen d'éviter cela : amenez le point d'insertion au début de la formule, devant le signe =, et tapez une apostrophe. La formule est ainsi convertie en texte. Si vous appuyez ensuite sur la touche Entrée, vous quittez le mode Édition mais vous conservez tout ce qui a déjà été tapé dans la cellule. Vous pouvez ensuite prendre tout votre temps pour rechercher l'erreur et effectuer les corrections nécessaires. Il suffira, à la fin, de supprimer l'apostrophe pour tester à nouveau la formule.

Fonctions mathématiques

Ci-dessus, vous avez calculé la valeur future d'un capital en utilisant la fonction financière VC.

Nous allons à présent vous montrer comment obtenir le même résultat avec des fonctions mathématiques plus générales. Vous comprendrez alors pourquoi certaines fonctions spécialisées ont été créées.

La formule dont nous avons besoin dans ce cas précis est la suivante :

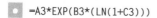 `=A3*EXP(B3*(LN(1+C3)))`

Les cellules A3, B3 et C3 contiennent les mêmes types de valeurs que pour l'exemple précédent. La fonction EXP(x) calcule la constante e (le nombre d'Euler 2,7182...) élevée à la puissance x. La fonction LN(x), quant à elle, renvoie le logarithme népérien de l'argument x.

Voici comment nous utilisons ces deux fonctions dans notre exemple de feuille de calcul.

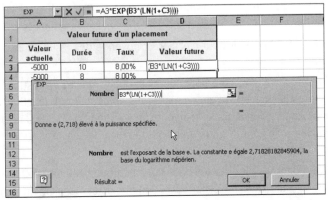

▲ Fig. 6.27 : *Calcul de la valeur future d'un placement à l'aide de fonctions mathématiques*

Entrez la formule ci-dessus dans la cellule D3 puis copiez-la dans les cellules D4 à D6. La valeur actuelle (colonne A) doit être une valeur positive. Les colonnes B et C contiennent respectivement la durée et le taux d'intérêt.

Vous constatez que les résultats trouvés sont les mêmes que ceux qui ont été calculés par la fonction financière.

Fonctions statistiques

Excel 2000 est livré avec une collection importante de fonctions statistiques. Les plus simples calculent la moyenne d'une série de valeurs, l'écart type, la variance, etc. Excel met cependant également à disposition des fonctions nettement plus complexes telles que les tests statistiques (tests T, F, Z par exemple), des fonctions de distribution (binomiale, hypergéométrique, Poisson, etc.) ainsi que de nombreuses autres fonctions statistiques.

La fonction MOYENNE

Nous allons nous servir d'une série de mesures pour vous faire découvrir les fonctions statistiques MOYENNE et ECARTYPE (écart type). La fonction MOYENNE(nombre1;nombre2;...) renvoie comme résultat la moyenne arithmétique des valeurs spécifiées en guise d'arguments.

Nous allons nous en servir pour calculer la moyenne des résultats des deux séries de mesures.

Entrez la fonction MOYENNE dans la cellule C12. Activez l'Assistant Fonction et sélectionnez la catégorie *Statistiques* puis la fonction MOYENNE. La fonction exige au minimum un argument de type numérique. Dans notre exemple, nous spécifions la plage de cellules C3:C11 en guise d'argument.

La moyenne de toutes les valeurs de la colonne Étanchéité est de 2,5. Copiez la formule dans la cellule D12 pour calculer également la moyenne de cette série de valeurs.

MOYENNE ▼ X ✓ = =MOYENNE(C3:C11)			
A	B	C	D
1		Profondeur	Étanchéité	Humidité
2			ρ [t/m³]	w [%]
3		3,00	2,21	12,7
4		4,00	2,24	13,0
5		5,00	2,23	13,1
6		6,00	2,27	11,6
7		7,00	2,22	13,1
8		9,00	2,24	10,3
9		10,00	2,26	10,1
10		13,00	2,27	13,6
11		13,50	2,27	12,7
12	**Moyenne**	-	=MOYENNE(C3:C11)	12,24
13	**Ecart-type**	-	0,0221	1,2788

▲ Fig. 6.28 : *Calcul de la moyenne d'une série de données*

La fonction ECARTYPE

La fonction ECARTYPE(nombre1;nombre2;...) est également une fonction statistique. Elle calcule l'écart type d'un échantillon de valeurs, c'est-à-dire de combien les valeurs s'écartent-elles de la moyenne.

La fonction ECARTYPEP calcule également l'écart type, mais en prenant en compte la totalité des valeurs à analyser, et non plus seulement un échantillon.

ECARTYPE ▼ X ✓ =	=ECARTYPE(C3:C11)		
	A	B	C	D
		Profondeur	Etanchéité ρ [t/m³]	Humidité w [%]
1				
2				
3		3,00	2,21	12,7
4		4,00	2,24	13,0
5		5,00	2,23	13,1
6		6,00	2,27	11,6
7		7,00	2,22	13,1
8		9,00	2,24	10,3
9		10,00	2,26	10,1
10		13,00	2,27	13,6
11		13,50	2,27	12,7
12	Moyenne	-	2,25	12,24
13	Ecart-type	-	=ECARTYPE(C3:C11)	1,2788

▲ Fig. 6.29 : Calcul de l'écart type pour les séries de mesures

Sélectionnez la cellule C13. Activez l'Assistant Fonction et sélectionnez la catégorie *Statistiques* puis la fonction ECARTYPE. L'argument *nombre1* est obligatoire, tandis que *nombre2* est facultatif. Spécifiez la plage de cellules C3:C11 en guise d'arguments. Validez avec la touche **Entrée**. Le résultat est de 0,0221. Cela signifie que 68,27 % des valeurs de la première série de mesures sont comprises entre 2,25-0,0221 et 2,25+0,0221.

Fonctions logiques

Excel 2000 propose différentes fonctions logiques permettant d'effectuer des opérations avec des valeurs logiques.

Remarque

Opérateur logique

Un opérateur logique compare toujours deux états : VRAI ou FAUX.

Tab. 6.10 : Les opérateurs logiques

Symbole	Signification
=	égal
<	inférieur
>	supérieur
<=	inférieur ou égal
>=	supérieur ou égal
<>	différent

Fonction SI

Parmi toutes les fonctions logiques disponibles, nous avons choisi de vous faire découvrir la fonction SI.

Les cotisations pour devenir membre d'une association sportive varient en fonction de la catégorie d'âge. Les catégories jeunes, c'est-à-dire ceux qui sont âgés de moins de 20 ans, paient 250 F, tandis que les adultes paient 500 F. Créez une feuille de calcul avec les données ci-après :

Tab. 6.11 : Les données à saisir dans une feuille de calcul

Nom	Âge	Cotisation
Céline	20	
Henri	16	
Éva	23	
Rodolphe	25	
Florian	13	
Béatrice	14	
Robert	14	

La syntaxe de la fonction à utiliser pour notre exemple est la suivante :

`SI(test_logique;valeur_si_vrai;valeur_si_faux)`

L'argument *test_logique* peut être une valeur unique ou une expression, les valeurs possibles étant VRAI ou FAUX dans les deux cas. Cet argument est requis.

L'argument *valeur_si_vrai* est le résultat renvoyé par la fonction si *test_logique* est VRAI. Cet argument est facultatif. S'il est omis, la fonction renvoie la valeur VRAI. L'argument *valeur_si_faux* est le résultat renvoyé par la fonction si *test_logique* est FAUX. Cet argument est également facultatif ; s'il est omis, la fonction renvoie la valeur FAUX.

Avec tous ses arguments, notre fonction se présente ainsi :

`SI($B3>=20;500;250)`

Cela signifie que si la personne est âgée de 20 ans ou plus, alors elle paie 500 F, sinon elle paie 250 F. Saisissez cette fonction dans la cellule devant contenir la cotisation à payer puis copiez-la dans les autres lignes.

1. Sélectionnez la cellule C3, qui est la première cellule devant contenir un montant de cotisation.

2. ▣ Cliquez sur le bouton représentant le signe = dans la barre de formule. Et sélectionnez la fonction SI.

3. Complétez les zones de saisie comme sur l'illustration suivante.

4. Cliquez sur le bouton OK pour fermer l'Assistant Fonction.

5. Copiez la formule ainsi obtenue dans les autres lignes du tableau, en l'occurrence la plage de cellules C3:C8.

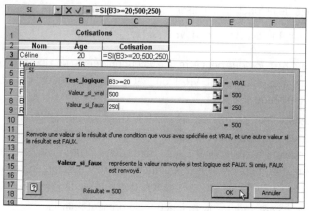

▲ Fig. **6.30** : *La fonction SI insérée à l'aide de l'Assistant Fonction*

Fonctions SI imbriquées

Vous pouvez imbriquer jusqu'à sept fonctions SI les unes dans les autres. Pour notre exemple, nous supposons que l'association a décidé d'affiner davantage encore son système de cotisations. Le tableau suivant a été mis au point :

- Membres de plus de 20 ans : 500 F.
- Membres de 14 à 20 ans : 250 F.
- Membres de moins de 14 ans : 150 F.

La formule, un peu plus complexe que la précédente, se présente maintenant ainsi :

```
=SI(B3>20;500;SI(B3<14;150;250))
```

En langage usuel, cela signifie que si la personne est âgée de plus de 20 ans, elle paie 500 F de cotisation, si elle a moins de 14 ans elle paie 150 F, tandis que toutes les autres, c'est-à-dire celles qui ont entre 14 et 20 ans inclus, paient 250 F.

Saisissez cette variante de la formule. Il s'agit cette fois de deux fonctions imbriquées, un argument de la première fonction, en l'occurrence *valeur_si_faux*, étant lui-même une fonction.

1. Activez la cellule D3 et cliquez sur le bouton **=**.

2. Sélectionnez la fonction SI.

3. Complétez la zone de saisie *Test_logique* : B3>20.

4. Tapez également l'argument dans la zone de saisie *Valeur_si_vrai* : 500.

5. L'argument *Valeur_si_faux* se compose d'une fonction. Cliquez par conséquent une nouvelle fois sur la fonction SI qui vous est proposée sous forme de bouton dans la barre de formule, à l'emplacement habituel de la zone *Nom*. Une nouvelle série de zones de saisie s'affiche pour vous permettre de saisir les arguments de cette deuxième fonction SI.

6. Tapez l'argument *Test_logique* : B3>14.

7. Tapez l'argument *Valeur_si_vrai* : 250.

8. Tapez l'argument *Valeur_si_faux* : 150.

9. Cliquez sur le bouton OK.

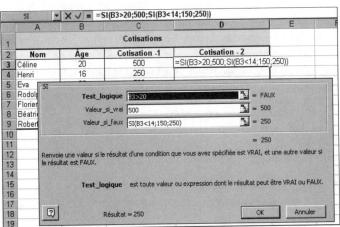

▲ Fig. 6.31 : *Calcul de cotisation avec fonctions SI imbriquées*

Fonctions de recherche

Les fonctions de recherche sont employées lorsqu'il faut accéder à un groupe d'arguments organisés en lignes et en colonnes et lorsqu'il faut trouver une valeur parmi ces arguments. Ces fonctions sont classées dans la catégorie Recherche & Matrices dans l'Assistant Fonction.

Remarque

Qu'est-ce qu'une matrice ?

On appelle matrice une plage de cellules rectangulaire d'une feuille de calcul ou un ensemble de valeurs organisé en un bloc rectangulaire et pouvant être utilisé comme argument dans une formule.

La fonction RECHERCHEV

Parmi les fonctions de cette catégorie, la fonction RECHERCHEV est particulièrement performante. Elle recherche une valeur dans la colonne la plus à gauche d'une matrice et renvoie une valeur de la même ligne, en fonction de la colonne que vous avez spécifiée comme argument. Les valeurs de la première colonne de la matrice peuvent être du texte, des nombres ou des valeurs logiques. S'il s'agit de textes, il n'est pas tenu compte de la casse. La syntaxe de la fonction RECHERCHEV est la suivante :

```
RECHERCHEV(valeur_cherchée;table_matrice;no_index_col;
valeur_proche)
```

Voici la signification des différents arguments :

- *valeur_cherchée* : valeur à rechercher dans la première colonne de la matrice. Cet argument peut être un nombre, une référence ou une chaîne de caractères.

- *table_matrice* : plage de cellules contenant les données à traiter.

- *no_index_col* : numéro de colonne, dans la matrice, dont la valeur doit être renvoyée en guise de résultat de la fonction.

■ *valeur_proche* : valeur logique indiquant si la fonction doit rechercher une correspondance exacte ou approximative. Si cet argument
est VRAI ou omis, une approximation est effectuée et la valeur
supérieure la plus proche du critère est renvoyée. Si l'argument est
FAUX, la fonction recherche une correspondance exacte. Si elle n'en
trouve pas, elle renvoie la valeur d'erreur #N/A. Si l'argument *valeur
_proche* est VRAI, les valeurs de la première colonne de la matrice
doivent être triées en ordre croissant.

Créer un fichier de clients lié avec la fonction RECHERCHEV

1. Créez un nouveau classeur et nommez la première feuille de calcul
   Clients. Entrez dans la première colonne les noms des clients et dans
   la deuxième les numéros correspondants.

	A	B	C	D
1	Fonctions de recherche : RECHERCHEV			
2	Nom	N° client		
3	Hubert	1001		
4	Muller	1002		
5	Gontrand	1003		
6	Carlin	1004		
7	Michel	1005		
8	Martin	1006		

▲ **Fig. 6.32** : *La feuille de calcul Clients contient les noms et numéros
de clients*

2. Activez la deuxième feuille de calcul du classeur et nommez-la
   Adresses. Entrez les numéros de clients dans la première colonne et
   les localités et adresses correspondantes dans les deuxième et
   troisième colonnes (voir fig. 6.33).

3. Le principe est le suivant : lorsqu'un nom de client est saisi dans la
   cellule D6 de la feuille de calcul Clients, son adresse doit pouvoir
   être trouvée sur la feuille de calcul Adresses par le biais du numéro
   de client et affichée en D7 et D8. La fonction RECHERCHEV est
   utilisée à cet effet.

	A	B	C
1		Fonctions de recherche : RECHERCHEV	
2	N° client	Ville	Adresse
3	1001	Paris	6, rue du Maine
4	1002	Marseille	4, rue Bellegarde
5	1003	Mantes	12, rue Victor Hugo
6	1004	Grenoble	7, avenue de Genève
7	1005	Metz	38, avenue Faure
8	1006	Rouen	26, place des sœurs

◄ Fig. 6.33 :
La feuille de calcul Adresses contient les numéros de clients, les villes et les adresses

Saisissez la formule ci-après dans la cellule D7, soit au clavier, soit avec l'aide de l'Assistant Fonction. Elle contient deux fonctions RECHER-CHEV imbriquées.

La fonction interne recherche dans la plage de cellules A3:B8 de la feuille de calcul Clients le nom de client spécifié par la référence de cellule D6 puis elle recherche dans la colonne 2 le numéro correspondant. Elle renvoie ce numéro en guise de résultat.

La fonction externe utilise le numéro de client ainsi déterminé comme critère de recherche dans la plage de cellules A3:C8 de la feuille de calcul Adresses pour trouver, dans la deuxième colonne, la ville où habite le client.

◉ `=RECHERCHEV(RECHERCHEV(D6;A3:B8;2;FAUX);Adresses!A3:C8;2;FAUX)`

RECHERCHEV	▼	X √ =	=RECHERCHEV(RECHERCHEV(D6;A3:B8;2;FAUX);Adresses!A3:C8;2;FAUX)				
	A	B	C	D	E	F	G	H
1			Fonctions de recherche : RECHERCHEV				
2	Nom	N° client					
3	Hubert	1001					
4	Muller	1002					
5	Gontrand	1003					
6	Carlin	1004	Rechercher	Gontrand			
7	Michel	1005	Localité	=RECHERCHEV(RECHERCHEV(D6;A3:B8;2;FAUX);Adresses!A3:C8;2;FAUX)			
8	Martin	1006	Adresse				
9							

▲ Fig. 6.34 : *La fonction RECHERCHEV recherche l'adresse d'un client dans une feuille de calcul*

4. Saisissez ensuite dans la cellule D8 la formule servant à rechercher l'adresse du client, selon le même principe que précédemment. La seule différence est que l'adresse se trouve dans la troisième colonne et non plus dans la deuxième.

◌ =RECHERCHEV(RECHERCHEV(D6;A3:B8;2;FAUX);Adresses!A3:C8;3;FAUX)

5. Testez votre fichier de clients en tapant un nom dans la cellule D6.

	A	B	C	D
1	**Fonctions de recherche : RECHERCHEV**			
2	**Nom**	**N° client**		
3	Hubert	1001		
4	Muller	1002		
5	Gontrand	1003		
6	Carlin	1004	**Rechercher**	Muller
7	Michel	1005	Localité	Marseille
8	Martin	1006	Adresse	4, rue Bellegarde

▲ **Fig. 6.35** : *La base de données passe son test avec succès*

Si vous avez saisi les formules correctement, vous devez voir s'afficher l'adresse dans les cellules D7 et D8.

Fonctions de base de données

Excel 2000 est livré avec douze fonctions de feuille de calcul destinées à l'analyse de données dans des listes ou bases de données. Ces fonctions ont toutes les trois arguments : *base_de_données*, *champ* et *critères*. Ces arguments se réfèrent à des plages de cellules.

Remarque

Qu'est-ce qu'une base de données pour Excel ?

Pour Excel, une base de données est une liste de données formant un bloc. Les données d'une ligne constituent un enregistrement de la base de données, et les colonnes constituent les champs. La première ligne de la liste contient les titres de colonnes que l'on peut considérer comme étant les noms de champs.

La syntaxe est la même pour les douze fonctions de base de données :

◌ DBFONCTION(base_de_données;champ;critères)

- *base_de_données* : plage de cellules faisant office de base de données. La référence peut avoir deux formes : une référence de plage de cellules ou un nom affecté à une plage de cellules.

- *champ* : indique quel champ de la base de données doit être utilisé.

- *critères* : référence à une plage de cellules contenant les critères servant à filtrer la liste.

Remarque

Position de la zone de critères

La zone de critères peut se trouver n'importe où sur la feuille de calcul, mais veillez à ce qu'elle ne soit pas disposée sous la liste de données. En effet, lorsque vous ajoutez des données à la liste à l'aide de la grille, les nouveaux enregistrements sont systématiquement ajoutés en fin de liste et, si la dernière ligne n'est pas vide, Excel ne peut ajouter de nouvelles données. Assurez-vous également que la liste et la zone de critères n'empiètent pas l'une sur l'autre.

Voici comment vous pouvez utiliser les fonctions de base de données :

1. Au point de départ de notre exemple se trouve ce relevé de diverses mesures effectuées dans un laboratoire (voir fig. 6.36).

2. Définissez un nom, par exemple Données, pour la plage de cellules A33:H16 de la liste. Utilisez à cet effet la commande **Insertion/Nom/Définir**. Ce sont par conséquent les titres de colonnes de la ligne 3 qui font office de noms de champs. Les titres de colonnes qui figurent dans les lignes 1 et 2 ne conviennent pas comme noms de champs car ils ne sont pas uniques.

3. Créez une nouvelle feuille de calcul pour la zone de critères. Définissez également un nom, par exemple Critères, pour cette zone qui s'étend sur la plage de cellules A3:H4. La zone de critères doit

contenir les noms de champs de la liste de données, en l'occurrence les titres de colonnes K1 à K8 ainsi que d'autres lignes pour les critères.

	A	B	C	D	E	F	G	H
1	N°	Prof.	Type sol	Série 1	Série 2	Série 3	Série 4	Série 5
2		m	[-]	[t/m³]	[%]	[t/m³]	[%]	[%]
3	**K1**	**K2**	**K3**	**K4**	**K5**	**K6**	**K7**	**K8**
4	1	5,00	TL	2,23	13,1	1,97	28,2	12,4
5	2	9,00	TL	2,24	10,3	2,03	24,9	10,7
6	3	3,00	TL	2,21	12,7	1,96	30,8	13,4
7	4	6,00	TL	2,27	11,6	2,03	28,7	12,0
8	5	13,00	TM	2,27	13,6	2,03	22,9	10,8
9	6	13,50	TM	2,27	12,7	2,03	22,5	10,6
10	7	3,00	TL	2,13	14,9	1,85	28,7	13,2
11	8	6,00	TL	2,19	13,1	1,93	26,9	11,4
12	9	7,00	TL	2,22	13,1	1,97	29,7	12,4
13	10	10,00	TL	2,26	10,1	2,06	27,6	11,0
14	11	4,00	TL	2,24	13,0	1,98	28,2	11,9
15	12	6,00	TL	2,24	12,6	1,98	25,7	11,2
16	13	8,00	TL	2,28	11,6	2,04	25,7	11,2

▲ Fig. 6.36 : *Une liste de données attend d'être analysée à l'aide de fonctions de base de données*

4. Entrez les formules suivantes dans les cellules D7, D8 et D9.

- En D7 : BDNB(Données;"K4";Critères).

- En D8 : BDMOYENNE(Données;"K4";Critères).

- En D9 : BDECARTYPE(Données;"K4";Critères).

Vous pouvez effectuer la saisie directement dans les cellules correspondantes, au clavier, ou vous faire aider par l'Assistant Fonction (voir fig. 6.37).

5. Copiez ensuite ces formules dans la plage de cellules E7:H9. Modifiez les noms de champs pour chaque colonne. Dans la colonne E, vous devez spécifier le nom de champ "K5", dans la colonne F "K6", dans la colonne G "K7" et dans la colonne H "K8".

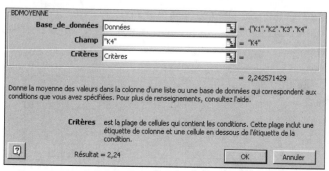

▲ Fig. 6.37 : *L'Assistant Fonction peut aussi être utilisé pour définir les arguments des fonctions de base de données*

Vos efforts sont récompensés car vous connaissez à présent pour chaque série de mesures le nombre de valeurs, leur moyenne ainsi que l'écart type, et ce en fonction des critères que vous avez éventuellement définis dans la zone de critères. Dans l'exemple ci-après, nous n'avons retenu pour nos analyses que les mesures effectuées à une profondeur supérieure à 5 m et pour un sol de type TL.

	A	B	C	D	E	F	G	H
1	N°	Prof.	Type sol	Série 1	Série 2	Série 3	Série 4	Série 5
2		m	[-]	[t/m³]	[%]	[t/m³]	[%]	[%]
3	**K1**	**K2**	**K3**	**K4**	**K5**	**K6**	**K7**	**K8**
4		>5	TL					
5								
6								
7			Nombre :	7,00	7,0	7,00	7,0	7,0
8			Moyenne :	2,24	11,8	2,01	27,0	11,4
9			Ecart-type :	0,0317	1,2406	0,0465	1,7481	0,5900

▲ Fig. 6.38 : *Les données ont été analysées à l'aide des fonctions de base de données BDNB, BDMOYENNE et BDECARTYPE*

6.7   Calcul de valeur cible

Le calcul de valeur cible vous sera utile si vous savez exactement quelle formule utiliser pour calculer un résultat et si vous savez par avance quel doit être ce résultat mais ne connaissez pas une des valeurs nécessaires à la formule pour effectuer ce calcul. La commande **Valeur cible** se trouve dans le menu **Outils**. Elle nécessite trois paramètres : *Cellule à définir*, *Valeur à atteindre* et *Cellule à modifier*.

La cellule à définir contient la formule servant à calculer le résultat. La valeur à atteindre est la valeur que cette formule doit retourner en guise de résultat. La cellule à modifier est celle qui contient la valeur qu'Excel peut faire varier. Excel modifie cette valeur jusqu'à ce que la formule qui en dépend renvoie le résultat souhaité.

Pour vous montrer un exemple pratique de cette fonction, nous ouvrons à nouveau le classeur contenant la feuille de calcul où nous avons fait quelques essais avec les fonctions financières. Activez la feuille en question.

Voici votre problème : vous possédez actuellement 5 000 F que vous souhaitez placer pour obtenir 12 000 F au bout de dix ans. Une banque vous a fait une offre et vous avez calculé, sur la ligne 3, quel serait le montant de votre fortune au bout du délai que vous vous êtes fixé. Vous n'arrivez malheureusement qu'à 10 794,62 F. Vous vous demandez quel devrait être le taux d'intérêt pour arriver effectivement à un montant de 12 000 F au bout de dix ans.

La cellule à définir est dans ce cas celle qui contient la formule calculant le résultat. Activez donc la cellule D3 et choisissez la commande **Outils/Valeur cible**. La référence D3 s'inscrit par défaut dans la zone de saisie *Cellule à définir*. Tapez l'objectif souhaité, soit **12000**, dans la zone de saisie *Valeur à atteindre*. La cellule variable est C3, soit le taux d'intérêt. Vous pouvez taper la référence directement dans la zone de saisie *Cellule à modifier* ou cliquer sur la cellule dans la feuille de calcul. Elle s'entoure alors d'une bordure animée. Si la boîte de dialogue masque la cellule à modifier, rien ne vous empêche de la déplacer : cliquez sur la barre de titre, tenez le bouton de la souris enfoncé et faites glisser la boîte de dialogue de côté.

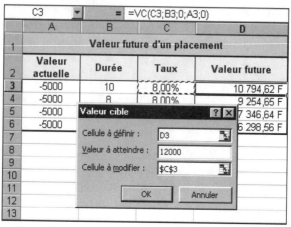

▲ Fig. **6.39** : *La boîte de dialogue Valeur cible avec les paramètres*

Cliquez sur OK ou appuyez sur la touche **Entrée** pour valider ces paramètres. Excel 2000 affiche alors une nouvelle boîte de dialogue intitulée **État de la recherche**.

D3	▼	=	=VC(C3;B3;0;A3;0)	
	A	B	C	D
1	Valeur future d'un placement			
2	Valeur actuelle	Durée	Taux	Valeur future
3	-5000	10	9,15%	12 000,00 F
4	-5000	8	8,00%	9 254,65 F
5				4 F
6				6 F

État de la recherche

Recherche sur la cellule D3
a trouvé une solution.

Valeur cible : 12000
Valeur actuelle : 12 000,00 F

OK | Annuler | Pas à pas | Pause

▲ Fig. **6.40** : *État de la recherche*

Un coup d'œil à la cellule C3 vous indique que la banque devrait consentir un taux d'intérêt de 9,15 % pour que vous puissiez atteindre votre objectif. Cliquez sur OK si vous voulez accepter cette valeur, sur **Annuler** pour conserver les valeurs initiales.

Si votre taux d'intérêt ne comprend pas de décimales, modifiez le format de nombre pour cette cellule ou pour les quatre cellules de cette colonne. Utilisez le format 0,00 %.

Vous pourriez calculer de même quel montant vous devez placer pour arriver à 12 000 F au bout de dix ans avec le taux d'intérêt de 8 %. La cellule à modifier serait alors A3. Le résultat de cette recherche est 5 558,32 F. C'est cette somme que vous devriez confier à la banque pour dix ans au taux de 8 % pour qu'elle vous rende 12 000 F au bout du compte.

La boîte de dialogue **Valeur cible** contient également les deux boutons **Pas à pas** et **Pause** , dont nous n'avons pas encore parlé. Ils ne sont importants que dans le cadre d'un calcul de valeur cible dans des feuilles de calcul très complexes. Excel affiche alors en permanence le numéro de l'itération en cours et son résultat. Les boutons **Pause** et **Pas à pas** permettent de suspendre momentanément le calcul et de le reprendre pour contrôler si la nouvelle itération vous approche du but de manière significative ou s'il ne vaut pas mieux "arrêter les frais".

6.8   La troisième dimension

Excel permet aussi de travailler avec des formules à trois dimensions. Vous pouvez créer des formules qui utilisent des références 3D pour calculer avec des valeurs de plusieurs feuilles de calcul ayant la même structure. Les références 3D se rapportent à une plage de feuilles d'un classeur, autrement dit à une plage de cellules qui s'étend sur plusieurs feuilles de calcul. Les références 3D se présentent sous la forme suivante :

 `'Feuil1:Feuil8'!A1:B5`

Une telle référence désigne la plage de cellules A1:B5 sur toutes les feuilles de calcul entre Feuil1 et Feuil8, ces deux étant incluses. Cette référence comprend par conséquent 80 cellules au total.

L'utilisation de formules à trois dimensions ouvre de toutes nouvelles perspectives pour le travail avec des tableurs.

Formules 3D

L'illustration ci-dessous représente des feuilles de calcul contenant les recettes et dépenses d'un ménage pour les mois de janvier à mars.

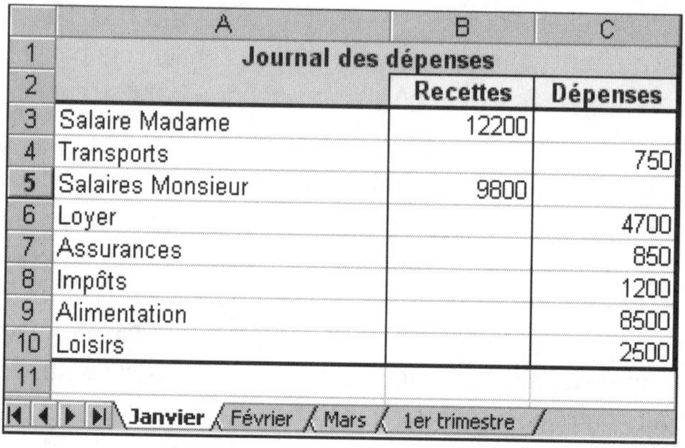

	A	B	C
1	**Journal des dépenses**		
2		**Recettes**	**Dépenses**
3	Salaire Madame	12200	
4	Transports		750
5	Salaires Monsieur	9800	
6	Loyer		4700
7	Assurances		850
8	Impôts		1200
9	Alimentation		8500
10	Loisirs		2500
11			

◄◄ ◄ ► ►◄ \ **Janvier** / Février / Mars / 1er trimestre /

▲ Fig. 6.41 : *Le budget familial*

Une quatrième feuille de calcul doit servir à synthétiser les recettes et dépenses du premier trimestre. Ce résultat doit être calculé à l'aide d'une seule formule, de type 3D.

Créer une formule 3D

1. Activez la cellule devant contenir la formule. Dans l'exemple, c'est la cellule B3 de la feuille de calcul 1er trimestre.

2. Tapez la fonction : =SOMME.

3. Activez l'onglet Janvier et sélectionnez la plage de cellules B3:B10.

4. En tenant la touche **Maj** enfoncée, cliquez sur l'onglet Mars.

5. Appuyez sur la touche **Entrée**.

La formule se présente ainsi :

◉ =SOMME(Janvier:Mars!B3:B10)

La formule ainsi créée peut être copiée dans la cellule C3 pour calculer les dépenses.

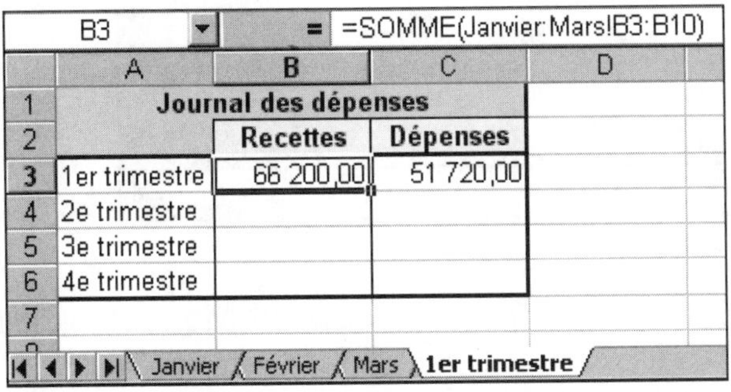

B3	▼	=	=SOMME(Janvier:Mars!B3:B10)	
	A	B	C	D
1	Journal des dépenses			
2		Recettes	Dépenses	
3	1er trimestre	66 200,00	51 720,00	
4	2e trimestre			
5	3e trimestre			
6	4e trimestre			
7				

◄ ◄ ► ►I \ Janvier / Février / Mars \ 1er trimestre /

▲ Fig. 6.42 : *La feuille de calcul avec les formules 3D*

Noms 3D

Dans les formules 3D, vous pouvez utiliser des noms en guise de références comme dans toute autre formule. Les noms améliorent la lisibilité des formules.

Nous allons maintenant calculer les recettes et dépenses du premier trimestre en utilisant des noms 3D. Procédez de la façon suivante :

1. Choisissez la commande **Insertion/Nom/Définir**.

2. Tapez le nom souhaité dans la zone de saisie *Noms dans le classeur*. Dans l'exemple, nous avons tapé le nom **Recettes** (voir fig. 6.43).

3. Cliquez dans la zone de saisie *Fait référence à* et tapez un signe =.

4. En tenant la touche **Maj** enfoncée, cliquez sur le premier onglet, c'est-à-dire Janvier, puis sur le dernier, Mars. Le groupe de feuilles Janvier:Mars s'inscrit alors dans la zone de saisie.

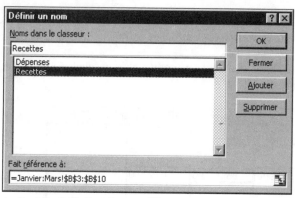

▲ Fig. 6.43 : *Définition d'un nom 3D*

5. Sélectionnez ensuite la plage de cellules B3:B10 afin d'ajouter également cette référence. La ligne complète se présente ainsi :

> =Janvier:Mars! $B $3: $B $10

6. Cliquez sur le bouton OK.

Vous pouvez à présent taper la formule suivante dans la cellule B3 de la feuille de calcul 1er trimestre :

> =SOMME(Recettes)

Elle calculera le total des recettes de janvier à mars.

	B3	▼	=	=SOMME(Recettes)

◄ Fig. 6.44 :
La formule utilise le nom 3D

	A	B	C	D
1	**Journal des dépenses**			
2		**Recettes**	**Dépenses**	
3	1er trimestre	66 200,00	51 720,00	
4	2e trimestre			
5	3e trimestre			
6	4e trimestre			
7				

Janvier / Février / Mars \ **1er trimestre** /

Chapitre 7

Mise en forme professionnelle

7.1	Mise en forme de cellules	217
7.2	Mise en forme de lignes	220
7.3	Mise en forme de colonnes	222
7.4	Aligner les contenus de cellules	223
7.5	Police et couleur de caractères	227
7.6	Bordures, lignes, couleurs et motifs	231
7.7	Formats de nombres	235

7.8	Excel et l'an 2000	241
7.9	Les styles	243
7.10	Les modèles de documents	246

Excel 2000 propose toute une série de fonctions permettant de créer des mises en forme attrayantes, car les feuilles de calcul sont souvent employées aussi pour présenter des données de manière claire et agréable. L'aspect esthétique n'est pas seul à prendre en compte. La mise en forme a en effet également pour but de rendre la feuille de calcul plus facile à lire et à comprendre.

Vous pouvez créer des mises en forme de toutes pièces, cellule par cellule, en fonction de vos préférences. Vous avez cependant aussi la possibilité d'utiliser des formats automatiques d'Excel 2000 et de réaliser ainsi la mise en forme de tableaux entiers avec une seule commande.

7.1   Mise en forme de cellules

Dans le premier chapitre de ce livre, vous avez déjà pu vous rendre compte avec quelle facilité Excel 2000 est capable de formater une feuille de calcul. Les formats automatiques d'Excel peuvent être utilisés efficacement et judicieusement avec toutes sortes de feuilles de calcul. Toutefois, si vous n'en trouvez aucun qui réponde à vos besoins dans une situation donnée, vous pouvez définir vos propres mises en forme à l'aide de la barre d'outils *Mise en forme* ou de la boîte de dialogue **Cellules**.

La barre d'outils Mise en forme

La barre d'outils *Mise en forme* tient à votre disposition des boutons correspondant aux commandes de mise en forme qui sont le plus souvent utilisées. C'est la plupart du temps la méthode de travail la plus rapide. La technique est fort simple :

1. Sélectionnez la cellule ou la plage de cellules à mettre en forme.

2. Cliquez sur le bouton souhaité.

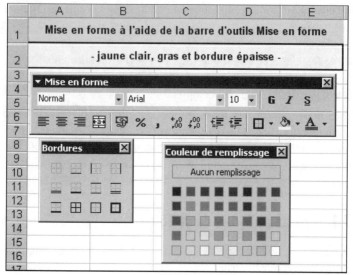

▲ Fig. 7.1 : *Mise en forme à l'aide de la barre d'outils Mise en forme - les palettes Bordures et Couleur de remplissage ont été détachées de leurs boutons respectifs*

Une cellule ou une plage de cellules peut recevoir plusieurs caractéristiques de mise en forme en même temps. Si vous voulez par exemple affecter l'attribut Gras aux caractères et mettre le fond en jaune clair, sélectionnez la cellule et cliquez d'abord sur le bouton **Gras** puis sur **Couleur de remplissage**. Si le jaune n'est pas la couleur active sur le bouton, ouvrez la palette en cliquant sur la flèche et sélectionnez la teinte qui vous convient. Vous pouvez ensuite faire de même avec le bouton **Bordures** pour sélectionner une bordure épaisse entourant toute la sélection.

La boîte de dialogue Format de cellule

Cette boîte de dialogue s'ouvre à l'aide de la commande **Format/Cellule** ou par la commande **Format de cellule** du menu contextuel d'une cellule ou plage de cellules. Vous pouvez y sélectionner toutes les caractéristiques de mise en forme pouvant être attribuées à une cellule

ou une plage de cellules. Elles sont organisées sur différents onglets :
Nombre, **Alignement**, **Police**, **Bordure**, **Motifs** et **Protection**.

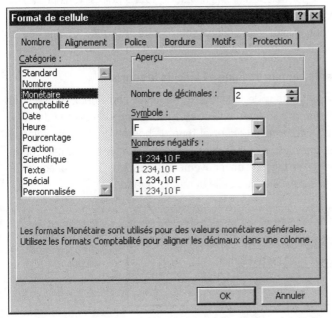

▲ Fig. 7.2 : *L'onglet Nombre de la boîte de dialogue Format de cellule*

1. Sélectionnez la cellule ou plage de cellules à mettre en forme.

2. Choisissez la commande **Format/Cellule** ou **Format de cellule** dans le menu contextuel. Dans les deux cas, vous ouvrez la boîte de dialogue **Format de cellule**.

3. Activez l'onglet souhaité.

4. Sélectionnez les paramètres de mise en forme dont vous avez besoin.

5. Cliquez sur OK.

7.2   Mise en forme de lignes

La hauteur par défaut d'une ligne est de 12,75 points. Vous pouvez la modifier comme bon vous semble ou l'ajuster précisément en fonction du contenu. Une ligne peut en outre être masquée et affichée si nécessaire.

Modifier la hauteur de ligne à l'aide de la souris

Amenez le pointeur de la souris sur la limite entre deux en-têtes de lignes. Il prend la forme d'une double flèche verticale divisée en deux par un trait horizontal. Cliquez et tenez le bouton de la souris enfoncé pendant que vous faites glisser vers le haut ou vers le bas. La hauteur de ligne change en fonction du mouvement de la souris. La valeur courante est affichée dans une info-bulle durant l'opération.

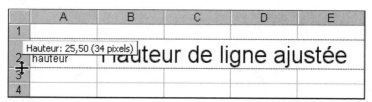

◄ Fig. 7.3 :
Modification de la hauteur de ligne à l'aide de la souris

Ajuster la hauteur de ligne au contenu

Un double clic sur la limite inférieure d'un en-tête de ligne définit pour cette ligne la hauteur optimale en fonction du caractère le plus grand qui y est contenu.

▲ Fig. 7.4 : *Un double clic sur la limite inférieure de l'en-tête de ligne ajuste la hauteur automatiquement*

Modifier la hauteur de ligne à l'aide du menu

Le sous-menu **Format/Ligne** contient des commandes permettant de modifier la hauteur de ligne et d'afficher ou de masquer la ligne.

1. Sélectionnez une cellule quelconque de la ou des lignes à modifier. Pour modifier toutes les lignes, sélectionnez la feuille de calcul entière.

2. Choisissez la commande **Format/Ligne**.

3. Choisissez la commande souhaitée dans le sous-menu.

◄ Fig. 7.5 :
*Modification de
la hauteur de
ligne dans une
boîte de dialogue*

- **Hauteur** : cette commande ouvre la boîte de dialogue **Hauteur de ligne**. Vous pouvez indiquer une valeur entre 0 et 409 dans la zone de saisie. La valeur 0 masque la ligne.

- **Ajustement automatique** : ajuste automatiquement la hauteur de ligne en fonction du caractère le plus grand qui y est contenu.

- **Masquer** : masque la ligne sélectionnée.

- **Afficher** : affiche les lignes masquées. Vous devez au préalable sélectionner les lignes au-dessus et au-dessous de la ligne masquée.

Astuce

Afficher la première ligne

Si vous avez masqué la première ligne de la feuille de calcul, vous n'avez pas la possibilité de sélectionner la ligne au-dessus et la ligne au-dessous pour l'afficher à nouveau. Et si vous sélectionnez seulement la ligne au-dessous, la commande **Format/Ligne/Afficher** n'a aucun effet. Sélectionnez dans ce cas la feuille de calcul entière en cliquant sur le bouton qui se trouve à l'intersection des en-têtes de lignes et de colonnes. Choisissez ensuite la commande **Format/Ligne/Afficher**.

7.3   Mise en forme de colonnes

La largeur de colonne par défaut ne correspond quasiment jamais à ce que l'on souhaiterait. Les colonnes sont toujours trop larges ou trop étroites. Vous pouvez cependant modifier ce paramètre très facilement.

Modifier la largeur de colonne à l'aide de la souris

Amenez le pointeur de la souris entre deux en-têtes de colonnes, sur la limite séparant celle que vous voulez modifier de la suivante, par exemple entre les colonnes B et C si vous voulez modifier la largeur de la colonne B. Le pointeur prend la forme d'une double flèche horizontale séparée par un trait vertical. Cliquez et tenez le bouton de la souris enfoncé pendant que vous faites glisser vers la gauche ou vers la droite, jusqu'à obtenir la largeur souhaitée. Relâchez alors le bouton de la souris. La largeur exacte est affichée dans une info-bulle pendant l'opération.

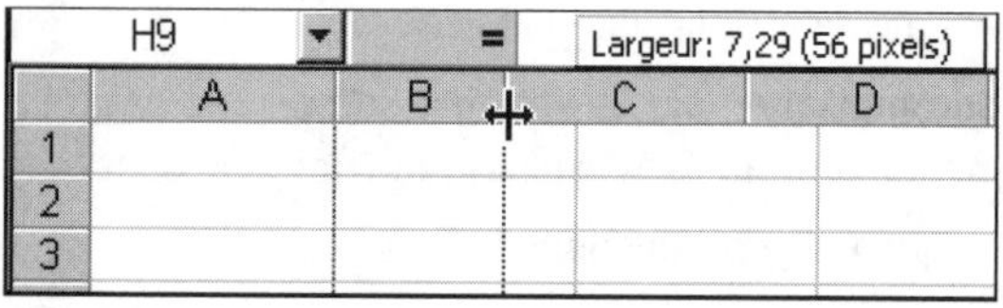

▲ **Fig. 7.6** : *Modification de la largeur de colonne à l'aide de la souris*

Ajuster la largeur de colonne au contenu

En double-cliquant sur la limite droite de l'en-tête d'une colonne, vous ajustez la largeur de cette colonne en fonction du contenu de cellule le plus long qui s'y trouve.

Modifier la largeur de colonne à l'aide du menu

Par le sous-menu **Format/Colonne**, vous pouvez définir précisément la largeur de colonne dans une boîte de dialogue. Vous pouvez également masquer ou afficher des colonnes et ajuster leur largeur automatiquement.

1. Sélectionnez une cellule quelconque dans la ou les colonnes à modifier. Sélectionnez la feuille de calcul entière si vous voulez modifier toutes les colonnes.

2. Choisissez la commande **Format/Colonne**.

3. Choisissez la commande souhaitée dans le sous-menu.

◀ Fig. 7.7 :
La boîte de dialogue Largeur de colonne

- **Largeur** : ouvre la boîte de dialogue **Largeur de colonne**, dans laquelle vous pouvez indiquer la largeur de colonne souhaitée. Des valeurs entre 0 et 255 sont acceptées. Elles expriment le nombre de caractères pouvant être affichés en police standard.

- **Ajuster automatiquement** : ajuste automatiquement la largeur de colonne en fonction de la cellule ayant le contenu le plus long.

- **Masquer** : masque la ou les colonnes sélectionnées.

- **Afficher** : affiche les colonnes masquées de la plage de cellules sélectionnée. Vous devez au préalable sélectionner des cellules des colonnes situées juste à gauche et à droite de la colonne masquée.

- **Largeur standard** : ouvre la boîte de dialogue **Largeur standard**. Cliquez sur OK si vous voulez rétablir la largeur standard pour les colonnes sélectionnées ou modifiez la largeur standard.

7.4 Aligner les contenus de cellules

Intéressons-nous à présent à la manière dont les contenus sont disposés dans les cellules.

Par défaut, les nombres sont alignés à droite et les textes à gauche. Cette disposition peut cependant être modifiée aisément en sélectionnant les cellules concernées et en choisissant un autre mode d'alignement.

Aligner les contenus de cellules à l'aide des boutons de la barre d'outils

Les boutons que vous pouvez utiliser pour l'alignement des contenus de cellule se trouvent dans la barre d'outils *Mise en forme*. S'ils ne s'y trouvent pas et si vous voulez les ajouter, vous les trouverez dans la catégorie *Format*, sur l'onglet **Commandes** de la boîte de dialogue **Personnaliser** (commande **Affichage/Barres d'outils/Personnaliser**).

À titre d'exemple, nous allons vous montrer comment fusionner plusieurs cellules et aligner le contenu au centre.

1. Tapez, dans la cellule A1, le texte suivant : `Cellules fusionnées - Contenu centré`.

2. Sélectionnez la plage de cellules A1:E1.

3. Cliquez sur le bouton **Fusionner et centrer**.

Vous obtenez le résultat suivant :

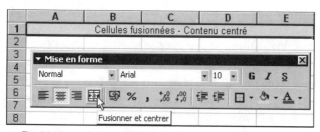

▲ Fig. 7.8 : *Les cellules ont été fusionnées et leur contenu centré*

Aligner des contenus de cellules à l'aide du menu

Si vous passez par le menu **Format**, vous pouvez définir davantage de caractéristiques d'alignement.

1. Sélectionnez les cellules dont le contenu doit être aligné.

2. Choisissez la commande **Format/Cellule** ou ouvrez le menu contextuel et choisissez la commande **Format de cellule**.

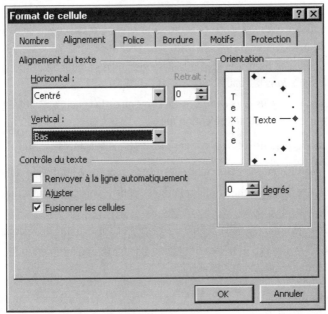

▲ Fig. 7.9 : *L'onglet Alignement de la boîte de dialogue Format de cellule*

3. Activez l'onglet **Alignement**.

4. Sélectionnez les options souhaitées.

5. Cliquez sur OK.

La liste déroulante *Horizontal* contient les options suivantes :

- *Standard* : texte aligné à gauche, nombres à droite.
- *Gauche (retrait)* : texte et nombres alignés à gauche. Le retrait par rapport au bord gauche de la cellule peut être défini dans la zone de saisie *Retrait*.
- *Centré* : texte et nombres centrés.

- *Droite* : texte et nombres alignés à droite.

- *Recopié* : répète le contenu d'une cellule jusqu'à ce que la plage de cellules sélectionnée soit remplie. Les cellules doivent être vides. Si la plage de cellules sélectionnée contient des cellules non vides, la fonction *Recopié* s'arrête lorsque la première de ces cellules est atteinte.

- *Justifié* : le texte renvoyé à la ligne est aligné à gauche et à droite (justifié dans la cellule).

- *Centré sur plusieurs colonnes* : le contenu de la cellule est centré par rapport aux cellules sélectionnées.

La liste déroulante *Vertical* contient les options suivantes :

- *Haut* : le contenu de la cellule est disposé contre le haut de la cellule.

- *Centré* : le contenu de la cellule est centré verticalement dans la cellule.

- *Bas* : le contenu de la cellule est disposé contre le bas de la cellule.

- *Justifié* : le texte renvoyé à la ligne est réparti régulièrement entre le haut et le bas de la cellule.

Orientation

Si vous activez la zone *Texte*, les caractères sont disposés les uns sous les autres dans la cellule, et non plus les uns à côté des autres. Le texte peut également être écrit selon n'importe quel angle entre 90 ° et -90 °. Modifiez à cet effet la valeur inscrite dans la zone de saisie *degrés*. Vous pouvez également agir directement avec la souris sur le cadran situé juste au-dessus : cliquez sur un des points pour placer le texte selon l'angle correspondant ou faites glisser le point rouge.

Renvoi à la ligne

Grâce au renvoi à la ligne, vous pouvez afficher un texte entièrement dans une cellule, même si la largeur de colonne est insuffisante. Lorsque cette case à cocher est activée, le contenu de la cellule peut être représenté sur plusieurs lignes si sa longueur l'exige. La hauteur de ligne est alors adaptée automatiquement par Excel.

7.5   Police et couleur de caractères

Dans Excel 2000, vous pouvez utiliser pour la mise en forme de vos feuilles de calcul toutes les polices de caractères Windows installées sur votre système, et ce dans quasiment toutes les tailles imaginables. Vous pouvez également affecter des couleurs à vos textes et chiffres afin de mieux faire ressortir les éléments importants de vos tableaux.

La barre d'outils *Mise en forme* contient divers boutons et éléments permettant de modifier les styles d'écriture. D'autres boutons sont également disponibles dans la boîte de dialogue **Personnaliser** : choisissez la commande **Affichage/Barres d'outils/Personnaliser** et activez l'onglet **Commandes**. Sélectionnez ensuite la catégorie *Format*.

Choix d'une police de caractères dans la barre d'outils

1. Sélectionnez les cellules à mettre en forme.

2. Cliquez sur le bouton fléché de la zone *Police* de la barre d'outils *Mise en forme*. Sélectionnez la police souhaitée.

▲ Fig. **7.10** : *La liste déroulante de la zone Police*

3. Choisissez de même une taille dans la zone *Taille*.

- *Police* : la zone *Police* contient la liste de toutes les polices de caractères disponibles. Ouvrez la liste et cliquez sur le nom de la police que vous voulez employer afin de l'affecter aux cellules sélectionnées.

- *Taille* : cette liste contient des tailles prédéfinies pour la police en cours. Vous pouvez cependant taper n'importe quelle valeur de votre choix directement dans la zone.

- **Augmenter la taille de la police** : chaque clic sur ce bouton augmente à la valeur prédéfinie directement supérieure la taille des caractères de la cellule sélectionnée. Si vous tenez la touche **Maj** enfoncée pendant que vous cliquez, vous réduisez la taille à la valeur prédéfinie directement inférieure.

- **Réduire la taille de la police** : chaque clic sur ce bouton réduit à la valeur prédéfinie directement inférieure la taille des caractères dans la cellule sélectionnée. Si vous tenez la touche **Maj** enfoncée pendant que vous cliquez, vous augmentez la taille à la valeur prédéfinie directement supérieure.

- **Gras** : cliquez sur ce bouton pour mettre en gras le texte sélectionné. Un nouveau clic sur le bouton désactive l'attribut Gras.

- **Italique** : cliquez sur ce bouton pour mettre en italique le texte sélectionné. Un nouveau clic sur le bouton désactive l'attribut Italique.

- **Souligné** : cliquez sur ce bouton pour souligner le texte sélectionné. Un nouveau clic sur le bouton désactive l'attribut Souligné.

- **Couleur de caractères** : cliquez sur la flèche pour ouvrir la palette de couleurs. Sélectionnez la couleur souhaitée : la palette se referme et la couleur est affectée au texte sélectionné. Le bouton indique la dernière couleur sélectionnée. Vous pouvez l'affecter directement, en cliquant simplement sur le bouton, sans passer par la palette.

Astuce

Détacher les palettes

Cliquez sur la barre de titre de la palette **Couleur de police** pour la détacher de son bouton et la faire glisser sur la feuille de calcul, près de l'endroit où vous en avez besoin. Elle reste alors ouverte après que vous avez sélectionné une couleur, et vous pouvez donc l'utiliser plusieurs fois de suite.

Affecter une police de caractères à l'aide du menu

Si vous passez par la commande **Format/Cellule**, vous disposez des possibilités offertes par l'onglet **Police** de la boîte de dialogue **Format de cellule**.

1. Sélectionnez la ou les cellules à mettre en forme.

2. Choisissez la commande **Format/Cellule**. La boîte de dialogue **Format de cellule** s'affiche.

3. Activez l'onglet **Police**.

4. Sélectionnez les options souhaitées.

5. Cliquez sur OK (voir fig. 7.11).

- *Police* : sélectionnez la police souhaitée en cliquant sur son nom dans la zone de liste.

- *Style* : indiquez si la police sélectionnée doit être mise en style *Normal*, *Gras*, *Italique* ou *Gras italique*.

- *Taille* : sélectionnez la taille souhaitée pour la police de caractères. La taille est exprimée en points. Un point équivaut à 0,375 mm, 3 points correspondant par conséquent à 1 mm environ. Les tailles prédéfinies sont proposées, mais vous pouvez également saisir directement des tailles intermédiaires (par exemple la taille 13).

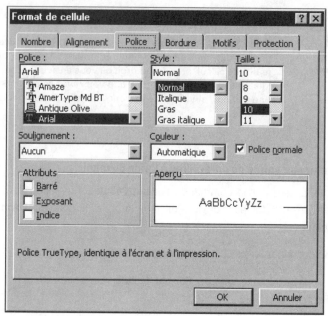

▲ Fig. 7.11 : *L'onglet Police de la boîte de dialogue Format de cellule*

- *Soulignement* : ouvre la liste déroulante permettant de sélectionner un type de soulignement.

- *Attributs* : dans cette rubrique, vous pouvez cocher des options si vous voulez que le texte soit barré ou mis en exposant ou en indice.

- *Couleur* : la palette de couleurs s'affiche pour vous permettre de sélectionner une couleur pour les caractères. L'option par défaut est *Automatique* ; c'est donc la couleur définie au niveau du système qui est employée par défaut.

- *Police normale* : en cochant cette option, vous rétablissez les paramètres de la police de caractères standard.

- *Aperçu* : cette zone donne un aperçu de la police telle qu'elle se présente avec les paramètres sélectionnés.

Mise en forme de l'arrière-plan de la feuille de calcul

Excel peut aussi mettre en forme tout l'arrière-plan d'une feuille de calcul.

1. Choisissez la commande **Format/Feuille/Arrière-plan**. La boîte de dialogue **Feuille de fond** s'affiche. C'est une variante de la boîte de dialogue **Ouvrir**.

2. Ouvrez le dossier contenant les fichiers d'images appropriés.

3. Sélectionnez une image pour la feuille de calcul Excel en cliquant sur son nom dans la liste.

4. Validez en cliquant sur **Insérer**. L'image est alors appliquée à l'arrière-plan de la feuille de calcul en cours. Cela n'entrave en rien les possibilités d'édition habituelles de la feuille.

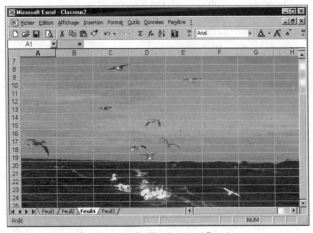

▲ **Fig. 7.12** : *Un fond pour la feuille de calcul Excel*

7.6   Bordures, lignes, couleurs et motifs

Dans Excel, les possibilités de mettre des cellules en évidence au moyen de bordures et de lignes sont nombreuses et variées.

Définir une bordure avec la souris

1. Sélectionnez les cellules qui doivent être entourées d'une bordure.

2. Cliquez sur la flèche du bouton **Bordures**.

3. Cliquez sur le bouton correspondant au type de ligne ou de bordure souhaité. La bordure ou la ligne est affectée à la sélection, et la palette se referme.

Le dernier type de ligne ou de bordure reste actif sur le bouton si bien que vous pouvez l'appliquer à nouveau sans repasser par la palette.

Définir une bordure à l'aide du menu

1. Sélectionnez les cellules devant être entourées d'une bordure.

2. Choisissez la commande **Format/Cellule** ou ouvrez le menu contextuel et choisissez la commande **Format de cellule**.

3. Activez l'onglet **Bordure**.

4. Sélectionnez le type de ligne dans la zone de liste *Style*.

5. Sélectionnez la couleur de la bordure dans la liste déroulante *Couleur*.

6. Sélectionnez le type de bordure dans la rubrique *Présélections*.

7. Si les lignes ne doivent être insérées que sur certains côtés, vous pouvez définir un type de bordure personnalisé en cliquant dans la zone d'aperçu aux endroits correspondants. Une ligne s'affiche lorsque vous cliquez. Un nouveau clic sur une ligne existante la supprime. Vous pouvez également utiliser les boutons qui entourent la zone d'aperçu.

8. Cliquez sur OK.

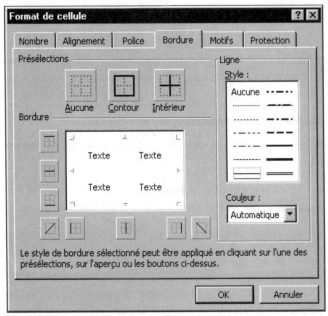

▲ Fig. 7.13 : *L'onglet Bordure de la boîte de dialogue Format de cellule*

Supprimer bordures et lignes

Pour supprimer toutes les bordures et lignes, utilisez le bouton **Aucune bordure** de la palette du bouton **Bordures**.

Astuce

Couleurs et motifs

Vous pouvez définir des couleurs de fond et des motifs pour les cellules. Cela permet par exemple de mettre en évidence celles qui contiennent des formules ou des commentaires.

Le bouton Couleur de remplissage

 La barre d'outils *Mise en forme* contient le bouton **Couleur de remplissage** avec lequel vous pouvez affecter une couleur de fond à une cellule ou une plage de cellules. Sélectionnez les cellules auxquelles vous voulez appliquer une couleur et cliquez ensuite sur le bouton. Si vous souhaitez utiliser une autre couleur que celle qui figure sur le bouton, ouvrez la palette en cliquant sur la flèche. Pour que la palette reste ouverte même après que vous avez sélectionné une couleur, détachez-la du bouton et faites-la glisser sur la feuille de calcul.

L'onglet Motifs de la boîte de dialogue Format de cellule

Procédez de la façon suivante si vous préférez travailler avec les menus et boîtes de dialogue :

1. Choisissez la commande **Format/Cellule** (ou la commande **Format de cellule** dans le menu contextuel).

2. Activez l'onglet **Motifs**.

3. Ouvrez la liste déroulante *Motif* et sélectionnez un motif sur la palette.

4. Observez la modification dans la zone *Aperçu*.

5. Cliquez sur OK si le résultat correspond à ce que vous souhaitiez (voir fig. 7.14).

Astuce

Utiliser des couleurs personnalisées

Sous l'onglet **Couleur** de la boîte de dialogue **Options**, vous pouvez modifier chaque couleur de la palette. Sélectionnez la couleur concernée et cliquez sur **Modifier**. Vous pouvez alors changer les couleurs standards ou créer de nouvelles teintes. Lorsque vous cliquez sur OK, la couleur d'origine est remplacée par la nouvelle sous l'onglet **Couleur**. Après un clic sur OK dans la boîte de dialogue **Outils**, la palette modifiée est intégrée définitivement au classeur actif. En cliquant sur le bouton **Par défaut** de l'onglet **Couleur**, vous rétablissez la palette par défaut.

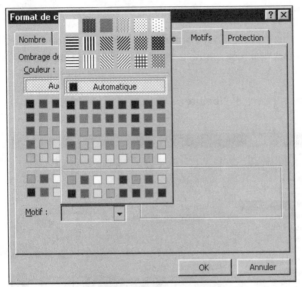

▲ Fig. 7.14 : *L'onglet Motifs (avec la palette Motif ouverte) de la boîte de dialogue Format de cellule*

7.7 Formats de nombres

Il existe aussi des formats pour les nombres. En l'absence d'un format sp écifique, c'est le format standard d'Excel 2000 qui est utilisé. Dans ce cas, le nombre est représenté tel qu'il est saisi, seuls les zéros non significatifs en tête et à la fin de la partie décimale étant ignorés. Si vous saisissez par exemple le nombre 100,50, Excel n'affiche que 100,5. Si vous écrivez en revanche 100,55, Excel affichera bien les deux décimales. Pour obtenir une présentation plus uniforme, vous avez la possibilité de formater les nombres à votre guise.

Les formats de nombre prédéfinis

L'onglet **Nombre** de la boîte de dialogue **Format de cellule** offre de nombreuses possibilités de formater des nombres. Vous pouvez notamment choisir parmi une collection importante de formats prédéfinis.

1. Sélectionnez la cellule ou la plage de cellules.

2. Choisissez la commande **Format/Cellule** (ou **Format de cellule** dans le menu contextuel). La boîte de dialogue **Format de cellule** s'affiche.

3. Cliquez sur l'onglet **Nombre**.

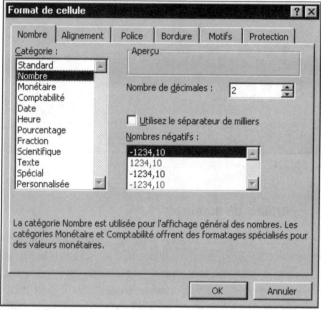

▲ Fig. 7.15 : *L'onglet Nombre de la boîte de dialogue Format de cellule*

4. Sélectionnez, dans la zone de liste *Catégorie*, la catégorie à laquelle appartient le format souhaité.

5. Selon la catégorie sélectionnée, d'autres options s'affichent pour vous permettre de spécifier le format.

6. Activez les options souhaitées et vérifiez, dans la zone *Aperçu*, si elles donnent le résultat escompté. C'est le contenu de la cellule active qui s'affiche ici.

7. Cliquez sur OK lorsque le format vous convient.

Les possibilités de formatage sont très nombreuses. Vous disposez notamment, dans la catégorie *Spécial*, de toute une série de formats de numéros tels que le code postal, le numéro de sécurité sociale, différents numéros de téléphone, etc. Bien évidemment, l'euro est également présent, dans les catégories *Monétaire* et *Comptabilité*. Notez aussi que les fractions peuvent à présent être représentées correctement.

Formats personnalisés

Si le format dont vous avez justement besoin ne figure pas parmi les formats prédéfinis d'Excel, il vous reste la possibilité de créer des formats personnalisés et de les ajouter aux autres.

1. Sélectionnez les cellules à mettre en forme.

2. Choisissez la commande **Format/Cellule** (ou **Format de cellule** dans le menu contextuel). La boîte de dialogue **Format de cellule** s'affiche.

3. Cliquez sur l'onglet **Nombre**.

4. Sélectionnez l'option *Personnalisée* dans la zone de liste *Catégorie*.

5. Sélectionnez dans la zone de liste *Type* un format qui ressemble à celui que vous voulez définir.

6. Modifiez ce format en utilisant les codes prévus à cet effet. Si vous devez utiliser des caractères non prévus dans la liste, mettez-les entre guillemets. Vous pouvez ainsi créer des formats pour différentes unités, par exemple "km/s" ou "l/m_".

7. Cliquez sur le bouton OK. Ce format est ensuite affecté à la cellule sélectionnée.

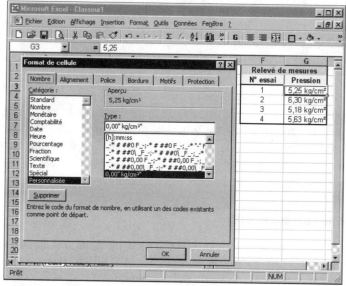

▲ Fig. 7.16 : *Définition d'un format de nombre personnalisé*

Le format personnalisé est enregistré avec le classeur actif. À l'avenir, il pourra être affecté comme un format de nombre intégré, dans ce classeur. Il suffira de sélectionner la catégorie *Personnalisée* puis le format en question dans la zone de liste *Type*. Le dernier format défini est toujours ajouté à la fin de la liste.

Mise en forme conditionnelle

Excel vous permet de faire en sorte que le format dépende de certaines conditions. La mise en forme conditionnelle vous permet de mettre l'accent sur les valeurs significatives d'une feuille de calcul. Si vous voulez par exemple que, dans la feuille de calcul où vous comparez les coûts des machines, celle qui est la plus intéressante soit automatiquement mise en évidence par une mise en forme particulière, vous pouvez utiliser un tel format conditionnel. Procédez de la façon suivante pour cet exemple.

1. Ouvrez le classeur contenant la feuille de calcul de comparaison des coûts.

2. Sélectionnez la plage de cellules B17:D17.

3. Choisissez la commande **Format/Mise en forme conditionnelle**. La boîte de dialogue de même nom s'affiche. Complétez-la comme sur l'illustration suivante. La formule ci-après fait office de condition :

> =MIN($B $17: $D $17)

Cela signifie que les cellules pour lesquelles cette condition est vérifiée sont mises en forme d'une manière particulière. Cliquez sur le bouton **Format** pour définir cette mise en forme et sélectionnez les options nécessaires dans la boîte de dialogue **Format de cellule** qui s'affiche.

▲ Fig. 7.17 : *La boîte de dialogue Mise en forme conditionnelle*

4. Validez avec OK. La plus petite valeur contenue dans la plage de cellules sélectionnée est alors mise en forme avec le format conditionnel défini. C'est la cellule B17, en l'occurrence, puisque nous avons déjà vu que c'est la machine la plus intéressante.

5. Pour vérifier le bon fonctionnement du format conditionnel, changez le nombre de pièces pour les trois machines, en l'abaissant par exemple à 10 000, de sorte qu'une autre machine apparaisse comme la plus avantageuse. Dans ce cas, ce serait la cellule C17 qui contiendrait la valeur la moins élevée, et c'est donc elle qui devrait recevoir le format conditionnel.

	A	B	C	D
1	Comparaison de coûts			
2		Machine 1	Machine 2	Machine 3
3	Prix d'achat	150 000,00	130 000,00	80 000,00
4	Durée d'utilisation	10 ans	10 ans	10 ans
5	Production annuelle	10 000	10 000	10 000
6	Valeur résiduelle	0	0	0
7	Taux d'intérêt	13%	13%	13%
8	Salaires/pièce	3,5	3,8	4,65
9	Fournitures/pièce	9,0	9,0	9,0
10	Amortissement	15 000,00	13 000,00	8 000,00
11	Intérêts	9 750,00	8 450,00	5 200,00
12	Traitements	20 000,00	20 000,00	20 000,00
13	Coûts fixes	44 750,00	41 450,00	33 200,00
14	Charges de salaires	35 000,00	38 000,00	46 500,00
15	Charges de fournitures	90 000,00	90 000,00	90 000,00
16	Coûts variables	125 000,00	128 000,00	136 500,00
17	**Coût total**	169 750,00	**169 450,00**	169 700,00

▲ Fig. 7.18 : *Comparaison de coûts avec un format conditionnel*

La condition peut être exprimée au moyen de valeurs ou de formules. Selon que vous sélectionnez l'une ou l'autre de ces deux options dans la boîte de dialogue **Mise en forme conditionnelle**, la composition de cette dernière change en ce qui concerne les zones de saisie servant à définir la condition. Si vous optez pour une formule, celle-ci doit renvoyer une valeur logique, c'est-à-dire VRAI ou FAUX.

Excel et l'euro

Excel 2000 prend totalement en charge l'affichage, la saisie et l'impression du symbole de l'euro ainsi que le travail avec des valeurs exprimées dans cette monnaie. Toutefois, si vous travaillez sous Windows 95 ou Windows NT 4.0 avec Service Pack 3 ou antérieur, vous devrez peut-être installer une mise à jour spécifique pour l'euro.

La macro complémentaire Euro Currency Tools offre une prise en charge supplémentaire de l'euro, notamment la fonction EUROCONVERT, qui permet d'effectuer des conversions entre l'euro et toutes les monnaies nationales de la zone euro. Pour charger cette macro complémentaire, choisissez la commande **Outils/Macros complémentaires** et activez la case à cocher *Euro Currency Tools* dans la boîte de dialogue. Si cette case à cocher n'est pas proposée, vous devez d'abord installer la macro complémentaire afin de pouvoir la charger.

Mise en forme de valeur au format monétaire euro

Pour appliquer le format monétaire euro à des valeurs d'une feuille de calcul, commencez comme toujours par sélectionner les valeurs concernées. Choisissez la commande **Format/Cellule** et activez l'onglet **Nombre**. Sélectionnez la catégorie *Monétaire* puis le symbole de l'euro dans la liste déroulante *Symbole*.

Saisie du symbole de l'euro

Pour saisir le symbole de l'euro, utilisez la combinaison de touches **Alt Gr + E**.

7.8   Excel et l'an 2000

Saisir les années sur quatre chiffres

Le meilleur moyen pour éviter d'entrée de jeu tous les problèmes informatiques que l'on nous prédit pour l'an 2000 est de saisir les années sur quatre chiffres. Excel les interprétera alors correctement dans tous les cas.

Par défaut, les dates saisies dans une feuille de calcul sont affichées avec deux chiffres pour l'année. Si vous changez le format standard, les dates déjà saisies dans le classeur sont toutes affichées avec le nouveau format, à l'exception de celles pour lesquelles vous aviez défini un format spécifique avec la commande **Format/Cellule**.

Définir un format de date par défaut à quatre chiffres pour l'année

1. Choisissez la commande **Démarrer/Paramètres/Panneau de configuration**.

2. Double-cliquez sur l'icône *Paramètres régionaux* puis activez l'onglet **Date**.

3. Dans la liste déroulante *Style de date courte*, choisissez un format comprenant quatre chiffres ("aaaa") pour l'année.

Interprétation de dates équivoques

Excel 2000 suit le raisonnement ci-après pour interpréter des dates équivoques :

Si vous entrez une date qui ne comporte que le mois et un ou deux chiffres, Excel suppose que les nombres entre 1 et 31 représentent le jour et que l'année est l'année en cours.

Lorsque vous entrez une date en n'indiquant l'année que sur deux chiffres, Excel interprète l'année de la façon suivante :

- 00 à 29 : les nombres à deux chiffres de 00 à 29 sont interprétés comme étant les années 2000 à 2029. Si vous tapez par exemple la date 28/5/19, Excel considère qu'il s'agit du 28 mai 2019.

- 30 à 99 : les nombres à deux chiffres de 30 à 99 sont interprétés comme étant les années 1930 à 1999. Si vous tapez par exemple la date 28/5/98, Excel considère qu'il s'agit du 28 mai 1998.

Changer l'interprétation des dates

Si vous travaillez avec Windows 98, vous pouvez facilement changer l'interprétation des dates saisies sur deux chiffres :

1. Choisissez la commande **Démarrer/Paramètres/Panneau de configuration**.

2. Double-cliquez sur l'icône *Paramètres régionaux* et activez l'onglet **Date**.

3. Modifiez la deuxième valeur de l'option *Interpréter tout nombre à deux chiffres entré comme une date comprise entre*. La première valeur est automatiquement modifiée en conséquence.

7.9 Les styles

On appelle style une combinaison de diverses caractéristiques de mise en forme. Vous pouvez enregistrer cette combinaison et lui donner un nom afin de la réutiliser en cas de besoin. Lorsque vous affectez un style à une cellule ou une plage de cellules, toutes les caractéristiques de mise en forme contenues dans le style sont appliquées à la sélection.

Au démarrage d'Excel 2000, toutes les saisies sont mises en forme avec le format par défaut. Sur l'illustration suivante, vous pouvez voir quelles sont les caractéristiques de mise en forme qui sont contenues dans le style *Normal*.

Excel 2000 comprend également les styles intégrés *Milliers*, *Milliers (0)*, *Monétaire*, *Monétaire (0)* et *Pourcentage*. Ces styles peuvent être affectés à n'importe quelles cellules, soit à partir de la zone *Style* de la barre d'outils *Mise en forme*, soit avec la commande **Format/Style**.

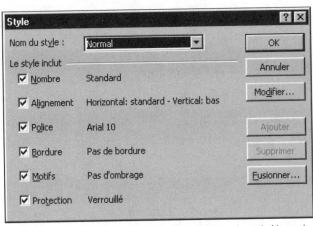

▲ Fig. 7.19 : *Les caractéristiques de mise en forme du style Normal*

Excel 2000 vous offre aussi la possibilité de définir vos propres styles. Vous pouvez ainsi mettre au point un ensemble de formats avec lesquels vous imprimerez votre empreinte personnelle à tous vos documents. Un autre avantage des styles est qu'ils permettent de changer très facile ment la mise en forme d'une feuille de calcul. En modifiant un style, vous modifiez la mise en forme de toutes les cellules auxquelles ce style était appliqué.

Vous pouvez créer un nouveau style à partir d'un exemple, c'est-à-dire en utilisant l'ensemble des mises en forme qui ont été appliquées à une cellule, ou avec la commande **Format/Style** et la boîte de dialogue **Style**.

Créer un nouveau style

`Normal ▾` Si vous voulez définir un style par l'exemple, assurez-vous d'abord que la zone *Style* figure dans une des barres d'outils.

Créer un style par l'exemple

1. Sélectionnez une cellule contenant toutes les caractéristiques du style.

2. Cliquez dans la zone *Style* et tapez le nom du nouveau style.

3. Validez avec la touche **Entrée**. Le nom est ajouté à la liste et vous pouvez affecter ce style à d'autres cellules ou plages de cellules.

Créer un style dans la boîte de dialogue Style

Procédez de la façon suivante pour créer un nouveau style de toutes pièces, à l'aide de la boîte de dialogue **Style** :

1. Choisissez la commande **Format/Style**. La boîte de dialogue **Style** s'ouvre.

2. Tapez le nom du nouveau style dans la zone de saisie *Nom du style*.

3. Cliquez sur le bouton **Modifier**. La boîte de dialogue **Format de cellule** s'affiche alors.

4. Définissez les paramètres souhaités sous les différents onglets.

5. Cliquez sur OK afin de refermer la boîte de dialogue **Format de cellule**.

6. Si nécessaire, désactivez, dans la rubrique *Le style inclut*, les cases à cocher correspondant aux caractéristiques que vous ne souhaitez pas inclure dans le style.

7. Cliquez sur OK pour fermer la boîte de dialogue ou sur **Ajouter** pour définir un autre style.

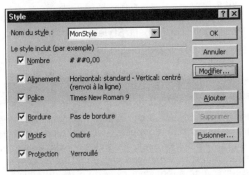

▲ **Fig. 7.20** : *Création d'un nouveau style*

Supprimer un style

Exception faite du style *Normal*, vous pouvez les supprimer tous. Sélectionnez dans la boîte de dialogue **Style** celui dont vous voulez vous débarrasser et cliquez sur **Supprimer**.

Copier un style

Un style personnalisé se rapporte toujours au classeur dans lequel il a été créé. Lorsque vous ouvrez un nouveau classeur, vous ne disposez que des styles intégrés fournis par Excel. Il est donc utile de pouvoir copier dans un nouveau classeur les styles que vous avez créés dans un autre. Les deux classeurs doivent être ouverts pour cela : celui dont vous voulez récupérer les styles existants et celui dans lequel ces styles doivent être copiés.

1. Ouvrez le classeur contenant les styles à copier (source) et celui dans lequel vous voulez récupérer ces styles (cible). Le classeur cible doit être actif.

2. Choisissez la commande **Format/Style** et cliquez sur le bouton **Fusionner**. La boîte de dialogue **Fusionner des styles** s'affiche. Elle contient la liste des classeurs ouverts.

3. Sélectionnez le nom du classeur source dans cette liste.

4. Cliquez sur le bouton OK afin de refermer la boîte de dialogue **Fusionner des styles**.

5. Cliquez sur OK dans la boîte de dialogue **Style**. Les styles du classeur source sont alors également disponibles dans le classeur actif.

Attention

Fusion de styles ayant le même nom

Si les classeurs source et cible contiennent des styles ayant le même nom, un message s'affiche pour vous en avertir et vous demander si ces styles doivent également être fusionnés. Si vous répondez par **Oui**, les styles du classeur source remplacent ceux du classeur cible lorsque le nom de style est identique. Si vous répondez par **Non**, seuls les styles n'ayant pas le même nom sont fusionnés.

7.10 Les modèles de documents

Un modèle est un document vide servant de base pour la création d'un nouveau classeur. On pourrait le comparer avec un formulaire qui serait disponible dans l'ordinateur et non pas dans une armoire à dossiers. Lorsque vous ouvrez un modèle, vous obtenez une copie fidèle du modèle original. C'est cette copie que vous modifiez ensuite, l'original restant inchangé dans son dossier.

Vous vous dites que vous pourriez obtenir le même résultat en enregistrant simplement sous un nouveau nom un fichier existant ; dans ce cas aussi, vous obtenez une copie de ce fichier. Mais êtes-vous sûr que vous ne cliquerez pas, à un moment ou à un autre, sur le bouton **Enregistrer**, simplement par habitude ? Le contenu du fichier original serait alors remplacé. Cela ne risque pas de vous arriver si vous créez un modèle pour un type de feuille de calcul dont vous avez régulièrement besoin.

Procédez de la façon suivante pour créer un modèle :

1. Ouvrez le classeur avec la feuille de calcul qui doit servir de modèle ; elle doit contenir toutes les mises en forme et tous les textes souhaités pour le formulaire.

2. Choisissez la commande **Fichier/Enregistrer sous**.

3. Tapez le nom du modèle dans la zone de saisie *Nom du fichier*.

4. Ouvrez la liste déroulante *Type de fichier* et sélectionnez l'option *Modèles*.

5. Excel passe automatiquement dans le dossier *Templates*. Sélectionnez le sous-dossier dans lequel vous voulez enregistrer votre modèle. Vous pouvez également créer un nouveau sous-dossier, si vous voulez organiser vos modèles par types.

6. Cliquez sur le bouton **Enregistrer**.

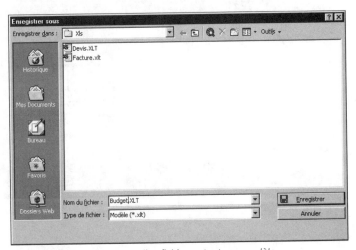

▲ Fig. 7.21 : *Enregistrement d'un fichier en tant que modèle*

Utiliser des modèles

Excel 2000 est fourni avec quelques modèles intégrés : factures, bons de commande, etc. À ceux-là s'ajoutent vos modèles personnalisés que vous avez éventuellement déjà créés. Procédez de la façon suivante pour utiliser un de ces modèles :

1. Choisissez la commande **Fichier/Nouveau**.

2. Dans la boîte de dialogue **Nouveau**, activez l'onglet correspondant à la catégorie de modèle puis cliquez sur le modèle que vous voulez utiliser. Dans la zone *Aperçu*, vous pouvez vérifier que vous avez choisi le bon fichier.

3. Cliquez sur OK. Une copie du modèle est alors ouverte à l'écran.

4. Excel propose un nom par défaut composé du nom du modèle suivi d'un numéro. Vous pouvez conserver ce nom par défaut pour l'enregistrement ou le modifier à votre guise.

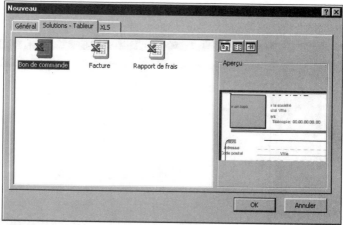

▲ Fig. 7.22 : *Ouverture d'un modèle*

Chapitre 8

Imprimer des feuilles de calcul

8.1	Les options d'impression	251
8.2	La mise en page	255
8.3	Les sauts de page	268

Admirer les données à l'écran ne suffit pas toujours. Souvent, il faut aussi les imprimer. Excel 2000 comprend de nombreuses options permettant d'influencer le résultat de l'impression. Notez cependant que la qualité obtenue dépendra dans une assez large mesure de votre imprimante car tous les matériels ne prennent pas en charge toutes les possibilités mises à disposition par Excel.

8.1   Les options d'impression

La méthode la plus simple et la plus rapide consiste à cliquer sur le bouton **Imprimer** dans la barre d'outils *Standard*. La feuille de calcul active est alors imprimée avec les paramètres courants des boîtes de dialogue **Imprimer** et **Mise en page**.

Le passage par le menu ne s'impose par conséquent que dans des cas bien précis : par exemple pour décider que seule la plage de cellules sélectionnée doit être imprimée, ou pour indiquer le nombre d'exemplaires à produire ou encore pour choisir une autre imprimante.

La boîte de dialogue Imprimer

1. Activez la feuille de calcul à imprimer.

2. Choisissez la commande **Fichier/Imprimer**. La boîte de dialogue **Imprimer** s'affiche.

3. Définissez les options à votre convenance.

4. Cliquez sur OK. La feuille de calcul active est alors imprimée avec les paramètres en cours des boîtes de dialogue **Imprimer** et **Mise en page**.

La boîte de dialogue **Imprimer** vous permet de sélectionner une autre imprimante, d'indiquer ce qui doit être imprimé, en combien d'exemplaires, etc.

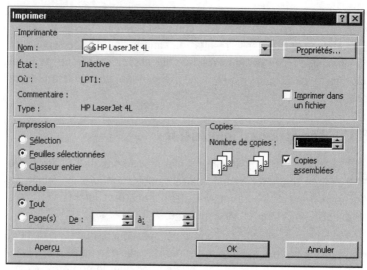

▲ Fig. 8.1 : *La boîte de dialogue Imprimer avec les options par défaut*

Imprimante

Dans cette rubrique s'affichent des informations sur l'imprimante active et sur son état, par exemple si elle est en attente ou en train d'imprimer. Vous pouvez également y sélectionner une autre imprimante.

- *Nom* : nom de l'imprimante active. Si plusieurs imprimantes sont installées, vous pouvez en sélectionner une autre en ouvrant cette liste déroulante.

- *Imprimer dans un fichier* : lorsque cette case à cocher est activée, l'impression est déviée vers un fichier. Excel ouvre alors la boîte de dialogue **Impression dans un fichier** pour vous permettre de spécifier un nom de fichier et le dossier où il doit être enregistré. Le fichier est stocké en tant que fichier *.prn*. Il pourra ensuite être imprimé sur n'importe quelle imprimante, indépendamment du programme avec lequel il a été créé.

- **Propriétés** : cliquez sur ce bouton si vous voulez définir les propriétés de l'imprimante sélectionnée. La boîte de dialogue qui s'affiche contient les onglets **Papier**, **Graphiques**, **Polices** et **Options du périphérique**.

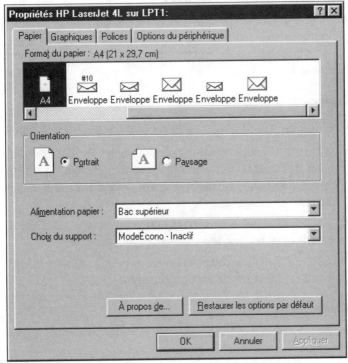

▲ Fig. 8.2 : *La boîte de dialogue des propriétés de l'imprimante*

- **Papier** : définissez ici le format du papier ainsi que l'orientation et l'alimentation.

- **Graphiques** : sur cet onglet, vous pouvez définir la résolution, le tramage, l'intensité et le mode graphique.

- **Polices** : indiquez ici la manière dont les polices TrueType doivent être imprimées.

- **Options du périphérique** : cet onglet permet de définir la qualité d'impression et l'utilisation de la mémoire de l'imprimante.

Étendue

- *Tout* : cette option est active par défaut. Toutes les pages des feuilles de calcul actives sont imprimées.

- *Pages* : si vous voulez imprimer certaines pages seulement, activez cette option et indiquez le numéro de la première page à imprimer dans la zone de saisie *De* et le numéro de la dernière dans la zone de saisie *à*.

Impression

Dans ce groupe d'options, vous pouvez définir ce qui doit être imprimé :

- *Sélection* : si cette option est activée, seules les parties sélectionnées des feuilles de calcul actives sont imprimées. Si vous avez effectué une sélection multiple, chaque plage de cellules est imprimée sur une page séparée.

- *Feuilles sélectionnées* : si cette option est activée, les zones d'impression des feuilles de calcul actives sont imprimées.

- *Classeur entier* : si cette option est activée, toutes les feuilles de calcul du classeur actif sont imprimées.

Copies

- *Nombre de copies* : indiquez ici le nombre d'exemplaires à imprimer.

- *Copies assemblées* : activez cette case à cocher si vous voulez imprimer plusieurs exemplaires d'un document comportant plusieurs pages. Dans ce cas, chaque exemplaire du document est imprimé entièrement, avant que ne commence l'impression du suivant.

Aperçu

Un clic sur le bouton **Aperçu** active le mode d'affichage Aperçu avant impression pour vous permettre de contrôler la disposition des données sur la page.

8.2 La mise en page

La boîte de dialogue **Mise en page** vous permet de définir la présentation de votre document sur le papier. Ouvrez-la avec la commande **Fichier/Mise en page**.

Si vous vous trouvez dans la boîte de dialogue **Imprimer**, vous pouvez aussi y accéder en cliquant successivement sur les boutons **Aperçu** puis **Page**.

Onglet Papier

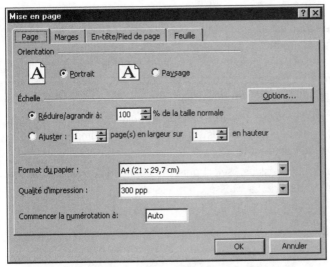

▲ Fig. 8.3 : *L'onglet Page de la boîte de dialogue Mise en page*

Remarque

Boîte de dialogue incomplète

Les options de l'onglet **Papier** ne sont complètes que si vous avez ouvert la boîte de dialogue avec la commande **Fichier/Mise en page**. Si vous l'avez activée à partir de l'aperçu avant impression, avec le bouton **Page**, les boutons **Imprimer** et **Aperçu** ne sont pas disponibles.

- *Portrait / Paysage* : sélectionnez l'orientation de votre document.

- *Réduire/agrandir à* : activez cette option si la feuille de calcul doit être agrandie ou réduite lors de l'impression. Vous pouvez réduire jusqu'à 10 % et agrandir jusqu'à 400 %. Par défaut, la feuille de calcul est affichée à l'échelle 100 %. La valeur 50 %, par exemple, aurait pour effet de réduire la feuille de calcul de moitié. Cette option n'influence nullement l'affichage de la feuille de calcul à l'écran. La mise à l'échelle n'est pas prise en charge par certains pilotes d'imprimantes. Dans ce cas, c'est Excel qui se charge de cette tâche. Les proportions sont conservées lors de l'agrandissement ou de la réduction.

- *Ajuster* : si vous avez activé cette option, la feuille de calcul active ou la sélection est ajustée au nombre de pages indiqué. L'agrandissement et la réduction sont proportionnels, si bien que le rapport des pages n'est pas modifié. Vous pouvez éventuellement réduire le nombre de pages de cette manière. Cette option n'est pas disponible pour les feuilles de graphiques.

- *Format du papier* : ouvrez la liste déroulante et sélectionnez le format de papier que vous voulez utiliser pour l'impression de la feuille de calcul active.

- *Qualité d'impression* : sélectionnez la qualité d'impression dans la liste déroulante. La vitesse d'impression dépend également de la qualité choisie. Les options proposées varient en fonction de l'imprimante active.

Astuce

Mémoire insuffisante

Si votre imprimante laser affiche un message indiquant qu'il n'a pas assez de mémoire pour imprimer le document, vous devez sélectionner une résolution plus basse.

- *Commencer la numérotation à* : indiquez ici le premier numéro à utiliser dans la numérotation des pages à l'impression. Vous pouvez spécifier une numérotation spéciale pour chaque feuille de calcul.

Vous pouvez très bien numéroter la feuille de calcul Feuil1 à partir de 5 et Feuil2 à partir de 1. Par défaut, la valeur de l'option est *Auto*, ce qui signifie que la numérotation commence à 1.

■ **Imprimer** : ce bouton ouvre la boîte de dialogue **Imprimer**.

■ **Aperçu** : ce bouton active le mode d'affichage Aperçu avant impression.

■ **Options** : ce bouton ouvre la boîte de dialogue des propriétés de l'imprimante.

Onglet Feuille

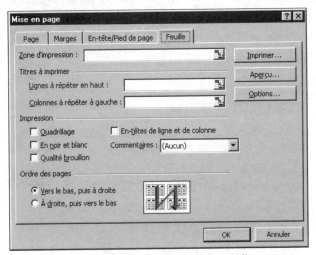

▲ Fig. 8.4 : *L'onglet Feuille de la boîte de dialogue Mise en page*

Remarque

Boîte de dialogue incomplète

Les options de l'onglet **Feuille** ne sont complètes que si vous avez ouvert la boîte de dialogue avec la commande **Fichier/Mise en page**. Si vous l'avez activée à partir de l'aperçu avant impression, avec le bouton **Page**, les options *Zone d'impression*, *Titres à imprimer* et *Commentaires* ne sont pas disponibles.

■ *Zone d'impression* : cliquez dans la zone de saisie puis sélectionnez dans la feuille de calcul la plage de cellules qui doit être définie comme zone d'impression. Si la boîte de dialogue masque la feuille de calcul, réduisez-la en cliquant sur le bouton situé à l'extrémité droite de la zone de saisie. Un nouveau clic sur ce même bouton redonnera ensuite à la boîte de dialogue sa taille initiale. Lorsqu'une zone d'impression est définie, c'est cette plage de cellules qui est imprimée jusqu'à nouvel ordre, même si la feuille de calcul a été développée entre-temps. La zone d'impression est visualisée dans la feuille de calcul par des lignes en pointillé.

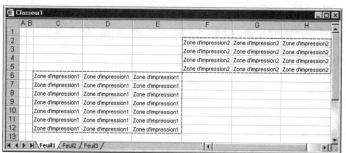

▲ Fig. 8.5 : *Une zone d'impression composée de deux plages de cellules*

Astuce

Plusieurs zones d'impression

Si vous tenez la touche Ctrl enfoncée pendant la sélection, vous pouvez définir plusieurs zones d'impression, par exemple C6:E12;F2:H5. Les deux plages de cellules doivent être séparées par un point-virgule.

Remarque

Définir une zone d'impression à l'aide du menu

La zone d'impression peut également être définie avec la commande **Fichier/Zone d'impression/Définir**. La commande **Annuler** supprime une zone d'impression définie. Il existe en outre, pour la même fonction, un bouton que vous pouvez ajouter dans une barre d'outils.

- *Titres à imprimer* : permet de fixer des titres (*Lignes à répéter en haut* et *Colonnes à répéter à gauche*) si la feuille de calcul active se compose de plusieurs pages et si vous souhaitez que les titres de lignes et de colonnes soient répétés sur chaque page.

- *Lignes à répéter en haut* : cliquez dans la zone de saisie puis sélectionnez dans la feuille de calcul active la ou les lignes qui doivent être répétées en guise de titres de colonnes en haut de chaque page.

- *Colonnes à répéter à gauche* : cliquez dans la zone de saisie puis sélectionnez dans la feuille de calcul active la ou les colonnes qui doivent être répétées en guise de titres de lignes à gauche de chaque page.

- *Quadrillage* : les feuilles de calcul peuvent être imprimées avec ou sans quadrillage. Activez la case à cocher si vous souhaitez qu'il soit imprimé. Cette option est indépendante de l'affichage du quadrillage à l'écran.

- *En noir et blanc* : activez cette case à cocher si vous devez imprimer sur une imprimante noir et blanc une feuille de calcul contenant de la couleur. Si vous imprimez sur une imprimante couleur mais que vous activiez néanmoins cette case à cocher, cela accélère généralement l'impression.

- *Qualité brouillon* : lorsque cette case à cocher est activée, l'impression est accélérée du fait de la qualité graphique moindre.

- *En-têtes de ligne et de colonne* : imprime les en-têtes de lignes et de colonnes dans le style de référence actif.

- *Commentaires* : détermine si les commentaires doivent être imprimés et, si oui, à quel endroit de la page. L'option *Tel que sur la feuille* suppose que les commentaires ont été affichés au préalable (choisissez la commande **Afficher le commentaire** dans le menu contextuel). Avec l'option *À la fin de la feuille*, les commentaires sont regroupés à la fin de l'impression.

- *Vers le bas puis à droite* : la numérotation et l'impression des différentes pages s'effectue d'abord de haut en bas puis de la gauche vers la droite. C'est l'option par défaut.

- *À droite puis vers le bas* : la numérotation et l'impression des pages s'effectuent d'abord de la gauche vers la droite puis de haut en bas.

- **Imprimer** : ce bouton ouvre la boîte de dialogue **Imprimer**.

- **Aperçu** : ce bouton active le mode d'affichage Aperçu avant impression.

- **Options** : ce bouton ouvre la boîte de dialogue des propriétés de l'imprimante.

Onglet Marges

Sous cet onglet, vous pouvez définir la surface utile de chaque page. Cette surface est délimitée par les marges. Vous pouvez également déterminer la position de l'en-tête et du pied de page et décider si le document doit être centré horizontalement ou verticalement sur la page.

Lorsque vous cliquez dans une des zones de saisie, Excel affiche sur le schéma de la page la marge dont il s'agit (voir fig. 8.6).

- *Haut / Bas / Gauche / Droite* : détermine la largeur de la marge du côté correspondant. La valeur par défaut est de 2,5 cm pour les marges supérieure et inférieure et de 2 cm pour les marges gauche et droite.

L'en-tête se place dans l'espace libre de la marge supérieure. Celle-ci doit par conséquent être assez large pour laisser de la place pour l'en-tête. La même règle s'applique pour le pied de page.

- *En-tête* : indiquez ici la distance de l'en-tête par rapport au bord supérieur de la feuille.

- *Pied de page* : indiquez ici la distance du pied de page par rapport au bord inférieur de la feuille.

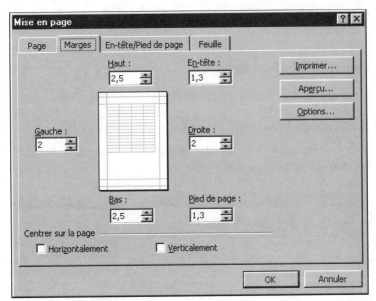

▲ Fig. 8.6 : *L'onglet Marges de la boîte de dialogue Mise en page*

Centrer sur la page

Ces deux cases à cocher sont désactivées par défaut. Le document sera par conséquent disposé dans l'angle supérieur gauche de la page. Vous pouvez cependant faire en sorte qu'il soit centré, en largeur, en hauteur ou dans les deux directions à la fois. Si vous activez les deux cases à cocher, les données seront imprimées au centre de la page. La position est symbolisée sur la représentation schématique de la page.

- *Horizontalement* : activez cette case à cocher si l'impression doit être centrée en largeur.
- *Verticalement* : activez cette case à cocher si l'impression doit être centrée en hauteur.
- **Imprimer** : ce bouton ouvre la boîte de dialogue **Imprimer**.
- **Aperçu** : ce bouton active le mode d'affichage Aperçu avant impression.

- **Options** : ce bouton ouvre la boîte de dialogue des propriétés de l'imprimante.

Onglet En-tête/Pied de page

Cet onglet vous permet de définir l'en-tête et le pied de page. Il existe un certain nombre de textes intégrés, mais vous pouvez aussi définir vos en-têtes ou pieds de page personnalisés.

Vous pouvez également accéder à cet onglet avec la commande **Affichage/En-tête et pied de page**.

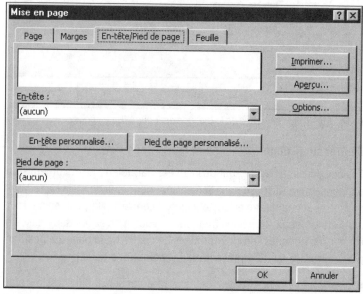

▲ Fig. 8.7 : *L'onglet En-tête/Pied de page de la boîte de dialogue Mise en page*

Sélectionner un en-tête ou un pied de page prédéfini

Ouvrez la liste déroulante *En-tête* ou *Pied de page*. Lorsque vous sélectionnez un en-tête ou un pied de page prédéfini, le texte correspondant s'affiche dans la zone de liste au-dessus de la liste déroulante.

Créer un en-tête ou un pied de page personnalisé

Lorsque vous cliquez sur le bouton **En-tête personnalisé** ou **Pied de page personnalisé**, la boîte de dialogue s'affiche, dans laquelle vous pouvez définir un texte.

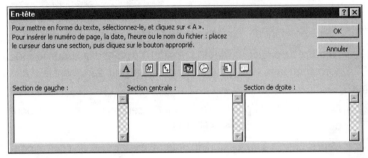

▲ Fig. **8.8** : *La boîte de dialogue En-tête*

Tapez le texte souhaité dans les zones de saisie *Section de gauche*, *Section centrale* ou *Section de droite*.

Astuce

> **Personnaliser un en-tête ou un pied de page prédéfini**
>
> Si vous avez sélectionné un en-tête ou un pied de page intégré avant de cliquer sur le bouton **En-tête personnalisé** ou **Pied de page personnalisé**, le texte correspondant s'inscrit dans la boîte de dialogue, et vous pouvez vous en servir comme base pour votre texte personnalisé.

Les boutons de la boîte de dialogue En-tête ou Pied de page

Les boîtes de dialogue **En-tête** et **Pied de page** contiennent quelques boutons destinés à vous faciliter le travail lors de la définition de ces éléments. Ces boutons peuvent être combinés entre eux. Chacun insère dans la zone de saisie active un code correspondant à une information, par exemple au numéro de page courant, au nombre total de pages, à la date, à l'heure, etc. Le code s'inscrit à l'endroit où se trouve le point d'insertion. Lors de l'impression, le code est remplacé par la valeur correspondante.

A **Police** : ouvre la boîte de dialogue **Police**. Les options que vous y sélectionnez s'appliquent au texte sélectionné dans n'importe laquelle des trois sections.

**Numéro de page** : inscrit à la position du point d'insertion le code correspondant au numéro de page : &[Page].

Nombre de pages : inscrit à la position du point d'insertion le code correspondant au nombre total de pages du document : &[Pages].

Date : inscrit à la position du point d'insertion le code correspondant à la date système : &[Date].

Heure : inscrit à la position du point d'insertion le code correspondant à l'heure système : &[Heure].

Fichier : inscrit à la position du point d'insertion le code correspondant au nom de fichier du classeur actif : &[Fichier].

Onglet : inscrit à la position du point d'insertion le code correspondant au nom de la feuille de calcul à imprimer : &[Onglet].

Astuce

Imprimer le caractère & dans un en-tête ou un pied de page

Pour imprimer le caractère & à l'intérieur d'un en-tête ou d'un pied de page, tapez deux caractères & à l'endroit correspondant. Exemple : tapez Legendre && Fils pour obtenir Legendre & Fils.

L'aperçu avant impression

Il y a plusieurs façons d'activer le mode Aperçu avant impression :

- **Q** par le bouton **Aperçu avant impression**;

- à l'aide de la commande **Fichier/Aperçu avant impression** ;

- à l'aide de la commande **Fichier/Imprimer**, bouton **Aperçu** ;

- à l'aide de la commande **Fichier/Mise en page**, bouton **Aperçu**.

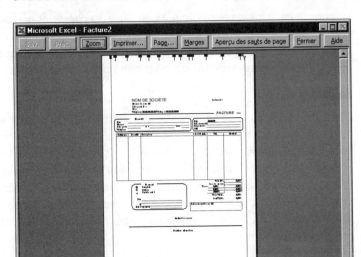

▲ Fig. 8.9 : *Le mode Aperçu avant impression*

Dans cette fenêtre, vous pouvez procéder à un contrôle préalable du résultat de l'impression en mode Zoom ou en mode Page entière.

Lorsque la page entière est visible à l'écran, vous ne pouvez certes plus lire les données qui sont contenues dans la feuille de calcul mais vous avez une bonne vue d'ensemble pour juger la disposition générale du document.

En mode Zoom, vous pouvez examiner un extrait agrandi du document à l'écran. Cliquez avec la loupe à l'endroit que vous souhaitez voir de plus près.

Pour basculer entre les deux modes, cliquez sur le bouton **Zoom** ou directement sur le document.

Afficher plusieurs pages

Si le document à imprimer se compose de plusieurs pages, les boutons **Préc.** et **Suiv.** permettent de les faire défiler. Lorsque la dernière page est affichée, le bouton **Suiv.** est désactivé. Il en va de même pour le bouton **Préc.** lorsque vous êtes sur la première page.

Régler les marges

Le bouton **Marges** offre une possibilité intéressante de régler les marges d'un document. Les marges courantes sont alors représentées à l'écran par des lignes pointillées terminées par des carrés noirs que l'on appelle des poignées car vous pouvez les "saisir" à l'aide de la souris. Lorsque le pointeur de la souris vient se placer sur une de ces poignées, il prend la forme d'une double flèche. Vous pouvez alors cliquer et faire glisser la poignée dans la direction souhaitée pour agrandir ou réduire la marge correspondante.

La valeur de marge courante s'affiche dans la barre d'état durant le réglage de sorte que vous pouvez contrôler très précisément la modification.

Un nouveau clic sur le bouton **Marges** fait disparaître les lignes pointillées des marges ainsi que les poignées.

Régler les largeurs de colonnes

Lorsque vous cliquez sur le bouton **Marges**, outre les lignées pointillées et les poignées des marges, s'affichent également des poignées sans lignes pointillées. Elles représentent les colonnes de la feuille de calcul et elles permettent d'en modifier la largeur.

Pour modifier la largeur d'une colonne, amenez le pointeur de la souris sur une poignée. Lorsqu'il a la forme d'une double flèche, cliquez et faites glisser dans la direction souhaitée. Alors seulement apparaît une ligne pointillée qui matérialise la largeur de colonne. Relâchez le bouton de la souris lorsque la largeur souhaitée est atteinte.

Veillez à ce que les colonnes ne deviennent pas trop étroites. Dans ce cas, les nombres ne peuvent plus être affichés entièrement et ils sont alors remplacés par une série de dièses (######). Si vous restez en mode Page entière, vous risquez de ne pas observer ce phénomène. Mieux vaut donc passer en mode Zoom pour contrôler le résultat. Du fait du réglage des colonnes, il se peut qu'un saut de page soit modifié. C'est peut-être même le but recherché, si vous aviez constaté qu'une colonne se trouvait orpheline sur la deuxième page. Mieux vaut, dans ce cas, réduire quelque peu les marges et les largeurs de colonnes afin d'essayer de tout faire tenir sur une seule page.

Aperçu des sauts de page

Un clic sur le bouton **Aperçu des sauts de page**, dans la fenêtre **Aperçu avant impression**, permet de modifier un saut de page à l'aide de la souris. Excel 2000 affiche les sauts de page sous la forme d'épais traits bleus que vous pouvez faire glisser dans le sens que vous voulez.

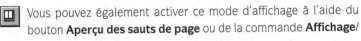 Vous pouvez également activer ce mode d'affichage à l'aide du bouton **Aperçu des sauts de page** ou de la commande **Affichage/ Aperçu des sauts de page**.

 Pour revenir au mode d'affichage Normal, cliquez sur le bouton **Mode normal** ou choisissez la commande **Affichage/Normal**.

Fermer l'aperçu avant impression

Si vous voulez apporter des modifications de dernière minute à la feuille de calcul avant de l'imprimer, vous pouvez quitter le mode Aperçu avant impression en cliquant sur le bouton **Fermer**.

Imprimer

Si l'aperçu n'a pas permis de déceler de défaut nécessitant des corrections, vous pouvez imprimer le document directement depuis ce mode d'affichage, en cliquant sur le bouton **Imprimer**. Votre fichier est alors envoyé à l'imprimante.

8.3   Les sauts de page

Lorsqu'un fichier se compose de plus d'une page, Excel 2000 insère automatiquement des sauts de page. L'impression est poursuivie sur une autre page dès que la précédente est pleine.

Le saut de page automatique ne correspond cependant pas toujours à ce que l'on recherche. C'est la raison pour laquelle vous avez la possibilité d'effectuer un saut de page manuel.

Saut de page automatique

Si vous souhaitez que les sauts de page automatiques soient matérialisés à l'écran par une ligne pointillée, choisissez la commande **Outils/Options**, activez l'onglet **Affichage** et cochez l'option *Sauts de page* dans la rubrique *Fenêtres*. Notez cependant que l'affichage des limites de pages ne devient effectif que si vous avez activé au moins une fois la commande **Aperçu avant impression** ou **Imprimer**.

Saut de page manuel

Les sauts de page automatiques définis par Excel ne vous conviendront cependant pas toujours car il arrive que des données qui devraient rester groupées soient séparées. Pour conserver des unités de sens, vous devez alors définir des sauts de page manuels.

Vous pouvez vous servir pour cela de la commande **Insertion/Saut de page** ou du mode Aperçu des sauts de page.

Saut de page horizontal

Pour définir un saut de page horizontal, sélectionnez, dans la colonne A, une cellule sous la ligne où doit être effectué le saut de page. Par exemple, si le saut de page doit être inséré à la suite de la ligne 5, vous devez sélectionner la ligne 6. Choisissez la commande **Insertion/Saut de page**.

Saut de page vertical

Sélectionnez une cellule dans la ligne 1, dans la colonne devant laquelle vous voulez insérer le saut de page. Choisissez la commande **Insertion/ Saut de page**.

Saut de page horizontal et vertical

Pour obtenir un saut de page combiné, sélectionnez une cellule à l'endroit du saut de page souhaité, sachant qu'il sera inséré juste devant et au-dessus de la cellule en question. Choisissez la commande **Insertion/Saut de page**.

Supprimer un saut de page

Pour supprimer un saut de page, sélectionnez une cellule juste au-dessous ou à droite de la ligne matérialisant le saut de page.

Si vous ouvrez alors le menu Insertion, vous constatez que la commande **Saut de page** a été remplacée par **Supprimer le saut de page**. Choisissez cette commande pour annuler le saut de page manuel.

Astuce

Supprimer tous les sauts de page

Vous pouvez supprimer tous les sauts de page si vous sélectionnez la feuille de calcul entière avant de choisir la commande. Cliquez à cet effet sur le bouton gris situé dans l'angle supérieur gauche, à l'intersection des en-têtes de lignes et de colonnes. Dans le menu **Insertion**, la commande s'appelle alors **Rétablir tous les sauts de page**.

Saut de page en mode Aperçu des sauts de page

Choisissez la commande **Affichage/Aperçu des sauts de page** pour passer dans ce mode d'affichage. Dans cette fenêtre, les sauts de page sont matérialisés par d'épais traits pointillés bleus. Ce sont les sauts de page automatiques. Vous pouvez les modifier à l'aide de la souris en les faisant glisser à la position souhaitée. Le pointeur se transforme en double flèche lorsqu'il se place sur une de ces lignes. Cliquez et faites glisser pour la déplacer.

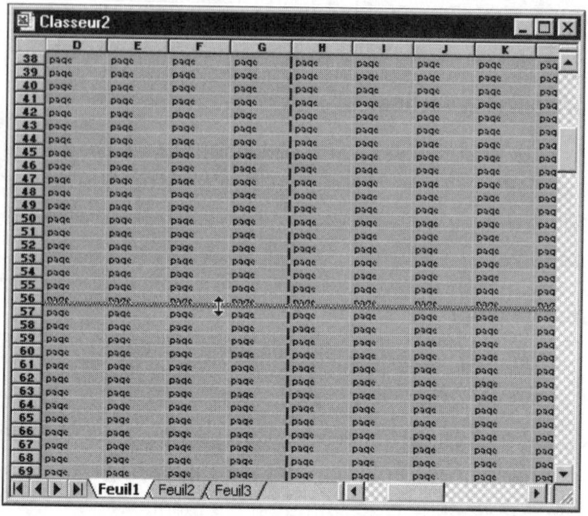

▲ Fig. 8.10 : *Modification d'un saut de page automatique*

Vous pouvez vérifier que vous avez modifié le saut de page automatique : lorsque vous lâchez le bouton de la souris, le trait pointillé se transforme en effet en trait plein parce que le saut de page automatique est devenu saut de page manuel.

Chapitre 9

Représenter des données à l'aide de graphiques

9.1	Quelques notions importantes	273
9.2	Créer des graphiques	274
9.3	Modifier des graphiques	280
9.4	Quelle est la tendance ?	304
9.5	Visualiser des données sur des cartes géographiques	309

Excel permet également de représenter sous forme de graphiques les données que vous avez organisées en tableaux dans les feuilles de calcul. Les graphiques donnent un autre éclairage sur les données, les rendent plus lisibles et permettent de faire ressortir très rapidement quelques informations essentielles. Des évolutions peuvent être mises en évidence et l'on peut deviner des tendances.

9.1 Quelques notions importantes

Excel 2000 offre de nombreuses possibilités lorsqu'il s'agit de représenter les données au moyen de graphiques. La multiplicité des options et des nouvelles notions risque cependant de vous dérouter quelque peu si vous êtes débutant en la matière. Voici donc, pour commencer, quelques définitions de termes que vous risquez de rencontrer fréquemment.

Axe x et axe y

Tout graphique à deux dimensions est construit sur la base de deux axes :

- l'axe x ou axe des abscisses ;
- l'axe y ou axe des ordonnées.

L'axe x est généralement représenté horizontalement et l'axe y verticalement, mais ce n'est nullement une obligation.

Séries de données

Une série de données est un groupe de valeurs numériques de même nature, disposées les unes à la suite des autres dans une ligne ou dans une colonne d'une feuille de calcul. Dans le graphique, chaque série de données est représentée par une couleur spécifique, par un motif ou par une courbe.

Points de données

Un point de donnée est une valeur d'une série de données.

Légende

La légende explique ce que représente chaque partie du graphique. Elle rappelle la correspondance entre chaque couleur ou motif et la série de données.

9.2   Créer des graphiques

L'Assistant Graphique vous apporte une aide précieuse pour la création de graphiques. Ceux-ci peuvent se présenter soit en tant qu'objet graphique dans la feuille de calcul, soit en tant que feuille de graphique indépendante dans le classeur. Dans les deux cas, vous pouvez utiliser l'Assistant Graphique pour vous guider pas à pas dans la création du graphique.

Sélectionner les données

Avant de créer un graphique, vous devez indiquer à Excel où se trouvent les données sources devant être représentées. Il suffit généralement de sélectionner une cellule à l'intérieur de la plage de données. Vous pouvez cependant aussi sélectionner toute la plage de cellules à représenter. C'est d'ailleurs recommandé si vous ne souhaitez pas que toutes les données soient reproduites sur le graphique. Il arrive également que l'on veuille représenter des données qui ne forment pas nécessairement un bloc unique. Une sélection multiple est alors possible.

Si des lignes ou colonnes entières doivent être exclues du graphique, vous pouvez les masquer. Une autre solution consisterait à créer un plan et à masquer les niveaux que vous ne voulez pas voir figurer dans le graphique.

Créer un graphique à partir de cellules visibles

Dans une feuille de calcul contenant des lignes et colonnes masquées, vous pouvez créer un graphique à partir des seules cellules visibles. Il se peut cependant que les données initialement masquées soient tout de même représentées sur le graphique par la suite, du fait de certaines modifications dans la feuille de calcul. Pour éviter cela, vous devez sélectionner les données qui doivent être représentées dans le graphique et cliquer sur le bouton **Sélectionner les cellules visibles**. Le graphique ne tiendra alors compte que des mises à jour effectuées dans les cellules visibles.

Créer un graphique à l'aide de l'Assistant Graphique

Si vous faites appel à l'Assistant Graphique, il vous aide à créer vos graphiques en quatre étapes.

1. Sélectionnez une cellule de la zone de données ou la plage de cellules entière, y compris les titres s'ils doivent être pris en compte pour le graphique.

2. Choisissez la commande **Insertion/Graphique** ou cliquez sur le bouton **Assistant Graphique**.

3. À la première étape de l'Assistant Graphique, vous devez déterminer le type du graphique. Sélectionnez-le dans la zone de liste *Type de graphique*. Il existe des variantes pour chaque type et vous pouvez sélectionner celle qui vous semble convenir le mieux dans la zone *Sous-type de graphique*. Si vous voulez avoir une idée du résultat que vous obtiendrez, cliquez sur le bouton **Maintenir appuyé pour visionner**. Cliquez sur le bouton **Suivant** si le résultat vous convient (voir fig. 9.1).

4. La boîte de dialogue de l'étape suivante comprend deux onglets. Sur l'onglet **Plage de données**, vous pouvez contrôler et éventuellement modifier la plage de cellules qui a été prise en compte pour la création du graphique. Cliquez à cet effet dans la zone de saisie *Plage de données* et sélectionnez la plage de cellules souhaitée dans la feuille de calcul. En outre, dans la rubrique *Série en*, vous pouvez indiquer si les séries de données sont organisées en lignes ou en colonnes (voir fig. 9.2).

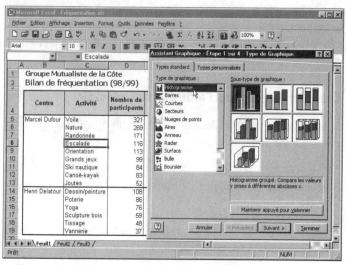

▲ **Fig. 9.1** : *Première étape de l'Assistant Graphique*

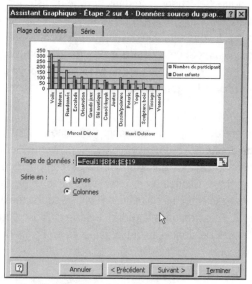

▲ **Fig. 9.2** : *Deuxième étape de l'Assistant Graphique - onglet Plage de données*

Sur l'onglet **Série** de cette même boîte de dialogue, vous pouvez contrôler les noms et plages de données correspondant aux différentes séries de données représentées sur le graphique. Dans la zone de liste *Série* de cette boîte de dialogue, vous pouvez sélectionner une série de données. Les plages de cellules contenant le nom ainsi que la plage de données sont alors affichées dans les zones de saisie *Nom* et *Valeurs* et peuvent être éditées. Sous cet onglet, vous avez aussi accès à la plage de cellules utilisée pour les étiquettes des abscisses. Cliquez sur le bouton **Suivant** lorsque toutes les indications des deux onglets vous conviennent.

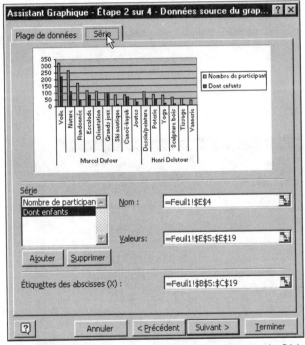

▲ Fig. **9.3** : *Deuxième étape de l'Assistant Graphique - onglet Série*

5. À la troisième étape de l'Assistant Graphique, vous pouvez modifier différentes options du type de graphique ainsi que le titre du graphique et les étiquettes des axes. Vous disposez pour cela de six onglets. Sur l'onglet **Titre**, par exemple, vous pouvez définir un titre pour le graphique ainsi que pour les axes. Toutes les modifications effectuées dans les zones de saisie sont immédiatement répercutées sur le graphique et sont visibles dans l'aperçu.

Conseil

Pas de panique

Il n'est pas indispensable, à ce stade du travail avec l'Assistant Graphique, que vous vous souciiez de toutes les possibilités de paramétrage et de mise en forme, car vous pouvez tout aussi bien les définir par la suite. Limitez-vous dans un premier temps aux options les plus importantes. Vous pourrez revenir sur toutes les autres par la suite.

Cliquez sur le bouton **Suivant** si le résultat affiché par la zone *Aperçu* vous convient.

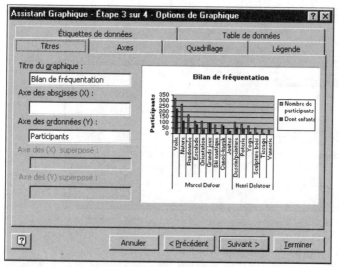

▲ Fig. 9.4 : *Troisième étape de l'Assistant Graphique - onglet Titres*

6. À la quatrième étape de l'Assistant Graphique, vous devez décider si le graphique doit être créé sur une feuille séparée dans le classeur ou en tant qu'objet dans la feuille de calcul. Cliquez ensuite sur le bouton **Terminer**.

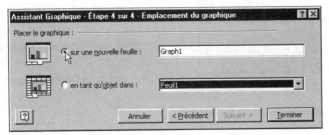

▲ Fig. 9.5 : *Quatrième étape de l'Assistant Graphique*

7. Le graphique est alors créé, sur une feuille spécifique ou dans la feuille de calcul active. S'il est dessiné en tant qu'objet dans la feuille de calcul, les données sources sont entourées d'une bordure de couleur lorsqu'une série de données est sélectionnée dans le graphique.

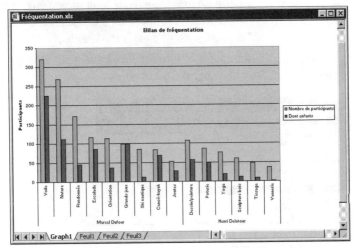

▲ Fig. 9.6 : *Le graphique a été créé sur une nouvelle feuille*

9.3   Modifier des graphiques

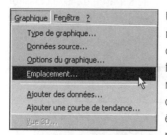

Un graphique peut être modifié à tout moment. Le menu **Graphique** donne accès à toutes les commandes de mise en forme, les boîtes de dialogue étant les mêmes que celles de l'Assistant Graphique. La commande **Type de graphique** équivaut à l'étape 1 de l'Assistant Graphique, la commande **Données source** à l'étape 2, la commande **Options du graphique** à l'étape 3 et la commande **Emplacement** à l'étape 4.

Sélectionner des objets du graphique

Pour modifier des objets dans un graphique, il convient tout d'abord de les sélectionner. Tous les objets peuvent être sélectionnés en cliquant dessus. Lorsque le pointeur de la souris vient se placer sur un objet, une info-bulle contenant le nom de l'objet en question s'affiche. Un objet sélectionné est entouré d'un cadre de sélection.

La zone *Nom* de la barre de formule indique le nom de l'objet sélectionné. Si vous cliquez par exemple sur la zone de graphique, c'est le nom Zone de graphique qui s'inscrit dans la zone *Nom*.

Les objets peuvent en outre être sélectionnés aisément dans la zone *Objets du graphique* de la barre d'outils *Graphique*.

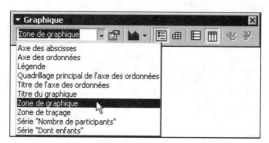

▲ Fig. 9.7 : *Dans la zone Objets du graphique, vous pouvez sélectionner différents objets composant le graphique*

Sélectionner des séries de données

Certains éléments du graphique forment des groupes ; c'est le cas des séries de données. On sélectionne une série de données entière en cliquant sur un point de donnée dans la série ou en sélectionnant la série dans la zone *Objets du graphique*.

Sélectionner un point de donnée

Pour sélectionner un point de donnée, cliquez d'abord sur la série de données contenant le point en question puis sur le point lui-même.

Conseil

> **Ne pas cliquer trop vite**
>
> Vous pouvez donc sélectionner un point de donnée en cliquant deux fois de suite sur le point souhaité. Veillez cependant à laisser un délai suffisant entre les deux clics, faute de quoi Excel détectera un double clic et ouvrira la boîte de dialogue **Format de série de donnée.**

Annuler la sélection d'un objet

Pour annuler la sélection d'un objet, appuyez sur la touche **Échap** ou cliquez n'importe où en dehors du graphique.

Formater des objets du graphique

En double-cliquant sur un objet du graphique, vous affichez une boîte de dialogue contenant toutes les options disponibles pour cet objet.

 Vous pouvez également cliquer sur le bouton **Format** pour afficher la même boîte de dialogue.

Outre les mises en forme concernant directement le graphique, vous pouvez également utiliser les fonctions de dessin ou insérer des cliparts.

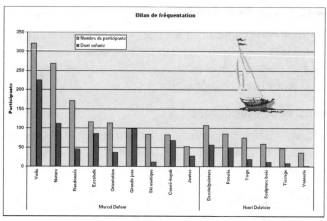

▲ Fig. **9.8** : *Un graphique après sa mise en forme*

Sélectionner le type de graphique

Dans Excel 2000, quatorze différents types de graphiques sont à votre disposition. Chaque type est à son tour décliné en plusieurs variantes ou sous-types. Vous pouvez en outre définir des types personnalisés.

Dans ce chapitre, nous vous expliquons d'abord de quelle façon modifier des types standards. Nous vous donnons ensuite quelques indications sur la manière de choisir un type de graphique en fonction des données à représenter.

Le bouton Type de graphique

La barre d'outils *Graphique* étant affichée, cliquez sur la flèche du bouton **Type de graphique**. Les principaux types de graphiques sont alors proposés à la sélection mais, toutefois, sans les sous-types correspondants. Si vous souhaitez avoir ce menu à portée de souris en permanence, détachez-le du bouton en le faisant glisser sur la feuille de calcul.

Cliquez sur le type de graphique qui vous semble convenir le mieux pour les données à représenter. La sélection à l'aide du bouton ne constitue la solution que si vous voulez choisir uniquement le type de graphique sans spécifier de sous-type.

Choisir un type de graphique et une variante à l'aide du menu

Sélectionnez le graphique et choisissez la commande **Type de graphique** dans le menu **Graphique** ou dans le menu contextuel, et la boîte de dialogue **Type de graphique** s'affiche. Vous pouvez alors choisir un type et en même temps une variante de ce type.

Les types de graphiques d'Excel

Quel type de graphique faut-il utiliser ? Pour vous aider à faire votre choix, voici quelques indications sur les principaux types de graphiques proposés par Excel.

Graphique en histogramme et à barres

La représentation de données à l'aide de graphique en histogramme ou à barres est indiquée lorsque les données se présentent sous forme de valeurs isolées séparées par des intervalles réguliers ou organisées en catégories. Vous avez vu un exemple de graphique en histogramme dans la section précédente.

La même chose s'applique au graphique à barres. Un graphique à barres se différencie d'un graphique en histogramme par le fait que les axes x et y sont permutés : l'axe x est vertical et l'axe y est horizontal.

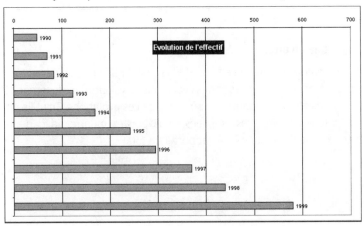

▲ Fig. 9.9 : *Un graphique à barres*

Graphique en courbes

Le graphique en courbes convient bien lorsqu'il s'agit de représenter des tendances ou une évolution dans le temps de valeurs numériques. L'importance de l'évolution est particulièrement mise en évidence. Lorsque le nombre de données est très important, le graphique en courbes est plus facilement lisible qu'un histogramme ou un graphique à barres.

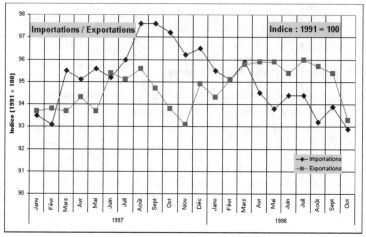

▲ Fig. 9.10 : *Un graphique en courbes*

Graphique en aires

Tout comme le graphique en courbes, le graphique en aires permet de représenter des tendances et des évolutions de valeurs dans le temps et de bien mettre en évidence l'importance de ces évolutions. En utilisant des graphiques en aires empilées, vous pouvez montrer la part de chaque série de données par rapport à un total.

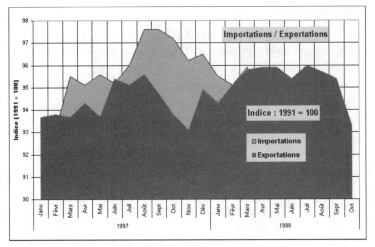

▲ Fig. 9.11 : *Un graphique en aires*

Graphique XY dit à nuages de points

Un graphique XY à nuages de points peut représenter des relations entre deux séries de valeurs numériques. Ce type de graphique convient particulièrement bien pour montrer la relation entre deux séries de mesures.

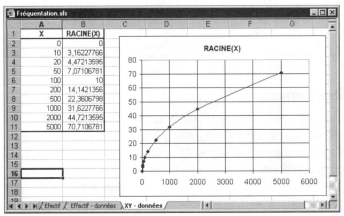

▲ Fig. 9.12 : *Un graphique XY à nuages de points*

Graphique à bulles

Le graphique à bulles est apparenté au graphique à nuages de points. Le centre de la bulle représente deux variables d'une série de données à l'aide des coordonnées XY tandis que le diamètre de la bulle indique en plus la valeur de la troisième variable.

Dans l'exemple ci-après, nous avons représenté le chiffre d'affaires et le nombre de filiales de différentes sociétés, la troisième variable étant la part de marché occupée par la société.

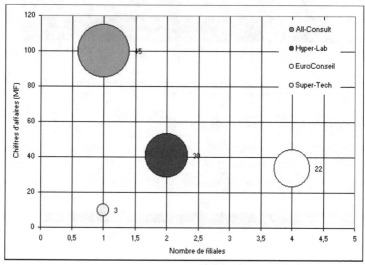

▲ Fig. 9.13 : *Un graphique à bulles*

Graphique en radar

Dans un graphique en radar, chaque abscisse possède son propre axe dont l'origine est le centre du graphique. Toutes les valeurs d'une même série sont reliées par des lignes. Le graphique en radar compare les valeurs correspondantes de plusieurs séries de données. Dans cet exemple, nous représentons ainsi la composition chimique de trois échantillons de roche.

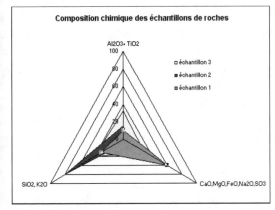

▲ Fig. 9.14 : *Un graphique en radar*

Graphique boursier

Le graphique boursier est généralement utilisé pour représenter des cours de valeurs boursières. Ce type de graphique peut cependant aussi servir à représenter des relevés de températures ou des variations de niveaux.

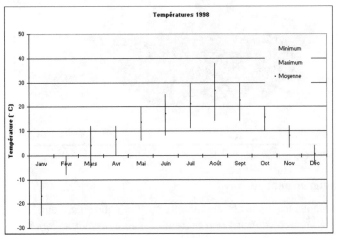

▲ Fig. 9.15 : *Un graphique boursier peut représenter les températures maximales, minimales et moyennes des douze mois de l'année*

Graphique en secteurs

Un graphique en secteurs sert à représenter la part que prennent divers éléments par rapport au total des valeurs des éléments. Il ne peut représenter qu'une seule série de données. C'est la raison pour laquelle, quelle que soit la sélection que vous avez opérée, Excel ne tiendra jamais compte que de la première série de données. La surface de chaque secteur correspond à la part que prend la valeur correspondante par rapport au total des valeurs de la série.

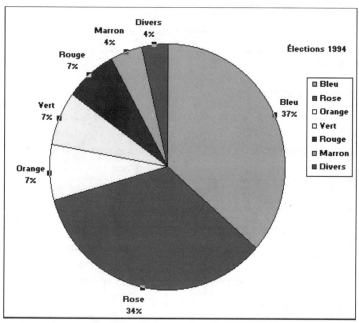

▲ Fig. 9.16 : *Un graphique en secteurs*

Graphique en anneau

Le graphique en anneau est une variante du graphique en secteurs. Il est fondé sur le même principe que ce dernier, mais il permet de représenter plusieurs séries de données.

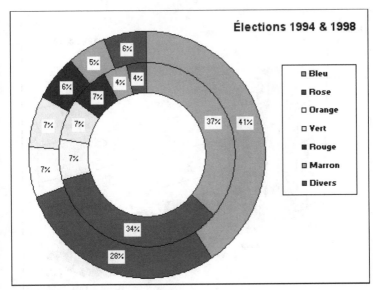

▲ Fig. 9.17 : *Un graphique en anneau*

Graphique 3D

Le graphique 3D constitue une forme particulièrement attrayante de représentation des données. Excel offre des variantes 3D pour les graphiques en histogramme, à barres, en aires, en courbes, en secteurs et en surface. Il existe en outre des effets de cône, de cylindre et de pyramide, que vous pouvez utiliser pour vos graphiques en histogramme et à barres.

De manière générale, le graphique 3D convient parfaitement lorsqu'il s'agit d'illustrer des documents, mais mieux vaut lui préférer les variantes classiques à deux dimensions si l'on recherche une certaine précision de lecture.

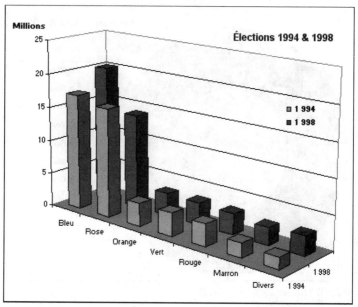

▲ Fig. 9.18 : *Un graphique en histogramme 3D*

Axe x, y et z

Vous voyez que le graphique à trois dimensions comprend trois axes : outre les traditionnels axes x et y, on trouve aussi l'axe z. Dans un graphique 3D, l'axe y devient l'axe des séries et l'axe z l'axe des ordonnées.

- axe x : axe des abscisses (inchangé) ;
- axe y : axe des séries ;
- axe z : axe des ordonnées.

L'axe vertical reste l'axe des ordonnées, mais il ne s'appelle plus axe y mais axe z. Cela correspond aux conventions mathématiques en usage.

Différents types dans un même graphique

Un graphique peut être composé de plusieurs types. On parle alors de graphique combiné. Un tel graphique est utilisé pour monter l'évolution d'une série de données avec comme arrière-plan la représentation d'une autre série. Dans certaines circonstances, il permet de mettre particulièrement l'accent sur la relation entre deux séries de données.

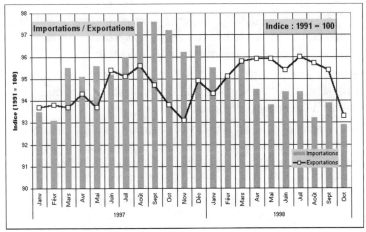

▲ Fig. **9.19** : *Un graphique combiné*

Changer le type de graphique d'une série de données

Procédez de la façon suivante pour changer le type de graphique d'une série de données :

1. Sélectionnez le graphique.

2. Cliquez sur la série de données dont vous voulez changer le type afin de la sélectionner.

3. Choisissez la commande **Graphique/Type de graphique** ; la boîte de dialogue de même nom s'affiche.

4. Sélectionnez le type de graphique souhaité.

5. Cliquez sur le bouton OK.

Axe secondaire des ordonnées ou des abscisses

Une série de données peut être représentée à l'aide d'un axe secondaire des ordonnées ou des abscisses.

Un axe secondaire des ordonnées est un deuxième axe y. Il est placé sur le côté droit du graphique. Son utilisation est intéressante lorsque différentes séries de données doivent être représentées sur un même graphique alors que les échelles de valeurs sont très différentes ou que les valeurs ne sont pas exprimées dans les mêmes unités.

Selon le même principe, on peut également utiliser un axe secondaire des abscisses. Dans ce cas, il est disposé en haut du graphique, parallèlement à l'axe principal correspondant.

Sur le graphique ci-dessous se trouve une courbe qui se réfère à l'axe principal des ordonnées (à gauche), ainsi qu'un groupe de séries de données représenté sous forme d'histogramme et qui se réfère à l'axe secondaire des ordonnées (à droite) (voir fig. 9.20).

Procédez de la façon suivante pour représenter une série de données sur un axe secondaire :

1. Sélectionnez le graphique.

2. Double-cliquez sur la série de données qui doit être représentée sur un deuxième axe. La boîte de dialogue **Format de série de données** s'affiche.

3. Activez l'onglet **Sélection de l'axe**.

4. Dans la rubrique *Tracer la série avec*, sélectionnez l'axe de votre choix. Dans l'exemple ci-dessus, les séries de données Pluies acides, NO_2 et SO_2 ont été affectées à l'axe secondaire. La modification est immédiatement répercutée sur le graphique.

5. Cliquez sur le bouton OK.

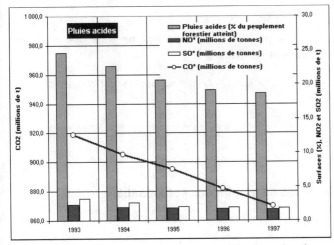

▲ Fig. 9.20 : *Graphique combiné avec axe secondaire des ordonnées*

Les axes sont traités différemment selon le type de graphique dont il s'agit. Dans un graphique à barres, par exemple, les axes des abscisses et des ordonnées sont permutés. Il y a donc certaines restrictions dont il convient de tenir compte lorsque l'on s'apprête à combiner plusieurs types dans un même graphique :

- Les graphiques 3D ne peuvent pas contenir différents types de graphiques.

- Les graphiques de types aires, histogramme, courbes et nuages de points peuvent être combinés à volonté.

- Des graphiques de types barres, secteurs, anneaux ou radar peuvent être combinés avec les types aires, histogramme, courbes et nuages de points.

Sélectionner les variantes de graphiques intégrées

Excel 2000 fournit de nombreuses variantes prédéfinies des quatorze types de graphiques standards. Il s'agit de modèles ayant déjà fait l'objet d'une mise en forme élaborée.

1. Sélectionnez le graphique.

2. Choisissez la commande **Graphique/Type de graphique** et activez l'onglet **Types personnalisés**.

3. Sélectionnez l'option *Types prédéfinis* dans la rubrique *Sélectionner parmi les*.

4. Sélectionnez le type souhaité dans la zone de liste *Type de graphique*.

5. Cliquez sur OK.

Créer des types de graphiques personnalisés

Si vous vous rendez compte que vous avez affecté à plusieurs reprises les mêmes mises en forme à des graphiques, il y a lieu de vous demander s'il ne serait pas judicieux de créer un type de graphique personnalisé à partir de cette mise en forme. Le type de graphique personnalisé est comparable, dans son principe, à un style, car il regroupe plusieurs caractéristiques de mise en forme pouvant être appliquées toutes ensemble à un graphique. Lorsque vous affectez à un graphique un type personnalisé, il est mis en forme avec toutes les propriétés de mise en forme contenues dans ce type.

1. Sélectionnez le graphique que vous avez mis en forme et qui doit être enregistré en tant que type de graphique personnalisé.

2. Choisissez la commande **Graphique/Type de graphique**.

3. Activez l'onglet **Types personnalisés**.

4. Dans la rubrique *Sélectionner parmi les*, sélectionnez l'option *Types personnalisés*. Cliquez sur le bouton **Ajouter**. La boîte de dialogue **Ajouter un type de graphique personnalisé** s'affiche.

5. Tapez un nom pour le nouveau format (31 caractères au maximum) ainsi qu'une description.

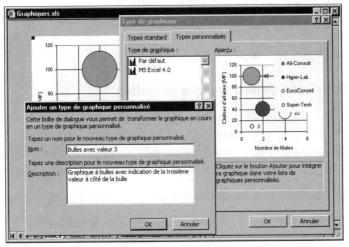

▲ **Fig. 9.21** : *Définition d'un nouveau type de graphique personnalisé*

6. Cliquez sur OK. Vous revenez ainsi à la boîte de dialogue précédente. Le nouveau type figure dans la zone de liste *Type de graphique*. Lorsqu'il est sélectionné, il s'affiche dans la zone *Aperçu* et sa description s'inscrit sous cette zone.

7. Cliquez sur OK.

Supprimer un type de graphique personnalisé

1. Choisissez la commande **Graphique/Type de graphique**. La boîte de dialogue **Type de graphique** s'affiche.

2. Activez l'onglet **Types personnalisés** et sélectionnez l'option *Types personnalisés* dans la rubrique *Sélectionner parmi les*.

3. Sélectionnez le graphique à supprimer dans la zone de liste *Type de graphique*.

4. Cliquez sur le bouton **Supprimer**. Une boîte de dialogue s'affiche pour vous demander de confirmer la suppression. Cliquez sur OK.

Vous revenez à la boîte de dialogue **Type de graphique**, où le format a été supprimé.

5. Cliquez sur OK.

Définir le type de graphique par défaut

Si vous activez l'Assistant Graphique et cliquez sur le bouton **Terminer** directement à la première étape, vous obtenez le graphique par défaut. Il s'agit d'un histogramme simple. Si vous préférez qu'un autre type de graphique soit utilisé par défaut, vous devez le définir explicitement.

1. Sélectionnez un graphique existant.

2. Choisissez la commande **Graphique/Type de graphique**.

3. Sélectionnez le nouveau type de graphique par défaut dans la zone de liste *Type de graphique*.

4. Cliquez sur le bouton **Par défaut**.

5. Validez avec OK.

Le type de graphique sélectionné est ainsi devenu le type par défaut et sera utilisé pour la création de vos prochains graphiques si vous ne sélectionnez pas d'autre type.

Ajouter la table des données dans le graphique

Si vous le souhaitez, Excel peut insérer une table des données dans le graphique. Affichez à cet effet la barre d'outils *Graphique* et cliquez sur le bouton **Table de données**. Vous pouvez également choisir la commande **Graphique/Options du graphique**. Activez l'onglet **Table de données** et cochez l'option *Afficher la table des données*. Si vous souhaitez que les symboles de légende soient affichés dans la table, cochez également l'option *Afficher les symboles de légende*. Vous pouvez alors désactiver l'affichage de la légende elle-même. Cliquez sur OK pour insérer la table dans le graphique.

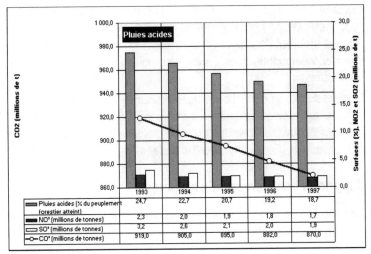

▲ Fig. 9.22 : *Un graphique avec la table de données*

Modifier les valeurs du graphique

Rien n'est jamais définitivement figé, et souvent les valeurs représentées par un graphique ne sont plus à jour. Il y a différentes façons de modifier des valeurs d'un graphique.

Modifier les valeurs dans la feuille de calcul

Le plus simple est de mettre le graphique à jour en modifiant les valeurs de la feuille de calcul sous-jacente. Le graphique est automatiquement adapté en fonction des nouvelles données.

Modifier les valeurs dans le graphique

Les valeurs peuvent également être modifiées directement dans le graphique. Sélectionnez le point de donnée à modifier et faites-le glisser à l'aide de la souris jusqu'à ce qu'il ait la valeur souhaitée. La valeur est alors automatiquement adaptée dans la feuille de calcul, en fonction de la modification effectuée dans le graphique.

Si le point de donnée à modifier est le résultat d'une formule, il faut que cette formule soit encore juste après la modification. Cela signifie qu'au moins une valeur à laquelle se réfère la formule doit également être adaptée. Excel ne peut prendre lui-même la décision du choix de la valeur à modifier. C'est pour cette raison que s'affiche alors la boîte de dialogue **Valeur cible**, dans laquelle vous pouvez donner les indications nécessaires.

La boîte de dialogue étant ouverte, sélectionnez la cellule dont la valeur doit être adaptée ou tapez sa référence dans la zone de saisie *Cellules à modifier*. Cliquez sur OK. Une boîte de dialogue s'affiche ensuite pour rendre compte du résultat du calcul de la valeur cible. Cliquez sur OK.

Supprimer des éléments du graphique

Procédez de la façon suivante si vous avez besoin de supprimer un élément du graphique :

1. Sélectionnez l'élément à supprimer.

2. Ouvrez le menu contextuel et choisissez la commande **Effacer**.

Certains objets du graphique tels que la légende, les quadrillages des axes des abscisses et des ordonnées ou la table de données peuvent être supprimés en cliquant sur le bouton correspondant dans la barre d'outils.

Graphiques 3D

La commande **Graphique/Vue 3D** permet de définir l'altitude, la perspective, l'angle de vue et la hauteur d'un graphique 3D. Un graphique 3D peut aussi être "manipulé" à l'aide de la souris.

Rotation d'un graphique 3D

Activez un graphique existant et affectez-lui le type Histogramme 3D. Procédez de la façon suivante pour modifier la perspective :

1. Cliquez sur un angle du graphique afin qu'il soit pourvu de ses poignées.

2. Amenez la souris sur une des poignées. Le pointeur se transforme en une petite croix.

3. Faites glisser la poignée. Le graphique devient invisible. Il n'est plus représenté que par une structure de boîte. Vous pouvez ainsi apprécier parfaitement le changement de perspective lors de la rotation.

4. Relâchez le bouton de la souris dès que vous pensez avoir trouvé la bonne perspective. Le graphique se dessine alors dans sa nouvelle position.

Astuce

Visualiser le contenu du graphique

Si vous tenez la touche Ctrl enfoncée pendant la rotation avec la souris, vous pouvez également voir les contours des objets du graphique.

La boîte de dialogue Format de vue 3D

Les propriétés de perspective d'un graphique peuvent également être modifiées dans une boîte de dialogue.

Choisissez la commande **Vue 3D** dans le menu **Graphique** ou dans le menu contextuel. La boîte de dialogue **Format de vue 3D** s'affiche (voir fig. 9.23).

Voici la signification des différents paramètres de la boîte de dialogue :

■ *Altitude* : ce paramètre indique l'angle de vue en degrés par rapport à l'horizontale. La valeur doit être comprise entre -90 ° et +90 °. Avec la valeur 0, vous observez l'objet de face, au niveau du plancher. Avec la valeur +90, vous vous trouvez à la verticale, au-dessus du graphique, et avec -90, vous vous trouvez au-dessous. Les valeurs peuvent être entrées directement dans la zone de saisie *Altitude* ou définies par l'intermédiaire des deux boutons représentant de grosses flèches.

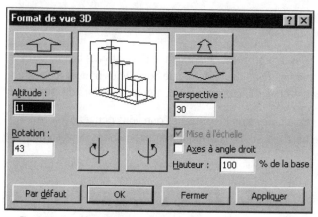

▲ Fig. 9.23 : *La boîte de dialogue Format de vue 3D*

- *Rotation* : ce paramètre définit la rotation de l'objet par rapport à l'axe z (axe vertical). L'angle de rotation peut être compris entre 0 et 360. Les valeurs peuvent être entrées directement dans la zone de saisie *Rotation* ou définies par l'intermédiaire des deux boutons situés sous la zone d'aperçu.

- *Mise à l'échelle* : lorsque la case à cocher *Mise à l'échelle* est activée, l'objet est mis à l'échelle automatiquement. Si elle n'est pas activée, vous pouvez indiquer dans la zone de saisie *Hauteur* la hauteur (axe z) de l'image en pourcentage par rapport à la largeur (axe x). La valeur 200 % correspond par exemple à un rapport 2:1 entre la hauteur et la largeur.

- *Axes à angle droit* : si cette case à cocher est activée, les axes se coupent à angle droit quelle que soit la perspective choisie. Si la case à cocher n'est pas activée, les axes sont déformés en fonction de la perspective.

- *Perspective* : cette valeur définit l'importance de l'effet de perspective. La valeur 0 correspond à l'option *Axes à angle droit*. Plus la valeur est élevée, plus l'effet de perspective est prononcé. La valeur maximale est 100.

- **Appliquer** : en cliquant sur ce bouton, vous appliquez au graphique les valeurs courantes de la boîte de dialogue, celle-ci restant ouverte.

- **Par défaut** : un clic sur ce bouton rétablit les valeurs par défaut de la boîte de dialogue.

Agrandir et déplacer des éléments du graphique

Les dimensions des éléments du graphique peuvent être modifiées aisément à l'aide de la souris. Lorsque vous agrandissez ou réduisez un point de donnée, vous modifiez en même temps la valeur correspondante dans le graphique et dans la feuille de calcul.

Des segments peuvent être détachés d'un graphique en secteurs ou en anneaux. Quant aux graphiques 3D, vous avez déjà vu qu'il est possible de modifier l'angle de vue à l'aide de la souris.

Modifier les dimensions

La taille des éléments du graphique peut être modifiée à l'aide de la souris. Cela s'applique aussi bien à des graphiques créés sur une feuille spécifique qu'à ceux qui ont été créés en tant qu'objets sur la feuille de calcul. Les seuls éléments qui font exception sont les titres et étiquettes.

1. Activez le graphique.

2. Sélectionnez l'élément dont vous voulez modifier les dimensions. Il est pourvu de poignées.

3. Amenez le pointeur de la souris sur une poignée et faites glisser dans la direction voulue. Le pointeur prend la forme d'une double flèche lorsqu'il vient se placer sur une poignée permettant de modifier la dimension.

Déplacer des éléments du graphique

Il est parfois nécessaire de déplacer des éléments du graphique, notamment les titres et légendes.

1. Activez le graphique.

2. Sélectionnez l'élément que vous souhaitez déplacer. Il est pourvu de poignées.

3. Amenez le pointeur de la souris simplement sur la bordure, pas sur une poignée. Il doit prendre la forme d'une flèche. Faites glisser l'élément à la position souhaitée.

Conseil

Déplacer un graphique

De la même manière, vous pouvez déplacer un graphique sur une feuille de calcul. Placez dans ce cas le pointeur de la souris sur le bord du graphique.

Ajuster la taille du graphique à la fenêtre

Vous pouvez faire en sorte que la taille du graphique dépende de celle de la fenêtre. Lorsque la commande est activée, le graphique s'agrandit ou se réduit automatiquement lorsque vous changez les dimensions de la fenêtre.

1. Activez la feuille du graphique.

2. Choisissez la commande **Affichage/Ajusté à la fenêtre**.

Pour que le graphique redevienne indépendant de la taille de la fenêtre, désactivez la commande **Affichage/Ajusté à la fenêtre**. Cette commande fonctionne à la manière d'un commutateur : elle est active lorsqu'elle apparaît cochée dans le menu.

Paramètres par défaut

Avec la commande **Outils/Options**, vous pouvez définir certains paramètres par défaut pour le graphique actif. Vous avez également vu, par ailleurs, que vous pouvez changer le type de graphique par défaut ou définir le graphique actif comme type par défaut.

■ Choisissez la commande **Outils/Options** et activez l'onglet **Graphique**.

Rubrique Graphique actif

Dans cette rubrique, vous pouvez indiquer de quelle manière les données de la feuille de calcul doivent être représentées sur le graphique.

■ *Traitement des cellules vides* : ce groupe d'options détermine de quelle manière sont traitées les cellules vides dans le graphique en courbes. Dans les autres types de graphiques, les cellules vides ne sont normalement pas représentées.

■ *Non tracées (laisse un vide)* : les cellules vides sont représentées par des espaces sur la courbe, qui est par conséquent discontinue.

■ *Valeur zéro* : les cellules vides sont interprétées comme des valeurs zéro. La courbe chute par conséquent jusqu'à la valeur zéro pour ces points de données.

■ *Interpolées* : les cellules vides sont interpolées comme des valeurs intermédiaires, des jonctions sont intercalées dans la courbe bien que les cellules soient vides.

■ *Tracer les cellules visibles seulement* : lorsque cette case à cocher est activée, le graphique est toujours mis à jour immédiatement lorsque des niveaux de plan sont affichés ou masqués dans la feuille de calcul ou lorsque des données sont affichées ou masquées. Lorsque la case à cocher est désactivée, le graphique affiche toujours la plage de cellules initialement utilisée pour la création.

■ *Dimensionner le graphique en fonction du cadre de la fenêtre* : cette case à cocher n'est importante que pour les feuilles de graphique. Lorsqu'elle est activée, le graphique remplit toujours la fenêtre entière et sa taille ne varie qu'en fonction de la fenêtre. Si la case à cocher est désactivée, la taille du graphique peut être modifiée indépendamment de la fenêtre.

Rubrique Info-bulles de graphiques

Avec ces deux cases à cocher, vous pouvez définir ce qui doit être affiché dans les info-bulles qui apparaissent lorsque le pointeur de la souris se place sur un élément du graphique.

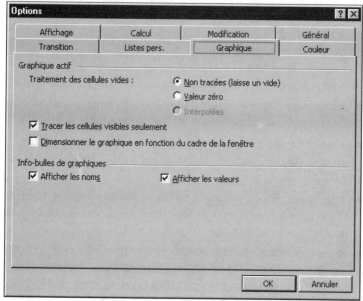

▲ Fig. 9.24 : *Sur l'onglet Graphique de la boîte de dialogue Options, vous pouvez définir des paramètres par défaut pour la création de graphiques*

9.4 Quelle est la tendance ?

Ce serait trop facile de considérer les graphiques comme de simples représentations de données. Lorsque vous observez un graphique, vous tentez automatiquement d'analyser les données et d'interpréter les relations qui peuvent exister entre elles. Les graphiques permettent notamment de dégager une tendance ou de reconnaître une évolution.

Nous allons voir, dans cette section, quels sont les outils mis à disposition par Excel pour l'analyse des données.

Régression et tendance

Excel met à disposition des modèles pour les calculs de régression et de tendance linéaires et non linéaires.

Le calcul de régression tente de détecter des relations entre deux grandeurs variables. On parle de tendance lorsqu'une notion d'évolution dans le temps est également présente. Dans ce type de calcul, on distingue les variables dépendantes et indépendantes.

Une analyse de régression permet par exemple d'examiner la relation entre la taille d'un individu et son âge pendant la période de croissance d'un enfant. Dans ce cas, l'âge serait la variable indépendante et la taille la variable dépendante. En effet, du fait de la nature même du processus de croissance, c'est l'âge qui détermine la taille et non l'inverse. Le cas de figure le plus simple serait une dépendance linéaire, ce qui signifierait que la taille augmente dans les mêmes proportions que l'âge, par exemple de 16 cm par an. Par expérience, vous savez qu'il n'en est rien et que le modèle linéaire ne rendrait pas particulièrement bien compte de la réalité.

Des paramètres statistiques, par exemple le coefficient de détermination, permettent de dire à quel point la dépendance de deux valeurs variables est reproduite par un modèle de régression. Le coefficient de régression est une valeur entre 0 et 1. Lorsqu'il a la valeur 1, 100 % des modifications de la variable dépendante (dans l'exemple la taille) sont déterminées par des modifications de la variable indépendante (l'âge, dans l'exemple). Avec une valeur de 0,65, seuls 65 % des modifications de la variable dépendante seraient déterminées par la variable indépendante.

On comprend ainsi que le coefficient de détermination représente généralement une base pour le choix d'un modèle de régression.

Excel 2000 met à votre disposition les modèles de régression ci-après :

- linéaire,
- logarithmique,
- polynomiale,

- puissance,
- exponentielle,
- moyenne mobile.

Avec ces types de régression, vous pouvez ajuster des courbes à vos données et déterminer les données statistiques de l'adaptation ainsi que la fonction de la courbe.

Les courbes de tendance et de régression peuvent être ajoutées pour des séries de données représentées par des graphiques en aires, à barres, en histogramme, en courbes ou en nuages de points.

Ajouter une courbe de tendance à une série de données

1. Sélectionnez la série de données à laquelle vous souhaitez ajouter une courbe de tendance.

2. Choisissez la commande **Ajouter une courbe de tendance** dans le menu **Graphique** ou dans le menu contextuel. La boîte de dialogue **Insertion de courbe de tendance** s'affiche alors. L'onglet **Type** est activé par défaut.

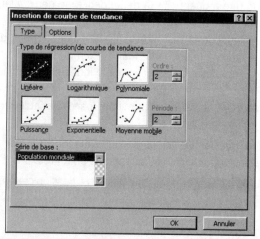

▲ Fig. 9.25 : *L'onglet Type de la boîte de dialogue Insertion de courbe de tendance*

3. Sélectionnez le type de courbe de tendance que vous souhaitez insérer. Si vous optez pour le type *Polynomiale*, indiquez la puissance la plus élevée pour la variable indépendante dans la zone de saisie *Ordre*. Vous pouvez entrer une valeur entre 2 et 6. Si vous avez choisi le type *Moyenne mobile*, entrez dans la zone de saisie *Période* le nombre de périodes devant être utilisé pour le calcul de la moyenne mobile.

4. Cliquez sur OK.

Exemple : évolution de la population mondiale

Nous disposons de données concernant la population mondiale pour un certain nombre d'années entre 1650 et 1999. Une analyse de régression doit nous permettre de déterminer la population mondiale en 2100. L'illustration ci-dessous montre les données utilisés ainsi que le graphique en nuages de points qui a été obtenu à partir de ces données. Une courbe de tendance doit être ajoutée dans ce graphique.

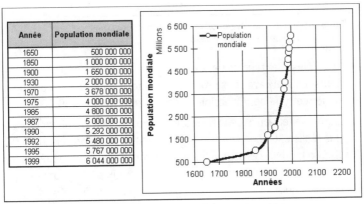

▲ Fig. 9.26 : *Évolution de la population mondiale*

Nous avons tout d'abord tenté d'approcher les données à l'aide d'un modèle linéaire. Le résultat de cette analyse est représenté sur l'illustration suivante. Le coefficient de détermination de la courbe de régression est de 0,69. Cette valeur donne une indication sur la qualité de l'approximation par la courbe. Dans cet exemple, elle n'est pas satisfaisante et nous allons donc tester un autre type de régression.

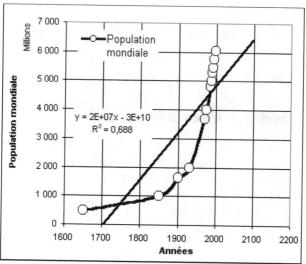

▲ **Fig. 9.27** : *Analyse de l'évolution de la population mondiale à l'aide d'un modèle linéaire*

Les modèles de régression exponentiels permettent d'obtenir de meilleurs résultats avec des pronostics de croissance. Nous allons donc appliquer ce type de régression à notre exemple (voir fig. 9.28).

La courbe de tendance de la régression exponentielle fournit un pronostic plus réaliste. Le coefficient de détermination est à présent de 0,90. D'après ce modèle, on peut estimer à environ 10 milliards la population de la terre en 2100. On peut cependant distinguer, sur l'illustration, que le modèle choisi est encore trop prudent par rapport aux données connues, la courbe de ces données ayant une pente plus prononcée que la courbe de tendance, dans sa partie terminale. La croissance de la population mondiale est en réalité doublement exponentielle, les délais de doublement s'étant considérablement raccourcis.

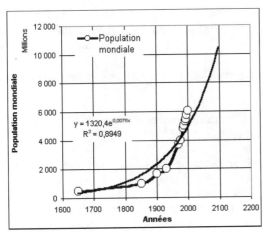

▲ Fig. **9.28** : *Analyse de l'évolution de la population mondiale*
à l'aide d'un modèle exponentiel

Supprimer une courbe de tendance

Procédez de la façon suivante pour supprimer une courbe de tendance :

1. Sélectionnez la courbe de tendance.

2. Choisissez la commande **Effacer** dans le menu contextuel ou bien la
commande **Édition/Effacer/Courbe de tendance**. Vous pouvez aussi
appuyer tout simplement sur la touche Suppr.

9.5 Visualiser des données sur des cartes géographiques

La fonction Map d'Excel 2000 permet de représenter des données sur
des cartes géographiques. Vous disposez ainsi d'un puissant outil de
présentation et d'analyse de stratégies commerciales.

Créer une carte

Notre exemple est construit à partir des chiffres d'affaires de plusieurs
filiales européennes d'une multinationale.

1. Saisissez d'abord les données dans une feuille de calcul. La première ligne doit contenir des titres et la première colonne des données géographiques.

2. Sélectionnez les données. Dans notre exemple, il s'agit de la plage de cellules B3:E8.

3. Choisissez la commande **Insertion/Carte** ou cliquez sur le bouton correspondant.

4. Tracez avec la souris un rectangle de la dimension souhaitée pour la carte.

5. Dès que vous lâchez le bouton de la souris, Excel analyse la sélection et crée une carte standard en fonction des données qu'il y trouve.

Excel se trouve à présent en mode Map. Toutes les commandes, à l'exception de celles du menu **Fichier**, se rapportent à présent à la carte. Ce mode est symbolisé par la large bordure hachurée de la carte. En outre, la boîte de dialogue **Panneau de configuration** ainsi que la barre d'outils *Microsoft Map* s'affichent.

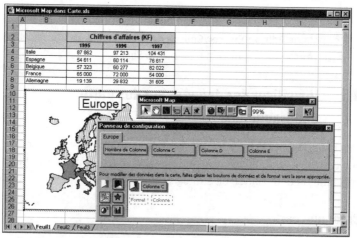

▲ Fig. 9.29 : *Création d'une carte pour la représentation des chiffres d'affaires européens*

Si vous avez spécifié des données géographiques qu'Excel ne reconnaît pas, éventuellement en raison de fautes de frappe, une boîte de dialogue s'affiche avant la carte elle-même pour vous permettre de préciser les données.

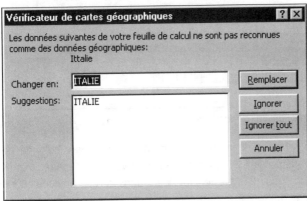

▲ Fig. 9.30 : *Corrigez les données géographiques inconnues dans cette boîte de dialogue*

La barre d'outils Microsoft Map

Lorsque vous vous trouvez en mode Map, la barre d'outils *Microsoft Map* est la seule présente à l'écran, normalement sous la barre de menus. Elle contient tous les boutons importants pour éditer une carte.

▲ Fig. 9.31 : *La barre d'outils Microsoft Map*

Le Panneau de configuration

Le Panneau de configuration peut être divisé en trois sections. La partie supérieure contient les boutons des colonnes ainsi que d'autres boutons, par exemple **Nombre de colonne A**. En bas à gauche se trouvent les boutons pour les formats. Dans la zone blanche du Panneau de configuration, vous pouvez déterminer quelles colonnes et formats doivent être affichés sur la carte, en y faisant glisser les boutons correspondants.

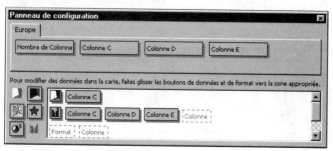

▲ Fig. 9.32 : *Le Panneau de configuration*

On n'y trouve dans un premier temps que la première colonne de données. Vous pouvez en ajouter d'autres si vous le souhaitez. Faites glisser les boutons de la partie supérieure dans la zone blanche où est déjà affiché le bouton de la première colonne. La carte est alors mise à jour. Si d'autres modes de représentation doivent être utilisés, faites glisser le bouton depuis la partie gauche de la boîte de dialogue vers la zone blanche.

Le bouton en haut à gauche correspond à une représentation en niveaux de gris, chaque niveau figurant une plage de valeurs. Le bouton **Densité du point**, quant à lui, représente les valeurs numériques sous forme d'un semis de points. Chaque point représente une certaine valeur. Le bouton **Symbole de proportion** affiche un seul symbole sur chaque région, la taille du symbole représentant la valeur. Utilisez le bouton **Ombrage de catégorie** si vous voulez constituer des sous-groupes de régions possédant des caractéristiques communes. Les formats **Ombrage de valeur**, **Ombrage de catégorie**, **Densité du point** et **Symbole de proportion** ne peuvent être appliqués qu'à une seule série de données. Les formats **Secteurs** et **Histogrammes**, en revanche, peuvent afficher plusieurs séries de données.

Si l'affectation des boutons avec les données de la feuille de calcul n'est pas claire, double-cliquez sur le bouton en question dans la partie supérieure du Panneau de configuration. L'adresse correspondante est alors affichée.

Supprimer une colonne

Pour supprimer une colonne de données de la carte, faites glisser le bouton correspondant hors de la zone blanche.

Quitter le mode Map

Il suffit de cliquer en dehors de la bordure hachurée entourant la carte pour quitter le mode Map. Pour y retourner, double-cliquez sur la carte.

Afficher/masquer le Panneau de configuration

Lorsque le mode Map est actif, vous pouvez afficher ou masquer le Panneau de configuration en cliquant sur le bouton prévu à cet effet dans la barre d'outils *Microsoft Map*.

Mise en forme de la carte

Les possibilités de mise en forme de la carte sont très nombreuses. Nous n'en mentionnons que quelques-unes ci-après.

1. Amenez le pointeur de la souris sur la carte, cliquez avec le bouton droit de la souris pour ouvrir le menu contextuel et choisissez la commande **Caractéristiques**.

2. Dans la zone de liste **Afficher**, activez les cases à cocher des éléments que vous souhaitez ajouter ou retirer à la carte.

3. Différentes options sont proposées à droite de cette zone de liste en fonction de l'option active.

4. Cliquez sur OK lorsque les options sont choisies.

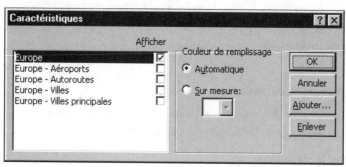

▲ Fig. 9.33 : *La boîte de dialogue Caractéristiques*

Propriétés de format

Un double clic sur un bouton de format dans la zone blanche du Panneau de configuration ouvre une boîte de dialogue dans laquelle vous pouvez définir les propriétés de format du symbole correspondant.

▲ Fig. 9.34 : *La boîte de dialogue Propriétés de format*

Créer un repère de carte personnalisé

 Choisissez la commande **Carte/Ouvrir le repère de carte personnalisé** et tapez un nom pour le nouveau repère de carte. Cliquez sur OK pour refermer la boîte de dialogue, puis sur le bouton **Repère de carte personnalisé**. Le pointeur de la souris se transforme en une épingle que vous pouvez "piquer" à n'importe quel endroit de la carte. Une boîte de dialogue s'affiche pour vous permettre de taper le texte correspondant à l'épingle.

Mettez fin au processus en cliquant à nouveau sur le bouton **Repère de carte personnalisé**. Avec la commande **Carte/Supprimer le repère de carte personnalisé**, vous pouvez vous débarrasser définitivement d'un repère de carte dont vous n'avez plus besoin.

La commande **Carte/Fermer le repère de carte personnalisé**, en revanche, retire de la carte le repère en cours, mais vous pouvez l'afficher à nouveau par la suite si vous en avez besoin. Choisissez à cet effet la commande **Carte/Ouvrir le repère de carte personnalisé**, activez la deuxième option dans la boîte de dialogue et sélectionnez le nom du repère que vous souhaitez afficher.

Astuce

Symbole du repère de carte personnalisé

Un double clic sur un repère ouvre une boîte de dialogue dans laquelle vous pouvez choisir un symbole pour représenter les repères. Le nouveau symbole remplace celui sur lequel vous venez de cliquer et tous les nouveaux repères sont créés avec le nouveau symbole.

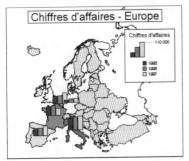

◄ Fig. 9.35 :
La carte a été mise en forme

Chapitre 10

Tableaux
et graphiques croisés
dynamiques

10.1 L'Assistant Tableau croisé dynamique 319

10.2 Les nouveaux graphiques croisés dynamiques 332

En raison de l'extraordinaire richesse de sa bibliothèque de fonctions, Excel 2000 est très bien équipé pour l'analyse de données. Outre les fonctions de feuille de calcul, vous disposez des très nombreuses possibilités de présentation graphique des données. Il existe également les tableaux croisés dynamiques, qui représentent une façon originale et très efficace d'analyser des données.

Un tableau croisé dynamique est une table créée à partir d'une feuille de calcul Excel et permettant de considérer sous différents points de vue des ensembles importants de données. Une fois créé, un tableau croisé dynamique peut être réorganisé simplement en déplaçant les champs. C'est un tableau qui représente de manière synthétique des informations issues des champs d'une liste ou d'une base de données et dans lequel vous pouvez décider vous-même sous quel angle vous voulez considérer les données.

10.1 L'Assistant Tableau croisé dynamique

L'Assistant Tableau croisé dynamique vous vient en aide pour la création des tableaux croisés dynamiques. Des boutons sont générés à partir des titres de lignes et de colonnes. Ces boutons peuvent être déplacés à l'aide de la souris afin de changer la manière dont les données sont présentées et synthétisées. Les données sources ne sont pas modifiées à cette occasion.

Pour créer un tableau croisé dynamique, vous devez définir quelles données seront utilisées comme champs de lignes, de colonnes et de pages et quelles données doivent être synthétisées dans la zone des données. La fonction SOMME est utilisée par défaut pour synthétiser les données numériques et la fonction NB, pour les données non numériques. D'autres fonctions peuvent cependant être choisies.

Les données qui doivent être représentées dans un tableau croisé dynamique peuvent être issues d'une seule ou de plusieurs feuilles de calcul.

Créer un tableau croisé dynamique

Nous allons vous montrer comment créer un tableau croisé dynamique, en prenant comme exemple une statistique de commerce extérieur d'un pays quelconque. Le tableau contient les montants en millions de francs des marchandises importées et exportées en 1997 et 1998 pour différents secteurs d'activité.

	Année	Mois	I/E	Total	Agro-alimentaire	Matières premières	Produits semi-finis	Produits finis
3	1997	Janv	Importation	60 288	5 666	3 516	5 984	41 194
4	1997	Févr	Importation	59 962	5 799	3 090	5 564	41 488
5	1997	Mars	Importation	61 642	6 031	3 268	6 001	42 179
6	1997	Avr	Importation	64 011	6 291	2 667	5 522	45 487
7	1997	Mai	Importation	62 377	6 229	3 318	6 268	42 414
8	1997	Juin	Importation	65 768	6 489	3 089	5 982	45 731
9	1997	Juil	Importation	68 001	6 408	2 953	6 797	47 442
10	1997	Août	Importation	58 650	5 781	3 152	6 309	39 642
11	1997	Sept	Importation	65 624	6 288	2 921	5 746	46 595
12	1997	Oct	Importation	72 113	6 721	3 762	6 604	50 519
13	1997	Nov	Importation	67 922	6 728	3 226	6 480	47 308
14	1997	Déc	Importation	65 793	6 443	3 377	6 036	45 625
15	1998	Janv	Importation	65 799	6 742	2 745	6 437	45 985
16	1998	Févr	Importation	65 318	5 784	2 564	5 790	45 503
17	1998	Mars	Importation	70 936	6 181	3 243	5 677	49 898
18	1998	Avr	Importation	72 286	6 603	2 688	6 252	50 548
19	1998	Mai	Importation	63 260	5 774	2 862	5 208	43 928

▲ **Fig. 10.1** : *Statistiques des importations et exportations, en MF, de différents secteurs d'activité*

Procédez de la façon suivante pour créer un tableau croisé dynamique à partir de ces données :

1. Sélectionnez n'importe quelle cellule dans la liste. Excel reconnaît automatiquement la plage de données à partir de laquelle doit être créé le tableau croisé dynamique. Si la cellule active est située en dehors de la plage de données, vous devez saisir la référence de la plage à l'étape 2 de l'Assistant Tableau croisé dynamique.

2. Choisissez la commande **Données/Rapport de tableau croisé dynamique** ou cliquez sur le bouton **Assistant Tableau croisé**

dynamique dans la barre d'outils *Tableau croisé dynamique*. La boîte de dialogue **Assistant Tableau et graphique croisés dynamiques** s'affiche alors.

3. À la première étape de l'Assistant, vous devez indiquer où se trouvent les données à analyser et si vous voulez simplement créer un tableau croisé dynamique ou un graphique croisé dynamique. Dans notre exemple, nous voulons créer un tableau croisé dynamique à partir d'une liste de données. Cela correspond aux options par défaut. Vous n'avez donc rien d'autre à faire dans cette boîte de dialogue que cliquer sur le bouton **Suivant** pour passer à l'étape 2.

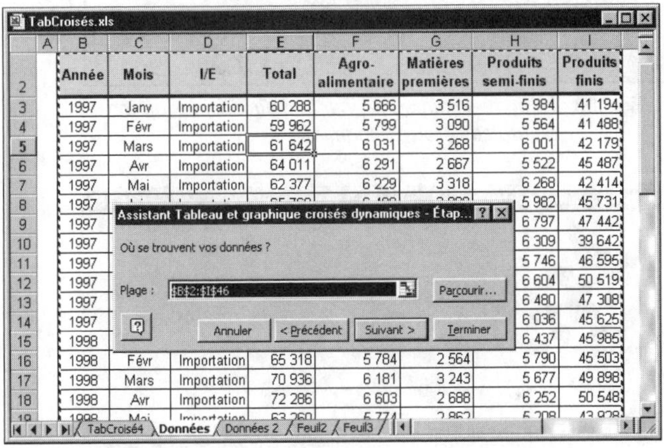

▲ Fig. 10.2 : *Étape 2 de l'Assistant Tableau croisé dynamique*

4. Si Excel n'a pas reconnu correctement la plage de données à analyser, saisissez la référence correspondante dans la zone de saisie. Si les données se trouvent dans un classeur qui n'est pas ouvert, utilisez le bouton **Parcourir**. Cliquez ensuite sur le bouton **Suivant** pour passer à l'étape 3.

5. À l'étape 3, vous devez décider si le tableau croisé dynamique doit être créé sur une nouvelle feuille ou sur une feuille existante. Le bouton **Options** vous permet en outre de définir certaines options supplémentaires concernant la création du tableau croisé dynamique.

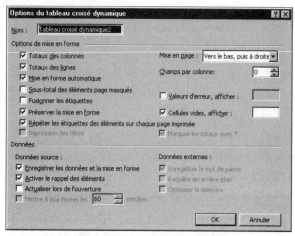

▲ **Fig. 10.3** : *La boîte de dialogue pour la définition des options du tableau croisé dynamique*

▲ **Fig. 10.4** : *Étape 3 de l'Assistant Tableau croisé dynamique*

6. Cliquez ensuite sur le bouton **Terminer**. L'Assistant prend congé et crée la structure d'un tableau croisé dynamique vide sur une nouvelle feuille de calcul. La barre d'outils *Tableau croisé dynamique* s'affiche avec les champs de la feuille de calcul.

7. Vient alors l'étape décisive, celle où vous décidez de l'organisation des données dans le tableau croisé dynamique. Faites glisser dans la partie centrale du futur tableau croisé les champs de données que vous voulez représenter.

Agencer les champs d'un tableau croisé dynamique

Les champs de page se placent dans la première ligne, les champs de ligne dans la première colonne et les champs de colonne dans la troisième ligne de la feuille de calcul.

Remarque

Champs de page

Un champ de page est un champ auquel une orientation en page a été attribuée dans un tableau croisé dynamique. Les éléments d'un champ de page sont affichés un par un dans le tableau croisé dynamique. Dans l'exemple, le champ *I/E* est un champ de page : vous pouvez ainsi afficher au choix les données statistiques de l'importation et celles de l'exportation.

Les zones destinées à recevoir les différents types de champs sont marquées par des bordures bleues dans la structure du tableau croisé dynamique. Chacune porte une inscription permettant de l'identifier.

Dans notre exemple, nous avons fait glisser dans la zone des données les champs *Total*, *Agro-alimentaire*, *Matières premières*, *Produits semi-finis* et *Produits finis*.

Remarque

Champs de données

Dans un tableau croisé dynamique, les champs de données sont ceux qui contiennent les synthèses des données des éléments des champs de colonne et de ligne. Dans l'exemple, il s'agit pour les champs *Total*, *Agro-alimentaire*, *Matières premières*, *Produits semi-finis* et *Produits finis* des données correspondant aux critères des différents champs de ligne, de colonne et de page.

Le champ *I/E* a été placé en tant que champ de page dans la première ligne de la structure de la feuille de calcul. Le champ *Année* est un champ de ligne et le champ *Mois*, un champ de colonne.

Remarque

Champs de ligne et de colonne

Les champs de ligne sont les champs auxquels une orientation en ligne a été affectée dans un tableau croisé dynamique. Dans l'exemple, le champ *Année*, avec les éléments 1997 et 1998, est un champ de ligne. Une champ de colonne est un champ auquel une orientation en colonne a été affectée dans un tableau croisé dynamique. Dans l'exemple, c'est le champ *Mois* avec les éléments *Janvier* à *Décembre*.

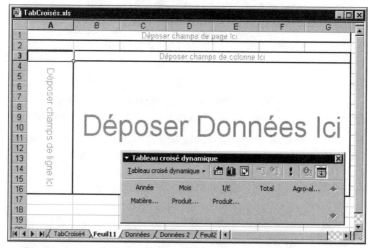

▲ Fig. 10.5 : *La structure vide du futur tableau croisé dynamique ; il faut faire glisser les champs à l'aide de la souris depuis la barre d'outils Tableau croisé dynamique vers les zones concernées*

Lorsque les différents champs sont à leur place, vous pouvez commencer à travailler avec le tableau croisé dynamique (voir fig. 10.6).

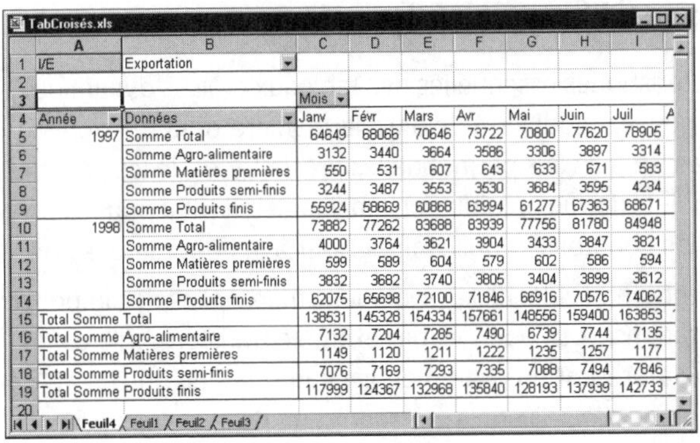

	A	B	C	D	E	F	G	H	I
1	I/E	Exportation							
2									
3			Mois						
4	Année	Données	Janv	Févr	Mars	Avr	Mai	Juin	Juil
5	1997	Somme Total	64649	68066	70646	73722	70800	77620	78905
6		Somme Agro-alimentaire	3132	3440	3664	3586	3306	3897	3314
7		Somme Matières premières	550	531	607	643	633	671	583
8		Somme Produits semi-finis	3244	3487	3553	3530	3684	3595	4234
9		Somme Produits finis	55924	58669	60868	63994	61277	67363	68671
10	1998	Somme Total	73882	77262	83688	83939	77756	81780	84948
11		Somme Agro-alimentaire	4000	3764	3621	3904	3433	3847	3821
12		Somme Matières premières	599	589	604	579	602	586	594
13		Somme Produits semi-finis	3832	3682	3740	3805	3404	3899	3612
14		Somme Produits finis	62075	65698	72100	71846	66916	70576	74062
15	Total Somme Total		138531	145328	154334	157661	148556	159400	163853
16	Total Somme Agro-alimentaire		7132	7204	7285	7490	6739	7744	7135
17	Total Somme Matières premières		1149	1120	1211	1222	1235	1257	1177
18	Total Somme Produits semi-finis		7076	7169	7293	7335	7088	7494	7846
19	Total Somme Produits finis		117999	124367	132968	135840	128193	137939	142733
20									

▲ Fig. 10.6 : *Le tableau croisé dynamique prend forme*

À côté du champ de page *I/E* figure la mention *Exportation*. Cela signifie que les données affichées dans la zone de données du tableau croisé dynamique sont celles de l'exportation. Vous pouvez très facilement obtenir les informations sur les importations. Ouvrez la liste déroulante du champ de page *I/E* en cliquant sur le bouton fléché. Elle contient les valeurs possibles du champ de page, en l'occurrence *Exportation* et *Importation*. Vous pouvez y sélectionner la valeur de votre choix, par exemple *Importation*. Cliquez sur OK. Le tableau croisé dynamique affiche à présent les données correspondant aux marchandises importées.

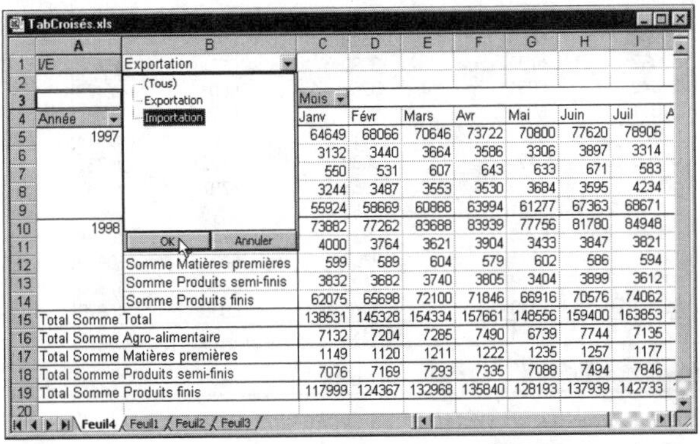

	A	B	C	D	E	F	G	H	I
3			Mois						
4	Année		Janv	Févr	Mars	Avr	Mai	Juin	Juil
5	1997		64649	68066	70646	73722	70800	77620	78905
6			3132	3440	3664	3586	3306	3897	3314
7			550	531	607	643	633	671	583
8			3244	3487	3553	3530	3684	3595	4234
9			55924	58669	60868	63994	61277	67363	68671
10	1998		73882	77262	83688	83939	77756	81780	84948
11			4000	3764	3621	3904	3433	3847	3821
12		Somme Matières premières	599	589	604	579	602	586	594
13		Somme Produits semi-finis	3832	3682	3740	3805	3404	3899	3612
14		Somme Produits finis	62075	65698	72100	71846	66916	70576	74062
15	Total Somme Total		138531	145328	154334	157661	148556	159400	163853
16	Total Somme Agro-alimentaire		7132	7204	7285	7490	6739	7744	7135
17	Total Somme Matières premières		1149	1120	1211	1222	1235	1257	1177
18	Total Somme Produits semi-finis		7076	7169	7293	7335	7088	7494	7846
19	Total Somme Produits finis		117999	124367	132968	135840	128193	137939	142733
20									

▲ Fig. 10.7 : *Il suffit de choisir l'option correspondante parmi les valeurs du champ de page I/E pour afficher les données de l'importation*

Réorganiser un tableau croisé dynamique

Une des caractéristiques essentielles des tableaux croisés dynamiques est que vous pouvez modifier à volonté la manière dont les données sont organisées, ce qui vous permet de les présenter et de les analyser sous tous les points de vue possibles et imaginables. Il suffit pour cela de cliquer sur un des boutons et de le faire glisser à la nouvelle position.

Pour mieux mettre en évidence les évolutions mensuelles des importations et exportations, vous pourriez par exemple transformer le champ *Données* (jusqu'à présent un champ de ligne interne) en un champ de colonne, le champ *Mois* (jusqu'à présent champ de colonne) en un champ de ligne et le champ *Année* (jusqu'à présent champ de ligne externe) en un champ de page supplémentaire, en faisant glisser ces boutons aux positions correspondantes. L'apparence du tableau croisé dynamique change à chaque déplacement d'un champ. Le nouveau tableau ainsi obtenu est plus parlant en ce qui concerne l'évolution mensuelle des échanges des différentes catégories de marchandises.

	A	B	C	D	E	F
1	Année	1997 ▼				
2	I/E	Importation ▼				
3						
4		Données ▼				
5	Mois ▼	Somme Total	Somme Agro-alimentaire	Somme Matières premières	Somme Produits semi-finis	Somme Produits finis
6	Janv	60288	5666	3516	5984	41194
7	Févr	59962	5799	3090	5564	41488
8	Mars	61642	6031	3268	6001	42179
9	Avr	64011	6291	2667	5522	45487
10	Mai	62377	6229	3318	6268	42414
11	Juin	65768	6489	3089	5982	45731
12	Juil	68001	6408	2953	6797	47442
13	Août	58650	5781	3152	6309	39642
14	Sept	65624	6288	2921	5746	46595
15	Oct	72113	6721	3762	6604	50519
16	Nov	67922	6728	3226	6480	47308
17	Déc	65793	6443	3377	6036	45625
18	Total	772151	74874	38339	73293	535624

Titre fenêtre : **TabCroisés.xls** — Feuil4 / Feuil1 / Feuil2 / Feuil3

▲ Fig. 10.8 : *Pour mieux mettre en évidence les évolutions mensuelles, les champs du tableau croisé dynamique ont été réorganisés*

Définir des fonctions pour la synthèse des données

Pour poursuivre l'analyse des données, nous allons modifier une fois de plus le tableau croisé dynamique :

1. Faites glisser le champ *Mois* dans la zone des champs de page.

2. Faites glisser le champ *Année* dans la zone des champs de ligne.

3. Affichez la barre d'outils *Tableau croisé dynamique*.

4. Sélectionnez le champ de données situé sous *Somme Total*.

5. Cliquez dans la barre d'outils *Tableau croisé dynamique* sur le bouton **Paramètres de champ**.

6. Sélectionnez l'option *Moyenne* dans la zone de liste *Synthèse par*. Cliquez sur OK.

Vous obtenez une nouvelle vue des données, qui vous donne de nouvelles informations sur l'évolution des importations et exportations. Dans la première colonne du tableau croisé dynamique figure à présent pour les années 1997 et 1998 la moyenne mensuelle de toutes les exportations.

▲ Fig. 10.9 : *En modifiant les paramètres de champ, vous pouvez sélectionner d'autres fonctions pour la synthèse des données et, par exemple, obtenir des moyennes*

Si vous modifiez la valeur du champ de page *I/E* en *Importations*, vous obtiendrez les moyennes correspondantes pour l'importation.

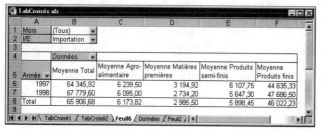

▲ Fig. 10.10 : *Statistique d'importation avec moyennes annuelles*

Afficher les détails

Procédez de la façon suivante pour afficher des détails sous-jacents à une vue :

1. Sélectionnez une cellule de la zone de données pour laquelle vous souhaitez des détails. Dans l'exemple, nous souhaitons afficher les détails de l'année 1997.

2. Affichez la barre d'outils *Tableau croisé dynamique*.

3. Cliquez dans la barre d'outils sur le bouton **Afficher**.

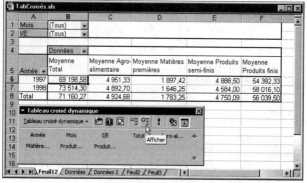

▲ Fig. 10.11 : *Affichage de détails à l'aide du bouton Afficher*

Excel crée une nouvelle feuille de calcul indépendante du tableau croisé dynamique, avec les détails souhaités.

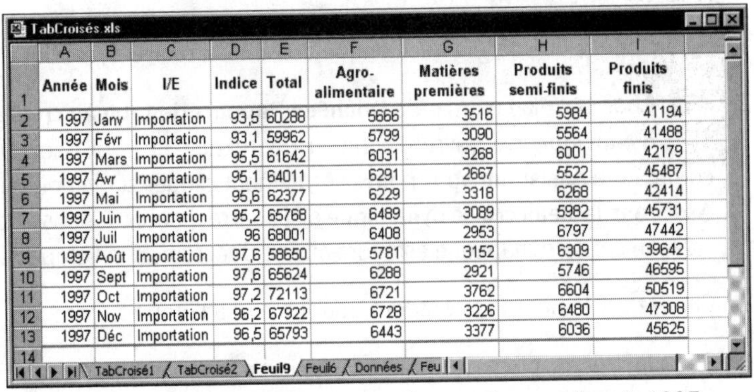

TabCroisés.xls

	A	B	C	D	E	F	G	H	I
1	Année	Mois	I/E	Indice	Total	Agro-alimentaire	Matières premières	Produits semi-finis	Produits finis
2	1997	Janv	Importation	93,5	60288	5666	3516	5984	41194
3	1997	Févr	Importation	93,1	59962	5799	3090	5564	41488
4	1997	Mars	Importation	95,5	61642	6031	3268	6001	42179
5	1997	Avr	Importation	95,1	64011	6291	2667	5522	45487
6	1997	Mai	Importation	95,6	62377	6229	3318	6268	42414
7	1997	Juin	Importation	95,2	65768	6489	3089	5982	45731
8	1997	Juil	Importation	96	68001	6408	2953	6797	47442
9	1997	Août	Importation	97,6	58650	5781	3152	6309	39642
10	1997	Sept	Importation	97,6	65624	6288	2921	5746	46595
11	1997	Oct	Importation	97,2	72113	6721	3762	6604	50519
12	1997	Nov	Importation	96,2	67922	6728	3226	6480	47308
13	1997	Déc	Importation	96,5	65793	6443	3377	6036	45625
14									

TabCroisé1 / TabCroisé2 / Feuil9 / Feuil6 / Données / Feu

▲ Fig. 10.12 : *Les détails des statistiques d'importation pour l'année 1997*

Mise à jour des données

Lorsque les données sources subissent des modifications, le tableau croisé dynamique peut être mis à jour par un simple clic.

1. Sélectionnez une cellule quelconque du tableau croisé dynamique.
2. Choisissez la commande **Données/Actualiser les données**.

Le tableau croisé dynamique est alors mis à jour en fonction des nouvelles données.

Insérer de nouvelles données dans le tableau croisé dynamique

Lorsque vous ajoutez de nouvelles lignes ou colonnes dans la liste sous-jacente au tableau croisé dynamique, vous devez activer l'Assistant Tableau croisé dynamique et modifier la plage de données à l'étape 2. À titre d'exemple, nous avons ajouté la colonne Indice à la feuille de calcul d'origine. Elle contient un indice de comparaison pour l'exportation et l'importation sur la base des données correspondantes de l'année 1991, qui ont la valeur de référence 100. Suivez les indications ci-après pour tenir compte de ces données supplémentaires dans le tableau croisé dynamique.

1. Sélectionnez une cellule quelconque du tableau croisé dynamique.

2. Choisissez la commande **Données/Rapport de tableau croisé dynamique** ou ouvrez le menu contextuel et choisissez la commande **Assistant**. Vous pouvez également cliquer sur le bouton **Assistant Tableau croisé dynamique** de la barre d'outils. L'Assistant Tableau croisé dynamique est alors ouvert directement à l'étape 3.

3. Cliquez sur le bouton **Précédent** pour revenir à l'étape 2.

4. Redéfinissez la plage de données dans la zone de saisie *Plage*. Cliquez sur **Suivant**.

5. À l'étape 3, cliquez sur **Terminer** afin de refermer l'Assistant Tableau croisé dynamique.

6. Insérez le nouveau champ *Indice* dans le tableau croisé dynamique en le faisant glisser avec la souris. Dans l'exemple, il a été ajouté dans la zone de données.

	A	B	C	D	E	F	G	H	
1	I/E	(Tous)		Indice 100 = 1991					
2									
3			Mois						
4	Année	Données	Janv	Févr	Mars	Avr	Mai	Juin	Jui
5	1997	Somme Total	124937	128028	132288	137733	133177	143388	14
6		Somme Agro-alimentaire	8798	9239	9695	9877	9535	10386	
7		Somme Matières premières	4066	3621	3875	3310	3951	3760	
8		Somme Produits semi-finis	9228	9051	9554	9052	9952	9577	1
9		Somme Produits finis	97118	100157	103047	109481	103691	113094	11
10		Somme Indice	187,2	186,9	189,2	189,4	189,3	190,6	
11	1998	Somme Total	141781	142580	154624	156225	141016	152397	15
12		Somme Agro-alimentaire	10742	9548	9802	10507	9207	9950	1
13		Somme Matières premières	3344	3153	3847	3267	3464	3073	
14		Somme Produits semi-finis	10269	9472	9417	10057	8612	9991	
15		Somme Produits finis	108060	111201	121998	122394	110844	120647	12
16		Somme Indice	189,8	190,2	191,7	190,4	189,7	189,8	

Détails / TabCroisé3 \ **TabCroisé4** / Données / Feuil2

▲ Fig. 10.13 : *Un nouveau champ de données est venu compléter le tableau croisé dynamique*

Supprimer un tableau croisé dynamique

Procédez de la façon suivante pour supprimer un tableau croisé dynamique :

1. Sélectionnez tout le tableau croisé dynamique, y compris les titres.

2. Choisissez la commande **Édition/Effacer/Tout**. Vous pouvez également choisir la commande **Effacer le contenu** dans le menu contextuel. Le tableau croisé dynamique est alors supprimé. Les données sources ne sont pas concernées par cette opération.

Mise en forme d'un tableau croisé dynamique

Vous pouvez utiliser toutes les techniques de mise en forme que vous connaissez pour formater un tableau croisé dynamique. Évitez toutefois de définir des mises en forme pour des cellules isolées car, à l'occasion des réorganisations du tableau croisé dynamique ou d'une mise à jour, ces cellules peuvent être déplacées de manière imprévisible, et le résultat peut être extrêmement déroutant. Mieux vaut employer une des mises en forme automatiques. Vous pouvez utiliser la commande **Mettre en forme le rapport** du menu contextuel ou cliquer sur le bouton de même nom pour accéder aux mises en forme automatiques. Pour affecter un des formats prédéfinis, il suffit de sélectionner celui qui vous plaît puis de cliquer sur OK. Vous aurez bien entendu pris soin, au préalable, de sélectionner une cellule du tableau croisé dynamique (voir fig. 10.14).

Pour mettre en forme les nombres dans un tableau croisé dynamique, sélectionnez la cellule à mettre en forme dans le tableau puis cliquez sur le bouton **Paramètres de champ** dans la barre d'outils *Tableau croisé dynamique*. Dans la boîte de dialogue qui s'affiche, cliquez sur le bouton **Nombre**. La nouvelle boîte de dialogue qui s'affiche correspond à l'onglet **Nombre** de la boîte de dialogue **Format de cellule**. Vous pouvez y définir le format de nombre que vous souhaitez affecter à la cellule sélectionnée. Toutes les données du tableau croisé dynamique qui font partie du champ de la cellule sélectionnée sont mises en forme. Lorsque plusieurs champs sont présents dans le tableau croisé dynamique, chacun doit être mis en forme séparément.

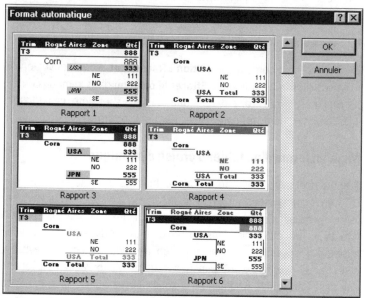

▲ Fig. 10.14 : *Les mises en forme automatiques permettent de formater des tableaux croisés dynamiques rapidement et efficacement*

10.2 Les nouveaux graphiques croisés dynamiques

Les graphiques croisés dynamiques sont une nouveauté d'Excel 2000. Ils représentent une forme particulière de graphique lié aux contenus de tableaux croisés dynamiques. Ils offrent une possibilité supplémentaire d'analyse et de visualisation des données. Les graphiques croisés dynamiques peuvent être modifiés de manière interactive comme les tableaux croisés dynamiques, et ils vous permettent ainsi de présenter les informations sous différents points de vue.

1. Sélectionnez une cellule quelconque du tableau croisé dynamique qui doit servir de base au graphique croisé dynamique.

2. Affichez la barre d'outils *Tableau croisé dynamique*.

3. 🔲 Cliquez sur le bouton **Assistant Graphique**.

4. C'est terminé !

Pour être tout à fait honnêtes, à l'étape 4 ci-dessus, nous aurions dû écrire : "C'est presque terminé !" L'Assistant Graphique génère en effet un graphique par défaut, et quelques mises en forme sont nécessaires pour obtenir une présentation soignée et parlante. La première chose à faire sera souvent de choisir un type de graphique adapté à la situation.

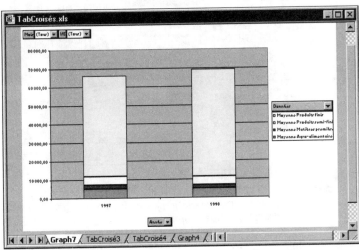

▲ Fig. 10.15 : *Le graphique croisé dynamique brut tel qu'il est créé par l'Assistant Graphique*

Mise en forme d'un graphique croisé dynamique

Les techniques que vous avez utilisées pour mettre en forme un graphique normal peuvent également être employées pour les graphiques croisés dynamiques.

1. Cliquez sur la zone du graphique.

2. Ouvrez le menu contextuel.

3. Choisissez la commande **Type de graphique**.

4. Sélectionnez le type qui vous semble convenir le mieux dans la boîte de dialogue **Type de graphique**. Validez avec OK.

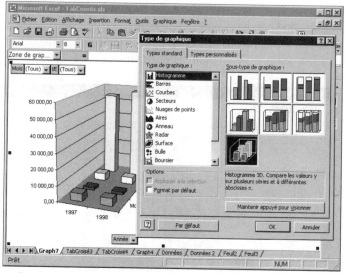

▲ Fig. 10.16 : *Sélection d'un type de graphique mieux adapté dans la boîte de dialogue Type de graphique*

Dans l'exemple, nous avons opté pour une représentation à l'aide d'un histogramme 3D.

Pour effectuer d'autres mises en forme, cliquez à nouveau dans la zone de graphique et choisissez la commande **Options du graphique** dans le menu contextuel.

Dans la boîte de dialogue **Options du graphique**, vous pouvez définir toutes les mises en forme concernant les graphiques en activant l'un après l'autre les différents onglets. Sur l'onglet **Titres**, par exemple, vous pouvez définir le titre du graphique ainsi que les étiquettes des axes des abscisses, des ordonnées et des séries.

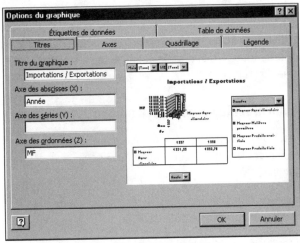

▲ Fig. 10.17 : *Définition des options du graphique*

Les autres onglets se rapportent à la mise en forme des axes, à la sélection des quadrillages, à la légende et aux étiquettes de données. Sur l'onglet **Table de données**, vous pouvez indiquer si la table de données doit être affichée sous le graphique croisé dynamique et si les symboles de la légende doivent y figurer.

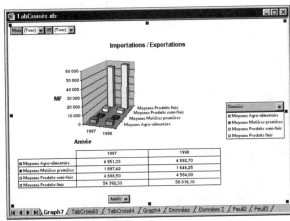

▲ Fig. 10.18 : *Le graphique mis en forme*

Après tout ce travail, laissez-vous aller et jouez un peu avec votre graphique croisé dynamique. Modifiez les valeurs dans les différents champs afin d'afficher différentes informations. Vous voyez que le graphique visualise tout ce qu'un tableau croisé dynamique peut afficher sous forme de tableau.

Réorganiser un graphique croisé dynamique

Tout comme dans un tableau croisé dynamique, vous pouvez également grouper différemment les champs et obtenir ainsi de nouvelles formes de représentation.

1. Faites glisser le champ *Année* dans la zone des champs de page, dans le coin supérieur gauche du graphique.

2. Faites glisser le champ *Mois* (jusqu'à présent champ de page) dans la zone des champs de l'axe des catégories, sous le graphique.

Le graphique s'adapte aussitôt. Vous voyez à présent parfaitement l'évolution mensuelle des statistiques d'exportation. Toutes les mises en forme définies auparavant sont conservées.

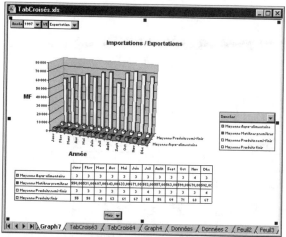

▲ Fig. **10.19** : *En deux temps, trois mouvements, le graphique est réorganisé et présente les données d'une manière tout à fait différente*

Chapitre 11

Gestion de données
sous forme de listes

11.1 Travailler avec des listes de données 339

11.2 Trier des listes 344

11.3 Des filtres automatiques pour sélectionner des données 351

11.4 Des filtres élaborés pour des recherches complexes 356

Du fait de sa structure tabulaire, Excel est également fait pour gérer des données sous forme de listes, par exemple des adresses ou des stocks. Vous disposez pour cela de toutes les fonctions d'analyse nécessaires. Une grille facilite par ailleurs la saisie, la modification et la recherche des données.

11.1 Travailler avec des listes de données

Excel est capable de traiter en tant que liste des données contenues dans une feuille de calcul. Un ensemble de données est automatiquement reconnu comme étant une liste lorsque des opérations typiques telles que la recherche et le tri des données ou le calcul de sous-totaux lui sont appliquées. Il suffit pour cela que la première ligne de la liste contienne des titres de colonnes pouvant faire office de noms de champs.

Évitez de laisser des espaces au début d'une cellule car elles faussent les résultats des recherches et des tris. Il faut, par ailleurs, que toutes les cellules d'une colonne aient la même mise en forme.

Saisir des données à l'aide de la grille

Une liste peut être exploitée avec ou sans l'aide de la grille. Cette derni ère constitue souvent une aide appréciable.

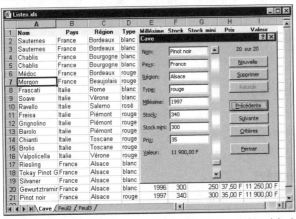

▲ Fig. 11.1 : *La grille offre un confort appréciable pour la saisie des données dans une liste*

Une grille n'est rien de plus qu'une boîte de dialogue utilisée pour visualiser, ajouter, rechercher, modifier ou supprimer des enregistrements.

Lorsque vous utilisez la grille pour saisir des données, le nouvel enregistrement est ajouté à la fin de la liste de données. Voici quelques indications sur la manière de travailler avec des listes à l'aide de la grille :

1. Sélectionnez une cellule quelconque dans la liste à laquelle vous voulez ajouter un enregistrement.

2. Choisissez la commande **Données/Grille**. La grille s'affiche.

3. Cliquez sur le bouton **Nouvelle** afin d'ajouter un nouvel enregistrement (une nouvelle ligne).

4. Entrez les données souhaitées dans les zones de saisie de la grille. Pour activer la zone de saisie suivante, cliquez dedans ou appuyez sur la touche **Tab** .

5. Appuyez sur la touche **Entrée** lorsque toutes les zones de saisie sont remplies. L'enregistrement est alors ajouté à la liste et les zones de saisie de la grille sont effacées. Vous pouvez donc saisir aussitôt un enregistrement supplémentaire.

6. Lorsque tous les enregistrements sont ajoutés, cliquez sur le bouton **Fermer**.

Barre de titre de la grille

La barre de titre de la grille affiche automatiquement le nom de la feuille de calcul contenant la liste. Vous pouvez saisir la grille par cette barre de titre pour la déplacer à l'écran.

Champs de données

Dans la partie gauche de la grille sont listés les noms des champs. Ils correspondent aux titres des colonnes de la liste. Chaque nom de champ est associé à une zone de saisie contenant la valeur du champ pour l'enregistrement en cours. La saisie dans ces zones s'effectue comme à l'accoutumée après que le point d'insertion y a été placé. Certains champs ne sont pas accompagnés d'une zone de saisie et ne peuvent donc pas être modifiés car leur contenu est calculé à l'aide d'une formule.

Barre de défilement

À droite des zones de saisie se trouve la barre de défilement, qui vous permet de vous déplacer dans la base de données et d'accéder à tous les enregistrements.

Affichage de la position

Dans le coin supérieur droit, au-dessus du bouton **Nouvelle**, est indiqué le numéro de l'enregistrement courant ainsi que le nombre total d'enregistrements contenus dans la liste. Les enregistrements vides à la fin de la base de données ne sont pas comptés. Lorsque vous vous trouvez tout à la fin de la liste, cette information se transforme en *Nouvel enregistrement*.

Les boutons de la grille

À droite se trouvent les boutons servant à travailler dans la liste.

- **Nouvelle** : lorsque vous cliquez sur ce bouton, Excel se positionne directement à la fin de la liste et affiche la mention *Nouvel enregistrement* dans le coin supérieur droit. Vous savez ainsi que vous pouvez ajouter une nouvelle ligne à la liste. Le point d'insertion est automatiquement placé dans la première zone de saisie, et vous pouvez commencer à saisir des données sans tarder.

- **Supprimer** : supprime l'enregistrement courant.

- **Rétablir** : rétablit l'enregistrement qui a été modifié dans la grille. Le clic sur **Rétablir** n'a plus aucun effet à partir du moment où vous avez appuyé sur la touche **Entrée** ou fait défiler les enregistrements.

- **Précédente** : affiche l'enregistrement précédent.

- **Suivante** : affiche l'enregistrement suivant.

- **Critères** : affiche une boîte de dialogue pour la saisie des critères de recherche.
- **Fermer** : ferme la grille.

Rechercher des enregistrements à l'aide de la grille

La première exigence que l'on a vis-à-vis d'une base de données est de savoir retrouver rapidement certains enregistrements. Avec les boutons **Précédente** et **Suivante**, vous pouvez parcourir les enregistrements un à un vers l'avant ou vers l'arrière. À l'aide des barres de défilement, vous pouvez également naviguer parmi les enregistrements.

Mais lorsque vous recherchez un ou plusieurs enregistrements bien précis, vous devez définir des critères pour la recherche.

1. Sélectionnez une cellule quelconque dans la liste.

2. Choisissez la commande **Données/Grille** afin d'afficher la grille.

3. Cliquez sur le bouton **Critères**. Une grille vierge s'affiche. Tapez les critères de recherche dans les zones de saisie correspondantes.

4. Cliquez sur le bouton **Suivante** ou **Précédente** pour trouver l'occurrence suivante ou précédente remplissant les critères spécifiés.

5. Cliquez sur le bouton **Fermer** lorsque la recherche est terminée. La grille est alors fermée. Vous pouvez également mettre fin à la recherche sans fermer la grille, en cliquant sur le bouton **Grille**.

Formuler des critères de recherche

De nombreuses recherches se limitent à une comparaison directe entre une chaîne de caractères et tous les enregistrements. Il arrive cependant que l'on soit obligé d'effectuer des recherches dans de grands ensembles de données sans qu'il s'agisse toujours d'une comparaison directe. Vous pouvez combiner plusieurs critères ou utiliser des critères de comparaison tels que "plus grand que", par exemple.

Correspondance de chaîne de caractères

Si vous recherchez par exemple dans la liste Cave (fichier Listes.xls) tous les enregistrements dont le champ *Région* a pour contenu Bourgogne, vous devez entrer la valeur **Bourgogne** dans le champ *Région*. Lorsque vous actionnez les boutons **Précédente** et **Suivante**, vous ne voyez alors s'afficher que des enregistrements dont le champ *Région* possède ce contenu.

Opérateurs de comparaison

Vous pouvez également utiliser des opérateurs de comparaison pour effectuer des recherches dans des listes.

Si vous voulez par exemple connaître les vins dont le prix est supérieur à 50 F, dans l'exemple précédent, vous devez entrer la formule **>50** dans le champ *Prix*, en guise de critère. Vous pouvez également utiliser des chaînes de caractères avec des critères de comparaison. Le critère **>S**, par exemple, affiche tous les noms commençant par T, U, V, etc.

Opérateurs de comparaison combinés

Vous pouvez également combiner des critères pour rechercher des vins provenant de France (**France**) et dont le prix est supérieur à 30 F (**>30**).

Caractères génériques

Les caractères génériques habituels peuvent être employés : le point d'interrogation (**?**) remplace n'importe quel caractère unique tandis que l'astérisque (*****) remplace un nombre quelconque de caractères.

Si vous entrez le critère ***tin** pour trouver des enregistrements dans une liste d'adresses, Excel trouvera aussi bien les Martin que les Quentin, les Tintin et autres Pantin. Si vous spécifiez le critère **Dupon?**, Excel trouvera, s'ils sont contenus dans la base de données, les noms Dupont et Dupond.

Un problème se pose lorsqu'il s'agit de rechercher une chaîne de caractères contenant effectivement un astérisque ou un point d'interrogation. Dans ce cas, vous devez placer un tilde (**~**) devant le caractère en question.

Modifier et supprimer des enregistrements à l'aide de la grille

Pour modifier un enregistrement de quelque manière que ce soit, par exemple pour corriger une faute de frappe ou actualiser des données ou pour supprimer un enregistrement, vous pouvez utiliser la grille pour le rechercher et effectuer les modifications souhaitées.

1. Sélectionnez une cellule quelconque de la liste.

2. Choisissez la commande **Données/Grille**. La grille s'affiche.

3. Recherchez l'enregistrement à modifier ou à supprimer.

4. Si les données doivent être mises à jour, effectuez les modifications dans les zones de saisie concernées.

5. Si vous voulez supprimer l'enregistrement, cliquez sur le bouton **Supprimer**.

6. Cliquez sur le bouton **Fermer**.

11.2 Trier des listes

Lorsque vous ajoutez des données à l'aide de la grille, les nouveaux enregistrements sont toujours placés en fin de liste. Celle-ci se présente par conséquent dans l'ordre de la saisie. Pour organiser votre base de données et pour vous aider à vous y retrouver, vous pouvez trier les enregistrements. Le tri peut concerner la liste entière ou une partie seulement.

Pour trier la liste entière, sélectionnez une cellule quelconque avant d'activer la commande de tri. Pour trier une partie de la liste seulement, sélectionnez exactement les lignes ou les colonnes concernées. Excel limite alors le tri à la sélection.

Une liste peut être triée par lignes ou par colonnes. Ce deuxième cas de figure est cependant exceptionnel et n'a qu'un intérêt limité. C'est la raison pour laquelle le tri par lignes est le mode par défaut. Pour activer un tri par colonnes, cliquez sur le bouton **Options** dans la boîte de dialogue **Trier** et sélectionnez l'option *De la gauche vers la droite*.

Remarque

Trier par lignes

Trier par lignes signifie que les enregistrements sont triés du haut vers le bas en fonction du contenu d'une colonne qui fait office de clé de tri. Vous pouvez ainsi trier une base de données d'adresses d'après les noms, par exemple.

Trier une liste par lignes

Procédez de la façon suivante pour trier une liste par lignes :

1. Sélectionnez une cellule quelconque dans la liste.

2. Choisissez la commande **Données/Trier**.

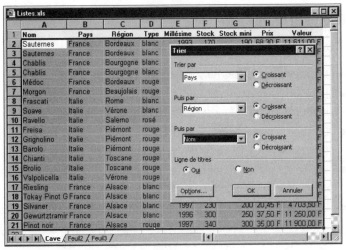

▲ Fig. 11.2 : *La boîte de dialogue Trier*

3. Sélectionnez, dans la liste déroulante *Trier par*, la colonne qui doit servir de clé de tri.

4. Sélectionnez l'option *Croissant* ou *Décroissant* pour définir l'ordre de tri.

5. De la même manière, vous pouvez ensuite définir deux autres clés de tri dans les deux listes déroulantes *Puis par* .

6. Vérifiez l'option active dans la rubrique *Ligne de titres*. Si l'option *Oui* est active, Excel suppose que la première ligne de la liste contient des titres qui doivent être exclus du tri. Cette option est active par défaut. Si vous voulez que la première ligne soit également prise en compte lors du tri, activez l'option *Non*.

7. Cliquez sur le bouton **Options** et assurez-vous que l'option *Du haut vers le bas* est activée dans la rubrique *Orientation*. Cliquez sur OK pour revenir à la boîte de dialogue **Trier**.

8. Cliquez sur OK pour exécuter le tri en fonction des indications faites dans la boîte de dialogue.

Règles et ordre de tri

Excel observe les règles suivantes pour le tri :

- Les lignes masquées ne sont pas prises en compte dans le tri.

- Lorsque plusieurs lignes ont le même contenu dans la colonne clé, leur ordre respectif n'est pas modifié à l'issue du tri.

- Lorsque la plage de cellules à trier contient des cellules vides dans la colonne clé, les lignes correspondantes sont placées en fin de liste.

- Les options de tri sont enregistrées à l'issue du dernier tri et restent en vigueur jusqu'à ce qu'elles soient explicitement modifiées.

- Lors d'un tri avec plusieurs clés de tri, les lignes ayant le même contenu dans la clé primaire sont triées d'après la deuxième clé. Celles qui ont encore une fois le même contenu dans cette deuxième clé sont ensuite triées d'après la troisième clé.

Ordre de tri pour un tri croissant :

- Les nombres sont rangés du plus petit nombre négatif au plus grand nombre positif. Les valeurs de dates et d'heures sont triées en fonction de leurs numéros de série correspondants.

- Les textes sont triés d'après l'ordre suivant : 0 1 2 3 4 5 6 7 8 9 (espace) ! " # $ % & ' ( ) * + , - . / : ; < = > ? @ [\] ^_ '~ _ A Ä B C D E F G H I J K L M N O P Q R S T U Ü V W X Y Z.

- La valeur logique VRAI vient avant la valeur FAUX.

- Les valeurs d'erreur ont une valeur équivalente lors d'un tri.

- Les cellules vides sont toujours placées à la fin.

L'ordre est naturellement inversé en cas de tri décroissant, à l'exception des cellules vides qui sont toujours placées à la fin.

Boutons Tri croissant et Tri décroissant

Pour trier une liste à l'aide des boutons **Tri croissant** et **Tri décroissant**, sélectionnez une cellule de la colonne qui doit servir de clé de tri et cliquez sur le bouton souhaité.

Vous ne pouvez utiliser qu'une seule clé de tri si vous travaillez avec les boutons de tri.

Ordre de tri personnalisé

Vous pouvez définir un ordre de tri personnalisé :

1. Choisissez la commande **Outils/Options** et activez l'onglet **Listes pers**.

2. Sélectionnez l'option *Nouvelle liste* dans la zone de liste *Listes personnalisées*. Le point d'insertion se place alors dans la zone de saisie *Entrées de la liste*.

3. Tapez la première entrée de votre liste personnalisée, appuyez sur la touche **Entrée**, tapez la deuxième entrée, etc. Appuyez sur la touche **Entrée** à la suite de chaque élément de la liste. Vous pouvez également récupérer les éléments de la liste dans une feuille de calcul.

Dans ce cas, vous devez indiquer la référence correspondante dans la zone de saisie *Importer la liste des cellules* puis cliquer sur le bouton **Importer**.

4. Cliquez sur le bouton **Ajouter**. Les entrées sont reportées dans la zone de liste *Listes personnalisées*.

5. Cliquez sur OK.

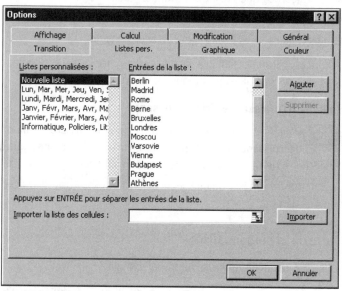

▲ Fig. 11.3 : *Définition d'une liste personnalisée*

Sélectionner un ordre de tri personnalisé

Procédez de la façon suivante pour utiliser votre ordre de tri personnalisé :

1. Sélectionnez une cellule quelconque de la liste.

2. Choisissez la commande **Données/Trier**.

3. Cliquez sur le bouton **Options**. La boîte de dialogue **Options de tri** s'affiche.

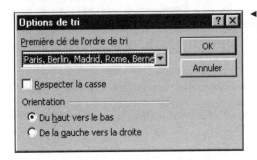

◄ Fig. 11.4 :
La boîte de dialogue Options de tri

4. Ouvrez la liste déroulante *Première clé de l'ordre de tri* et sélectionnez la liste souhaitée.

5. Cliquez sur le bouton OK afin de fermer la boîte de dialogue **Options de tri**.

6. Cliquez sur le bouton OK afin de lancer le tri.

Remarque

Ordre de tri personnalisé

Un ordre de tri personnalisé ne s'applique qu'à une seule colonne. Si vous souhaitez appliquer l'ordre de tri personnalisé à plusieurs colonnes, vous devez trier successivement d'après les différentes colonnes, en commençant par la moins importante et en terminant par la plus importante.

Trier les listes par colonnes

Les listes peuvent également être triées par colonnes.

Remarque

Trier par colonnes

Trier par colonnes signifie trier une liste de la gauche vers la droite. La ligne contenant les titres de colonnes détermine alors l'ordre. Les colonnes sont rangées selon l'ordre de tri choisi.

Procédez de la façon suivante pour trier une liste par colonnes :

1. Sélectionnez une cellule quelconque de la liste qui doit être triée par colonnes.

2. Choisissez la commande **Données/Trier**. La boîte de dialogue **Trier** s'affiche.

3. Cliquez sur le bouton **Options**. La boîte de dialogue **Options de tri** s'affiche.

4. Activez l'option *De la gauche vers la droite* dans la rubrique *Orientation*.

5. Cliquez sur le bouton OK.

6. Sélectionnez dans la liste déroulante *Trier par* la ligne devant servir de clé de tri. Activez l'option *Croissant* ou *Décroissant*.

7. Si vous voulez utiliser un deuxième ou un troisième critère de tri, spécifiez-le de même dans la zone de saisie *Puis par*.

8. Cliquez sur OK.

Annuler un tri

Si le résultat du tri ne vous convient pas, annulez-le en choisissant la commande **Édition/Annuler Trier** ou cliquez sur le bouton **Annuler**.

11.3 Des filtres automatiques pour sélectionner des données

Vous avez déjà vu comment rechercher des enregistrements à l'aide de la grille. Vous pouvez saisir des critères dans les différents champs et afficher ensuite un à un les enregistrements correspondant à ces critères. Cette méthode convient parfaitement pour de petites listes.

Dans cette section, nous allons voir comment filtrer des enregistrements dans des listes importantes et comment afficher tous ces enregistrements en même temps. Avec la commande **Filtre automatique**, vous pouvez définir un critère pour chaque colonne et limiter l'affichage aux enregistrements qui correspondent à ces critères.

1. Sélectionnez une cellule ou une plage de cellules dans la liste.

2. Choisissez la commande **Données/Filtre/Filtre automatique**. Un bouton avec une flèche s'affiche à côté de chaque titre de colonne.

3. Cliquez sur la flèche de la colonne pour laquelle vous voulez définir un critère.

4. Sélectionnez dans la liste les entrées qui doivent être affichées (voir fig. 11.5).

Remarque

Flèches en couleur

Les flèches à côté des noms de champs sont en couleur lorsqu'un filtre a été appliqué pour ce champ. Cette indication est utile car elle vous permet de vous rendre compte que les données affichées ne représentent pas la totalité de la liste.

Nom	Pays	Région	Typ	Millésin	Stoc	Stock m	Prix	Valeur
Gewurtztraminer	France	Als (Tous)		1996	300	250	37,50 F	11 250,00 F
Pinot noir	France	Als (10 premiers...)		1997	340	300	35,00 F	11 900,00 F
Riesling	France	Als (Personnalisé...) blanc		1997	200	200	34,30 F	6 860,00 F
Silvaner	France	Als rosé		1997	230	200	20,45 F	4 703,50 F
Tokay Pinot Gris	France	Als rouge		1997	340	300	33,60 F	11 424,00 F
Morgon	France	Beaujolais	rouge	1998	200	220	28,70 F	5 740,00 F
Médoc	France	Bordeaux	rouge	1995	300	250	55,30 F	16 590,00 F
Sauternes	France	Bordeaux	blanc	1993	170	190	68,30 F	11 611,00 F
Sauternes	France	Bordeaux	blanc	1995	260	200	62,50 F	16 250,00 F
Chablis	France	Bourgogne	blanc	1996	230	170	48,50 F	11 155,00 F
Chablis	France	Bourgogne	blanc	1993	230	150	46,80 F	10 764,00 F
Barolo	Italie	Piémont	rouge	1993	300	200	18,30 F	5 490,00 F
Freisa	Italie	Piémont	rouge	1993	120	100	17,65 F	2 118,00 F
Grignolino	Italie	Piémont	rouge	1993	230	250	19,40 F	4 462,00 F
Frascati	Italie	Rome	blanc	1993	230	280	13,30 F	3 059,00 F
Ravello	Italie	Salerno	rosé	1993	200	150	20,65 F	4 130,00 F
Brolio	Italie	Toscane	rouge	1993	230	200	16,45 F	3 783,50 F
Chianti	Italie	Toscane	rouge	1993	120	100	17,50 F	2 100,00 F
Soave	Italie	Vérone	blanc	1993	170	200	16,65 F	2 830,50 F
Valpolicella	Italie	Vérone	rouge	1993	300	250	20,30 F	6 090,00 F

▲ Fig. 11.5 : *La gestion de la cave à vin avec un filtre pour la colonne Pays*

Exemple de recherche à l'aide de la fonction de filtre

Si vous sélectionnez par exemple *France* dans la liste déroulante du champ *Pays*, seuls les vins français sont encore affichés. Si vous voulez savoir en outre quels vins rouges français sont en stock, sélectionnez l'option *rouge* dans la liste déroulante du champ *Type*. Vous obtenez ainsi la sélection des vins rouges français.

Créer un filtre automatique personnalisé

Jusqu'à présent, vous vous êtes contenté de filtrer les données qui correspondent exactement à des entrées de la liste. Avec l'option *Personnalisé* de la fonction **Filtre automatique**, vous pouvez effectuer des recherches plus complexes en utilisant des opérateurs de comparaison et en spécifiant des plages de valeurs en guise de critères. Imaginons que vous voulez sélectionner tous les vins dont le prix est supérieur à 40 F.

1. Sélectionnez une cellule dans la liste.

2. Choisissez la commande **Données/Filtre/Filtre automatique**.

3. Cliquez sur la flèche à côté du champ *Prix*. Sélectionnez l'option *(Personnalisé...)* dans la liste déroulante. La boîte de dialogue **Filtre automatique personnalisé** s'affiche.

4. Sélectionnez l'opérateur de comparaison dans la première liste déroulante. Pour notre exemple, c'est l'opérateur *est supérieur à*.

5. Entrez dans la zone de la liste déroulante de droite la valeur de référence, en l'occurrence 40.

6. Cliquez sur OK.

Filtre automatique avec deux critères

La boîte de dialogue **Filtre automatique** permet de combiner jusqu'à deux critères par colonne. Voici la marche à suivre pour afficher par exemple les vins dont le prix est compris entre 30 F et 60 F :

1. Sélectionnez une cellule dans la liste.

2. Choisissez la commande **Données/Filtre/Filtre automatique**. Un bouton avec une flèche s'affiche à côté de tous les noms de champs.

3. Cliquez sur la flèche à côté du champ *Prix* et sélectionnez l'option *(Personnalisé...)*.

4. Sélectionnez l'option *est supérieur à* dans la première liste déroulante et tapez la valeur 30 dans celle de droite.

5. Activez l'option *Et* afin de définir ce mode de combinaison.

6. Spécifiez de même le critère suivant dans les deux autres listes déroulantes : sélectionnez l'opérateur *est inférieur à* et entrez la valeur 60 (voir fig. 11.6).

7. Cliquez sur le bouton OK.

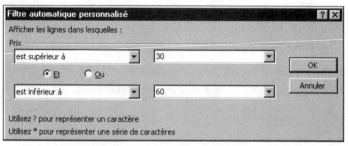

▲ Fig. 11.6 : *Combinaison de deux critères de filtre automatique*

Remarque

Combinaisons Et - Ou

Dans une combinaison avec Et, les deux critères doivent être remplis. Dans une combinaison avec Ou, il suffit que l'un ou l'autre des deux critères soit rempli.

Les dix premiers

Cette fonction permet également d'extraire des valeurs d'une liste ; vous pouvez vous en servir si vous voulez connaître par exemple les dix vins les plus chers de votre collection. Elle ne peut être appliquée qu'à des champs contenant des valeurs numériques.

1. Sélectionnez une cellule de la liste.

2. Choisissez la commande **Données/Filtre/Filtre automatique**.

3. Cliquez sur la flèche à côté du champ qui doit faire office de critère de filtre.

4. Sélectionnez l'option *(10 premiers...)* dans la liste déroulante. La boîte de dialogue **Les 10 premiers** s'affiche (voir fig. 11.7).

Vous pouvez préciser ici ce que vous entendez par "les 10 premiers". Dans la première liste déroulante, vous avez le choix entre les options *Haut* et *Bas* selon que vous souhaitez obtenir les valeurs les plus élevées ou les moins élevées. Dans la deuxième liste déroulante, vous pouvez indiquer le nombre de valeurs à filtrer. Indiquez par exemple la valeur **5** si vous souhaitez obtenir uniquement les cinq meilleures valeurs. Dans la troisième liste déroulante, vous pouvez choisir les options *Éléments* ou *Pourcentage* selon que vous souhaitez les x meilleures valeurs dans l'absolu ou les x % de meilleures valeurs par rapport au nombre total de valeurs.

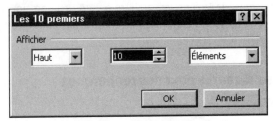

▲ Fig. 11.7 : *La boîte de dialogue Les 10 premiers*

Si vous sélectionnez par exemple les options *Haut*, **10** et *Éléments*, vous obtenez les dix enregistrements contenant les valeurs les plus élevées pour le champ. Si vous sélectionnez en revanche les options *Haut*, **10** et *Pourcentage* et si votre liste contient quarante-deux valeurs, vous obtenez les quatre enregistrements contenant les valeurs les plus élevées pour ce champ.

Supprimer un filtre

Après avoir pris connaissance des enregistrements filtrés, vous voulez probablement les afficher tous à nouveau. Vous devez donc supprimer le filtre.

Supprimer le filtre d'une colonne

Pour supprimer le filtre d'une colonne, cliquez sur la flèche à côté du nom de champ et sélectionnez l'option *(Tous)*. Toutes les entrées de la liste sont alors affichées, sauf s'il reste encore un filtre défini dans une autre colonne. Dans ce cas, vous devez aussi supprimer celui-ci.

Supprimer tous les filtres de la liste

Pour supprimer tous les filtres de la liste en même temps, choisissez la commande **Données/Filtre/Afficher tout**. Toutes les lignes de la liste sont alors affichées.

Supprimer les flèches de la fonction de filtre

Pour supprimer les flèches de la fonction de filtre à côté des noms de champs, choisissez la commande **Données/Filtre/Filtre automatique**. Cette commande est alors désactivée.

11.4   Des filtres élaborés pour des recherches complexes

Utilisez la commande **Filtre élaboré** pour extraire des enregistrements sélectionnés de votre liste si vous voulez définir des critères plus complexes dépassant les capacités de la commande **Filtre automatique**.

La commande **Filtre élaboré** permet notamment d'utiliser pour la recherche des critères calculés, c'est-à-dire des critères qui se réfèrent à une formule. Utilisez aussi cette commande si vous souhaitez que les données filtrées soient copiées automatiquement à un autre endroit de la feuille de calcul, voire sur une autre feuille de calcul.

Pour utiliser la commande **Filtre élaboré** pour rechercher des enregistrements, vous devez d'abord définir une zone de critères. Il s'agit d'une plage de cellules située totalement en dehors de la liste, dont la première ligne contient les noms de champs de la liste et dans laquelle vous allez entrer les critères de recherche.

Définir une zone de critères

1. Insérez plusieurs lignes dans la feuille de calcul, au début de la liste.

2. Tapez les noms de champs dans la première ligne vide. Le plus simple est de copier la ligne des noms de champs de la liste dans cette première ligne car les noms doivent être exactement identiques.

3. Entrez les critères dans la deuxième ligne.

Filtrer une liste à l'aide d'un filtre élaboré

1. Créez la zone de critères comme expliqué ci-dessus.

2. Sélectionnez une cellule quelconque de la liste.

3. Choisissez la commande **Données/Filtre/Filtre élaboré**. La boîte de dialogue correspondante s'affiche.

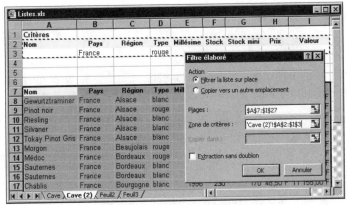

▲ Fig. 11.8 : *La zone de critères est définie au-dessus de la liste et la boîte de dialogue Filtre élaboré est ouverte*

4. Activez l'option *Filtrer la liste sur place* dans la rubrique *Action*.

5. Excel détecte la plage de données et inscrit automatiquement la référence dans la zone de saisie *Plages*.

6. Cliquez dans la zone de saisie *Zone de critères* puis sélectionnez la zone de critères dans la feuille de calcul.

7. Si les enregistrements en double ne doivent pas être affichés, activez l'option *Extraction sans doublon*.

8. Cliquez sur OK.

Copier les données filtrées vers un autre emplacement

Procédez de la façon suivante pour copier à un autre emplacement de la feuille de calcul les données extraites de la liste :

1. Créez la zone de critères comme expliqué ci-dessus et entrez les critères.

2. Sélectionnez une cellule quelconque de la liste.

3. Choisissez la commande **Données/Filtre/Filtre élaboré**. La boîte de dialogue correspondante s'affiche.

4. Sélectionnez l'option *Copier vers un autre emplacement* dans la rubrique *Action*.

5. Excel détecte la plage de données et inscrit automatiquement la référence dans la zone de saisie *Plages*.

6. Cliquez dans la zone de saisie *Zone de critères* puis sélectionnez la zone de critères dans la feuille de calcul.

7. Cliquez dans la zone de saisie *Copier dans* puis sélectionnez dans la feuille de calcul la plage de cellules dans laquelle vous voulez copier les données extraites par le filtre. Il suffit d'indiquer la référence de la cellule constituant le coin supérieur gauche de la plage de destination.

   Si l'emplacement en question se trouve sur une autre feuille de calcul, cliquez simplement sur l'onglet de cette feuille afin de l'activer puis sélectionnez le coin supérieur gauche de la plage de destination.

8. Si les enregistrements en double ne doivent pas être affichés, activez l'option *Extraction sans doublon* .

9. Cliquez sur OK.

Définition des critères du filtre élaboré

Voici à présent quelques explications pratiques sur la manière de définir les critères pour le filtre élaboré. Nous utilisons à cet effet un exemple de feuille de calcul contenant une liste qui pourrait être utilisée pour la gestion d'une cave.

Les noms de champs de cette liste sont relativement simples et néanmoins clairs. Il arrive parfois que l'on ne puisse utiliser directement les titres de colonnes comme noms de champs, soit parce qu'ils ne sont pas uniques, soit parce qu'ils sont écrits sur plusieurs lignes, etc. Dans ce cas, la meilleure solution est d'insérer entre ces titres de colonnes et les données proprement dites une ligne supplémentaire dans laquelle on définira des noms de champs. Ceux-ci pourront alors être choisis simples et pratiques, par exemple *Champ1*, *Champ2*, etc.

	A	B	C	D	E	F	G	H	I
7	Nom	Pays	Région	Type	Millésime	Stock	Stock mini	Prix	Valeur
8	Gewurztraminer	France	Alsace	blanc	1996	300	250	37,50 F	11 250,00 F
9	Pinot noir	France	Alsace	rouge	1997	340	300	35,00 F	11 900,00 F
10	Riesling	France	Alsace	blanc	1997	200	200	34,30 F	6 860,00 F
11	Silvaner	France	Alsace	blanc	1997	230	200	20,45 F	4 703,50 F
12	Tokay Pinot Gris	France	Alsace	blanc	1997	340	300	33,60 F	11 424,00 F
13	Morgon	France	Beaujolais	rouge	1998	200	220	28,70 F	5 740,00 F
14	Médoc	France	Bordeaux	rouge	1995	300	250	55,30 F	16 590,00 F
15	Sauternes	France	Bordeaux	blanc	1993	170	190	68,30 F	11 611,00 F
16	Sauternes	France	Bordeaux	blanc	1995	260	200	62,50 F	16 250,00 F
17	Chablis	France	Bourgogne	blanc	1996	230	170	48,50 F	11 155,00 F
18	Chablis	France	Bourgogne	blanc	1993	230	150	46,80 F	10 764,00 F
19	Barolo	Italie	Piémont	rouge	1993	300	200	18,30 F	5 490,00 F
20	Freisa	Italie	Piémont	rouge	1993	120	100	17,65 F	2 118,00 F
21	Grignolino	Italie	Piémont	rouge	1993	230	250	19,40 F	4 462,00 F
22	Frascati	Italie	Rome	blanc	1993	230	280	13,30 F	3 059,00 F
23	Ravello	Italie	Salerno	rosé	1993	200	150	20,65 F	4 130,00 F

▲ **Fig. 11.9** : *La liste utilisée pour nos exemples*

Nous allons extraire de cette liste des groupes d'enregistrements en fonction de différents critères. Si vous utilisez le filtre élaboré, vous pouvez formuler des critères très complexes grâce aux nombreuses possibilités de combinaisons avec ET et OU.

Critères de filtre combinés avec ET

Dans ce premier exemple, nous avons recherché tous les vins français dont le prix est supérieur à 50 F et dont il reste plus de 200 bouteilles en stock. La liste a été filtrée à l'aide de critères combinés avec ET.

Pour réaliser la combinaison avec ET, nous avons écrit les critères dans une seule et même ligne de la zone de critères.

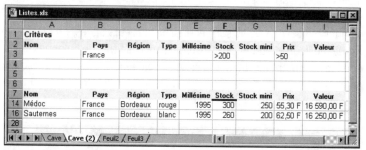

▲ Fig. 11.10 : *Les critères étant écrits dans une même ligne, ils sont combinés avec ET*

Deux ou plusieurs critères de comparaison pour le même champ

Sur l'illustration ci-après, vous pouvez voir la zone de critères pour un filtre élaboré avec les mêmes critères que pour le précédent filtre. Seul le dernier critère a été quelque peu affiné puisqu'il est exigé, maintenant, que la quantité en stock soit supérieure à 200 et inférieure à 250. Pour résoudre le problème, la colonne Stock figure deux fois dans la zone de critères (voir fig. 11.12).

▲ Fig. 11.11 : *Deux critères sont énoncés pour le champ Stock, qui figure en double dans la zone de critères*

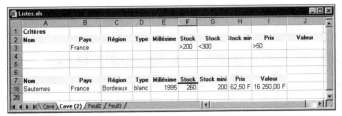

Critères									
Nom	Pays	Région	Type	Millésime	Stock	Stock	itock min	Prix	Valeur
	France				>200	<300		>50	

Nom	Pays	Région	Type	Millésime	Stock	Stock mini	Prix	Valeur
Sauternes	France	Bordeaux	blanc	1995	260	200	62,50 F	16 250,00 F

▲ Fig. 11.12 : *Résultat du filtre avec deux critères pour un même champ*

Critères de filtre combinés avec OU

Pour réaliser une combinaison avec OU, les critères doivent être écrits sur différentes lignes de la zone de critères.

Critères								
Nom	Pays	Région	Type	Millésime	Stock	Stock mini	Prix	Valeur
			rouge					
			rosé					

Nom	Pays	Région	Type	Millésime	Stock	Stock mini	Prix	Valeur
Pinot noir	France	Alsace	rouge	1997	340	300	35,00 F	11 900,00 F
Morgon	France	Beaujolais	rouge	1998	200	220	28,70 F	5 740,00 F
Médoc	France	Bordeaux	rouge	1995	300	250	55,30 F	16 590,00 F
Barolo	Italie	Piémont	rouge	1993	300	200	18,30 F	5 490,00 F
Freisa	Italie	Piémont	rouge	1993	120	100	17,65 F	2 118,00 F
Grignolino	Italie	Piémont	rouge	1993	230	250	19,40 F	4 462,00 F
Ravello	Italie	Salerno	rosé	1993	200	150	20,65 F	4 130,00 F
Brolio	Italie	Toscane	rouge	1993	230	200	16,45 F	3 783,50 F
Chianti	Italie	Toscane	rouge	1993	120	100	17,50 F	2 100,00 F
Valpolicella	Italie	Vérone	rouge	1993	300	250	20,30 F	6 090,00 F

▲ Fig. 11.13 : *Les critères étant écrits sur des lignes différentes, ils sont combinés avec OU*

Sur l'illustration ci-dessus, nous avons filtré les enregistrements dont le champ *Type* contient la valeur rouge ou rosé. Rien ne vous empêche cependant de spécifier davantage de critères. Chaque nouveau critère alternatif doit être entré sur une nouvelle ligne.

Combinaison de critères avec ET et OU

Les combinaisons par ET et OU peuvent aussi être mélangées. Dans l'exemple suivant, le filtre extrait tous les enregistrements qui répondent à tous les critères de la ligne 3 **ou** à tous les critères de la ligne 4 de la zone de critères.

En guise de résultat, nous avons obtenu la liste des vins rouges originaires de France ou d'Italie et dont il reste plus de 200 bouteilles en stock.

	A	B	C	D	E	F	G	H	I
1	Critères								
2	Nom	Pays	Région	Type	Millésime	Stock	Stock mini	Prix	Valeur
3		France		rouge		>200			
4		Italie		rouge		>200			
5									
6									
7	Nom	Pays	Région	Type	Millésime	Stock	Stock mini	Prix	Valeur
9	Pinot noir	France	Alsace	rouge	1997	340	300	35,00 F	11 900,00 F
14	Médoc	France	Bordeaux	rouge	1995	300	250	55,30 F	16 590,00 F
19	Barolo	Italie	Piémont	rouge	1993	300	200	18,30 F	5 490,00 F
21	Grignolino	Italie	Piémont	rouge	1993	230	250	19,40 F	4 462,00 F
24	Brolio	Italie	Toscane	rouge	1993	230	200	16,45 F	3 783,50 F
27	Valpolicella	Italie	Vérone	rouge	1993	300	250	20,30 F	6 090,00 F

▲ Fig. 11.14 : *Résultat d'un filtre élaboré utilisant les deux types de combinaison de critères*

Conseil

Pas de ligne vide dans la zone de critères

Lorsque vous utilisez la fonction **Filtre élaboré** dans des listes, vous devez définir une zone de critères et en communiquer les références à Excel. La zone de critères étant aménagée, Excel s'y réfère automatiquement lors de l'utilisation suivante de la commande. Les critères à combiner par ET doivent figurer sur la même ligne et ceux qui doivent être combiné s par OU doivent être sur des lignes différentes. Si, après un filtre élaboré basé sur des critères combinés avec OU et nécessitant au minimum trois lignes dans la zone de critères, vous en définissez un nouveau basé sur des critères combinés avec ET et n'utilisant que deux lignes de la zone de critères, il se peut que tous les enregistrements soient affichés. Il reste en effet une ligne vide à la fin de la zone de critères, et les enregistrements sont alors comparés avec des cellules vides. Dans ce cas de figure, vous devez donc spécifier explicitement la référence de la zone de critères dans la boîte de dialogue **Filtre élaboré**. De manière générale, vérifiez toujours que la zone de critères est bien indiquée dans cette boîte de dialogue et qu'elle ne contient pas de ligne vide.

Des filtres élaborés avec des critères calculés

Notre liste comporte les champs *Stock* et *Stock mini*. Il serait intéressant de pouvoir filtrer régulièrement les enregistrements afin de trouver ceux dans lesquels la valeur du champ *Stock* est inférieure à celle du champ *Stock mini*. On obtiendrait ainsi automatiquement une liste des produits à commander. Nous utiliserons pour cela un critère calculé.

Pour un critère calculé, la zone de critères se compose d'un nom de champ autre que ceux de la liste et du critère de recherche qui se présente sous la forme d'une formule dont le résultat est VRAI ou FAUX.

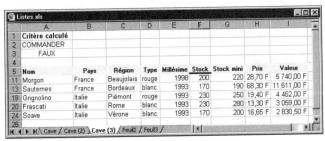

▲ Fig. 11.15 : *Utilisation d'un critère calculé*

Dans l'exemple, la cellule A2 contient le nom de champ COMMANDER tandis que la cellule A3 contient la formule du critère calculé :

    =F6<G6

La référence de la zone de critères spécifiée dans la boîte de dialogue **Filtre élaboré** est $A $2: $A $3.

◀ Fig. 11.16 :
*La zone de
critères pour un
critère calculé*

La formule compare les valeurs des cellules F6 et G6 et teste si la première est plus petite que la seconde. Pour la première ligne (ligne 6) de la plage de données, le résultat de la formule est FAUX. Comme vous pouvez le constater, il suffit d'une référence relative aux cellules de la première ligne de la plage de données. Excel applique automatiquement le critère calculé aux lignes suivantes.

Chapitre 12

Échange de données

12.1	ODBC : connexion avec des bases de données étrangères	367
12.2	Cubes OLAP	371
12.3	Importation de fichiers ASCII	377

Les données d'une entreprise ne sont généralement pas disponibles directement sur le PC de l'utilisateur. Elles se trouvent habituellement sur des serveurs de réseau, dans de grandes bases de données. Elles peuvent avoir différents formats et elles sont gérées par différents systèmes d'exploitation et systèmes de gestion de base de données. Les sociétés qui utilisent de tels serveurs de base de données avec des systèmes de gestion de base de données (Oracle ou autres) sont confrontées à un problème lorsqu'il s'agit de développer des applications pour l'accès aux données.

Les programmes qui doivent accéder aux données dans une de ces bases de données doivent être adaptés au système de base de donn ées utilisé pour leur gestion. Un remplacement de la base de données conduit inévitablement à une modification radicale des logiciels d'application correspondants, ce qui suppose une perte de temps et d'argent importante.

Une solution à ce problème consiste à employer des logiciels PC standards, par exemple les applications du pack Microsoft Office, pour l'accès à ces systèmes.

12.1 ODBC : connexion avec des bases de données étrangères

Pour rendre cela possible, c'est-à-dire pour permettre à des applications comme Excel d'accéder à de grandes bases de données SQL, Microsoft a développé une interface qui permet un accès à des bases de données, relationnelles ou non, indépendamment du fabricant. Cette interface, appelée ODBC, est le résultat de la collaboration entre Microsoft et SQL Access Group.

ODBC est fondé sur la séparation entre le programme d'application et la base de données. Cela signifie que l'application, par exemple Excel 2000, accède exclusivement à ODBC, qui transmet les demandes de manière adéquate au système de base de données.

Grâce à ODBC, l'utilisateur et le développeur ont la possibilité d'accéder à toutes les bases de données par le biais d'une interface standard, sans devoir tenir compte des particularités spécifiques aux différents systèmes de base de données.

Remarque

ODBC

ODBC signifie **O**pen **D**atabase **C**onnectivity. Il s'agit d'une interface de programmation permettant à des applications d'accéder à des données de différentes sources. ODBC contient un pilote général représentant l'interface avec l'application. Pour le travail de conversion d'ODBC vers un produit de base de données spécifique, il faut que le pilote correspondant au système de base de données soit installé. Il existe des pilotes ODBC pour tous les systèmes de gestion de base de données importants.

La connexion avec une base de données via ODBC s'opère toujours selon le même processus : il faut d'abord installer un pilote ODBC sur le système client, puis créer une liaison avec la base de données correspondante avant de pouvoir travailler avec le système de gestion de base de données via le pilote ODBC.

Remarque

Qu'est-ce qu'un client ?

Un client est une application qui demande un service à un processus ou à un composant. Un client établit une liaison avec des ordinateurs serveurs, par exemple un serveur de base de données. Dans un environnement client/serveur, la station de travail fait normalement office d'ordinateur client. La partie client de l'application est généralement optimisée pour l'interaction avec l'utilisateur, tandis que la partie serveur met à disposition des fonctions centrales pour plusieurs utilisateurs.

Travailler avec des sources de données ODBC

Pour vous montrer la façon de travailler avec une source de données ODBC, nous allons importer dans une feuille de calcul Excel une base de données Microsoft Access.

1. Choisissez la commande **Données/Données externes/Créer une requête**. La boîte de dialogue **Choisir une source de données** s'affiche.

2. Activez l'onglet **Bases de données** et sélectionnez l'option *MS Access Database*. Validez avec OK.

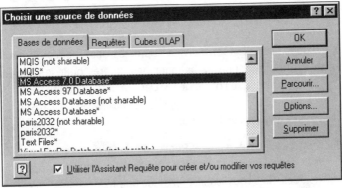

▲ Fig. 12.1 : *Sélection d'une source ODBC*

3. La boîte de dialogue **Sélectionner la base de données** s'affiche. Sélectionnez le chemin et le nom de la base de données souhaitée. Cliquez sur OK.

4. La boîte de dialogue **Assistant Requête - Choisir les colonnes** s'affiche. Sélectionnez la table de la base de données ainsi que les champs que vous voulez importer. Dans l'exemple, nous avons repris tous les champs de la table Produits.

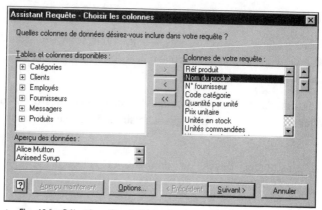

▲ **Fig. 12.2** : *Sélection d'une table et de champs pour une requête ODBC dans la base de données exemple d'Access*

5. Cliquez sur le bouton **Suivant**. Dans les deux boîtes de dialogue suivantes, vous pouvez indiquer des critères pour le filtrage des données ainsi que l'ordre de tri. Dans la dernière boîte de dialogue, sélectionnez l'option *Renvoyer les données vers Microsoft Excel*. Cliquez ensuite sur **Terminer**.

6. Dans la boîte de dialogue **Renvoi de données externes vers Excel**, vous devez ensuite indiquer où les données importées doivent être insérées. Soit vous les insérez dans une feuille de calcul existante, auquel cas vous devez indiquer le coin supérieur gauche de la plage de destination, soit vous les insérez dans une nouvelle feuille de calcul.

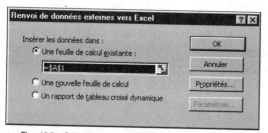

▲ **Fig. 12.3** : *Sélection de la destination de l'importation*

7. Validez avec OK. Les données sont alors insérées à l'emplacement
spécifié.

	A	B	C	D	
1	Réf produit	Nom du produit	N° fournisseur	Code catégorie	Q
2	1	Chai	1	1	1C
3	2	Chang	1	1	24
4	3	Aniseed Syrup	1	2	12
5	4	Chef Anton's Cajun Seasoning	2	2	48
6	5	Chef Anton's Gumbo Mix	2	2	36
7	6	Grandma's Boysenberry Spread	3	2	12
8	7	Uncle Bob's Organic Dried Pears	3	7	12
9	8	Northwoods Cranberry Sauce	3	2	12
10	9	Mishi Kobe Niku	4	6	18
11	10	Ikura	4	8	12
12	11	Queso Cabrales	5	4	1
13	12	Queso Manchego La Pastora	5	4	1C
14	13	Konbu	6	8	1
15	14	Tofu	6	7	4C

Feuil1 / Feuil2 / Feuil3 /

▲ **Fig. 12.4** : *Résultat de la requête ODBC : les données de la base de données
exemple ont été importées dans une feuille de calcul Excel*

12.2 Cubes OLAP

Les cubes OLAP (**O**n-**L**ine **A**nalytical **P**rocessing) sont une technologie
nouvelle dans le domaine de la manipulation de gros volumes de
données. Derrière cette technique se cache une organisation des gros
volumes de données en niveaux hiérarchisés et en sous-ensembles dont
certaines synthèses sont déjà calculées.

Remarque

Qu'est-ce qu'un cube OLAP ?

Plutôt qu'un nombre d'enregistrements impossible à
gérer, un cube OLAP propose au consommateur de données des paquets de données dont certaines synthèses
sont déjà calculées et le mettent ainsi en mesure de
prendre en compte des quantités de données plus importantes que ne le lui permettent normalement ses ressour-
ces système limitées.

Le point de départ de la création d'un cube OLAP est une requête de
base de données existante. Celle-ci peut être créée à l'aide de MS
Query ou à partir d'Excel.

Grâce à l'Assistant Cube OLAP, vous pouvez sélectionner les données dont vous avez besoin, leur donner une structure hiérarchique et créer des groupes. Pour finir, les données du cube OLAP peuvent être représentées dans une feuille de calcul Excel sous forme de tableau croisé dynamique. Contrairement aux tableaux croisés dynamiques habituels, les champs de page, de ligne et de colonne d'un tableau croisé dynamique basé sur un cube OLAP peuvent également être structurés hiérarchiquement en fonction des dimensions structurées du cube.

Créer une requête de base de données pour un cube OLAP

Procédez de la façon suivante pour créer une requête de base de données pour un cube OLAP à partir d'Excel :

1. Choisissez la commande **Données/Données externes/Créer une requête**.

2. La boîte de dialogue **Choisir une source de données** s'affiche.

3. Sélectionnez la source de données dans la liste. Dans l'exemple, nous avons choisi la base de données Cave.mdb, qui est la version Access de l'exemple de gestion de cave que vous avez pu voir dans le chapitre sur les listes. Cliquez sur OK.

4. Sélectionnez, dans la boîte de dialogue **Sélectionner la base de données**, la base de données à partir de laquelle vous souhaitez créer un cube OLAP. Cliquez sur OK.

5. La boîte de dialogue **Assistant Requête - Choisir les colonnes** s'affiche. Sélectionnez la table et les champs dont vous avez besoin pour le cube OLAP.

6. Dans les étapes suivantes de l'Assistant, vous pouvez définir des critères de filtre et de tri des données.

7. À la dernière étape de l'Assistant, vous devez finalement décider du sort réservé aux données extraites de la base de données. Puisque vous voulez créer un cube OLAP à partir de la requête, vous devez activer l'option *Créer un cube OLAP à partir de cette requête*. Cliquez ensuite sur le bouton **Terminer**.

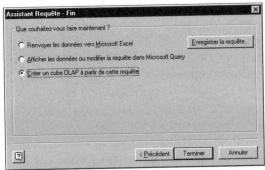

▲ Fig. 12.5 : *À la dernière étape de l'Assistant Requête, vous devez décider de créer un cube OLAP à partir de la requête*

Créer un cube OLAP

Si vous aviez sélectionné l'option *Créer un cube OLAP à partir de cette requête* à la dernière étape de l'Assistant Requête, vous voyez à présent s'afficher l'Assistant Cube OLAP. Dans la première boîte de dialogue, il vous donne quelques explications préliminaires concernant l'utilisation de cubes OLAP. Il vous guidera ensuite, en trois étapes, lors de la création d'un cube OLAP.

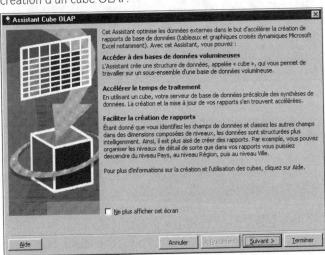

▲ Fig. 12.6 : *L'écran d'accueil de l'Assistant Cube OLAP*

1. Cliquez sur le bouton **Suivant** dans l'écran d'accueil de l'Assistant. À l'étape 1, la boîte de dialogue affiche la liste des champs de la base de données sources. Vous devez sélectionner ceux que vous voulez synthétiser dans le cube OLAP. Activez les cases à cocher correspondantes. Sélectionnez ensuite pour chacun de ces champs la fonction de synthèse souhaitée dans la colonne Synthèse par. Les options *Nombre*, *Min.*, *Max.* et *Somme* sont proposées. Cliquez sur **Suivant**.

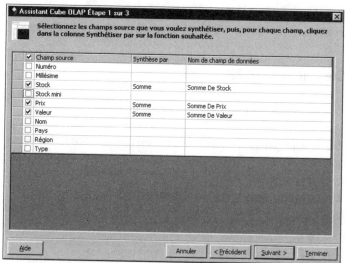

▲ Fig. 12.7 : *Étape 1 de l'Assistant Cube OLAP*

2. La boîte de dialogue de l'étape 2 s'affiche. Dans la zone de liste de gauche figurent les champs sources qui n'ont pas été utilisés comme champs de synthèse. Sélectionnez ceux que vous voulez utiliser comme niveaux de structure. Faites glisser les champs dans la zone de droite et placez-les sous la dimension souhaitée. La structure hiérarchique des données se met ainsi en place. Dans notre exemple, les dimensions Région et Nom sont subordonnées à la dimension Pays. Lorsque les niveaux de structure sont définis, cliquez sur le bouton **Suivant**.

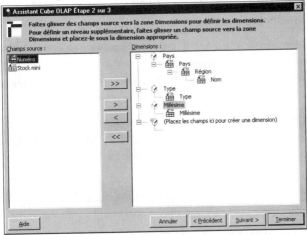

▲ Fig. 12.8 : *Étape 2 de l'Assistant Cube OLAP : structuration hiérarchique des données*

3. Vous voici maintenant à l'étape 3. Il s'agit de choisir le type de cube à créer. Sélectionnez une des trois options proposées. Si vous avez retenu la troisième, vous devez également spécifier un nom pour le fichier de cube à créer.

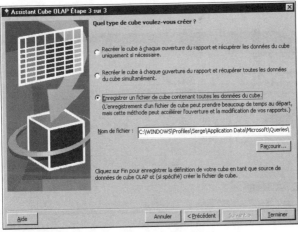

▲ Fig. 12.9 : *Étape 3 de l'Assistant Cube OLAP*

Représenter les données du cube OLAP sous forme de tableau croisé dynamique

1. Lorsque vous cliquez sur le bouton **Terminer** s'affiche la boîte de dialogue dans laquelle vous devez indiquer le nom de fichier de la requête OLAP à enregistrer. Cliquez ensuite sur le bouton **Enregistrer**.

2. L'Assistant Tableau croisé dynamique s'ouvre à l'étape 3. Indiquez à quel emplacement doit être créé le tableau croisé dynamique servant à représenter les données du cube OLAP.

3. Validez avec **Terminer**. Une structure de tableau croisé dynamique vide s'affiche dans une feuille de calcul Excel. La barre d'outils *Tableau croisé dynamique* s'affiche également.

4. C'est maintenant à vous de placer les champs du tableau croisé dynamique dans l'ordre souhaité. Faites glisser les champs de synthèse dans la zone des données et ceux qui correspondent aux dimensions du cube OLAP dans les zones de champs de page, de ligne et de colonne.

 Vous trouverez davantage d'informations sur les tableaux croisés dynamiques dans le chapitre intitulé ***Tableaux et graphiques croisés dynamiques***.

Renvoi

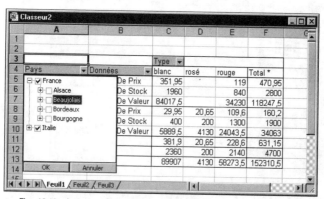

▲ Fig. 12.10 : *Les données structurées en niveaux hiérarchiques du cube OLAP sont représentées dans un tableau croisé dynamique*

12.3   Importation de fichiers ASCII

Parfois, des données dont on a besoin ne sont disponibles que sous forme de fichiers ASCII. C'est souvent le cas, par exemple, des relevés effectués automatiquement par des appareils de mesure. C'est également le cas lorsqu'un programme ayant servi à produire des données n'est pas en mesure de les enregistrer dans un format compatible avec Excel. Le passage par le format ASCII est alors la meilleure solution.

Remarque

> **Qu'est-ce qu'un fichier ASCII ?**
>
> Un fichier ASCII est un fichier de texte au format ASCII : il contient des caractères alphanumériques, des espaces, des caractères de ponctuation, des marques de paragraphe et de tabulation ainsi que la marque de fin de fichier. Du fait du jeu de caractères standards qu'ils utilisent, les fichiers ASCII conviennent bien pour l'échange de données entre différents systèmes. ASCII signifie **A**merican **S**tandard **C**ode for **I**nformation **I**nterchange. Il s'agit d'un jeu de caractères codés sur 7 bits pour la représentation des symboles d'un clavier américain standard. Le jeu de caractères ASCII est identique avec les 128 premiers caractères (0-127) du jeu de caractères ANSI.

Jusqu'à présent, l'importation de telles données était un processus statique : en effet, en cas de modification des données sources, tout le fichier devait à nouveau être importé et d'éventuelles mises en forme étaient irrémédiablement perdues. Excel 2000 offre maintenant la possibilité d'une mise à jour dynamique des données, en conservant notamment les mises en forme existantes.

Importer un fichier ASCII avec l'Assistant Importation de texte

Dans l'exemple ci-après, nous allons importer une série de données disponible sous forme de fichier ASCII. Nous utiliserons à cet effet l'Assistant Importation de texte d'Excel.

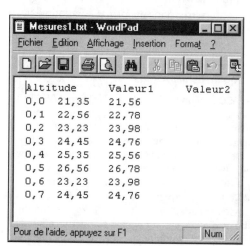

◄ Fig. 12.11 :
Le fichier d'origine avec la série de données à importer, dans l'éditeur ASCII

1. Choisissez la commande **Données/Données externes/Importer le fichier texte**.

2. La boîte de dialogue **Importer Fichier Texte** s'affiche. Sélectionnez-y le chemin et le nom du fichier contenant les données à importer. Cliquez ensuite sur **Importer**.

3. L'Assistant Importation de texte s'ouvre alors. Il vous aide à analyser le format de données du fichier à importer de manière que les données puissent être écrites dans une feuille de calcul Excel et y être immédiatement organisées en colonnes. À l'étape 1, vous devez donner des indications sur l'origine du fichier (par exemple s'il s'agit du format ANSI de Windows ou du format MS-DOS, plus ancien). Vous devez également dire si les champs ont une largeur fixe ou s'ils sont délimités par un caractère spécial, par exemple un point-

virgule, une virgule, une espace, etc. Dans notre exemple, les données sont séparées par des espaces. Il convient donc de sélectionner l'option *Délimité*. Cliquez sur le bouton **Suivant**.

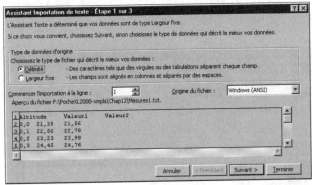

▲ **Fig. 12.12** : *Étape 1 de l'Assistant Importation de texte*

4. L'étape 2 varie selon que vous avez sélectionné l'option *Délimité* ou *Largeur fixe* à l'étape 1. Dans le premier cas, vous êtes invité à spécifier le caractère employé comme séparateur. Dans notre exemple, nous avons activé la case à cocher *Espace*. Dans l'autre cas, l'Assistant vous proposerait maintenant une répartition des données en colonnes que vous pourriez modifier le cas échéant.

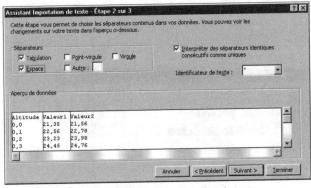

▲ **Fig. 12.13** : *Étape 2 de l'Assistant Importation de texte*

5. Cliquez sur le bouton **Suivant** pour arriver à l'étape 3, à laquelle vous pouvez définir le type de données de chaque colonne. Les types *Standard*, *Texte* et *Date* sont proposés. Vous pouvez également demander qu'une colonne ne soit pas distribuée, c'est-à-dire qu'elle soit ignorée lors de l'importation.

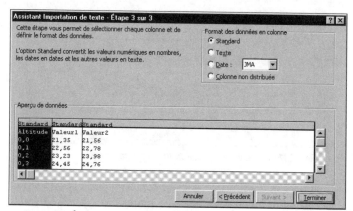

▲ Fig. 12.14 : *Étape 3 de l'Assistant Importation de texte*

Cliquez sur **Terminer** pour procéder à l'importation.

6. La boîte de dialogue **Importer données** s'affiche. Vous devez y indiquer la destination des données importées. Spécifiez une feuille de calcul existante ou sélectionnez l'option *Une nouvelle feuille de calcul*.

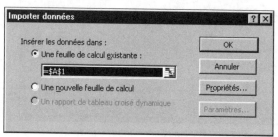

▲ Fig. 12.15 : *Indiquez la destination de l'importation*

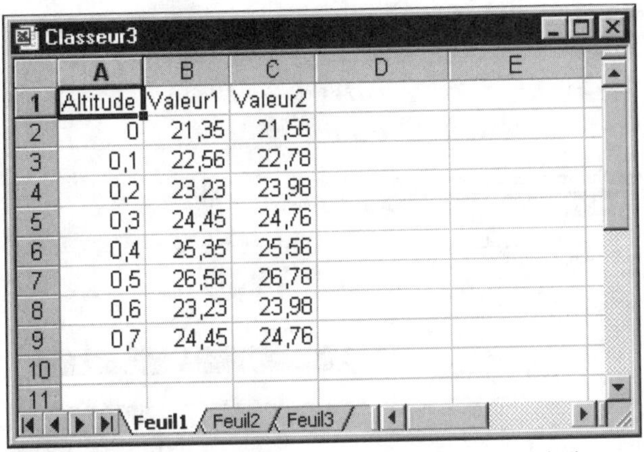

Classeur3

	A	B	C	D	E
1	Altitude	Valeur1	Valeur2		
2	0	21,35	21,56		
3	0,1	22,56	22,78		
4	0,2	23,23	23,98		
5	0,3	24,45	24,76		
6	0,4	25,35	25,56		
7	0,5	26,56	26,78		
8	0,6	23,23	23,98		
9	0,7	24,45	24,76		
10					
11					

Feuil1 / Feuil2 / Feuil3

▲ Fig. 12.16 : *Les données s'affichent dans la feuille de calcul*

Importation dynamique de texte

Vous avez pu vous rendre compte de la somme de travail que constitue l'importation d'un fichier ASCII dans Excel. Et que se passe-t-il si votre fichier d'origine est modifié, par exemple parce que de nouvelles données sont venues s'ajouter ? Que faire si une deuxième série de données est disponible dans le même format et doit également être récupérée ?

Dans les deux cas, vous n'aviez pas d'autre choix jusqu'à présent que de répéter l'importation à l'aide de l'Assistant, ce qui vous prenait du temps et vous causait probablement un certain agacement. La situation était relativement pénible pour quelqu'un qui travaille régulièrement avec ce type de données.

Excel 2000 propose une autre solution. Lorsque les données du fichier d'origine ont été modifiées, il vous suffit à présent de choisir la commande **Données/Actualiser les données** pour réaliser la mise à jour dans Excel. La boîte de dialogue **Importer Fichier Texte** s'affiche pour vous permettre de désigner le fichier à partir duquel les données doivent être mises à jour. Cliquez ensuite sur **Importer**. Cette commande ne fonctionne que si une cellule de la plage de données correspondante a été sélectionnée au préalable dans la feuille de calcul.

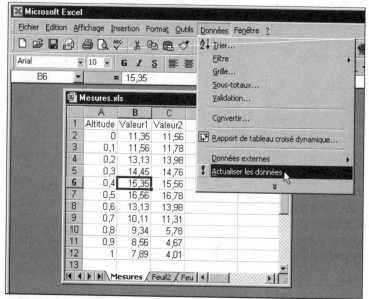

▲ Fig. 12.17 : *Mise à jour des données dans la feuille de calcul Excel à l'aide de la commande Données/Actualiser les données*

Pour importer une nouvelle série de données ayant la même structure que celle qui a déjà été importée, copiez le bloc de données existant dans une nouvelle feuille de calcul et choisissez la commande **Données/ Actualiser les données**. Dans la boîte de dialogue **Importer Fichier Texte** vous pouvez sélectionner le nom du fichier contenant la nouvelle série de données. Cliquez ensuite sur **Importer**. L'un des grands avantages de cette méthode d'importation est que les mises en forme existantes sont toutes conservées dans la feuille de calcul à l'issue de la mise à jour.

Chapitre 13

Excel et l'intranet

13.1	Intranet et serveur intranet	385
13.2	Excel découvre l'intranet	387
13.3	Publication sur l'intranet	388
13.4	Structurer la communication avec Excel sur l'intranet	394
13.5	Calculer sur l'intranet	399

13.1 Intranet et serveur intranet

Quasiment toutes les entreprises possèdent actuellement leur réseau d'ordinateurs. La palette va du simple réseau PC poste à poste sans serveur au réseau mondial (WAN) des grandes entreprises multinationales en passant par le réseau local (LAN) avec serveur des petites et moyennes entreprises. Les plus gros réseaux comportent un très grand nombre de serveurs dont certains desservent parfois plusieurs milliers de clients.

L'utilisateur n'éprouve actuellement plus guère de difficulté à rechercher et à récupérer sur Internet des informations et données de toutes sortes. Pourvu qu'il puisse se servir des outils appropriés, cette source d'information est à présent très facilement accessible pour chacun. Les mêmes facilités n'existent cependant pas sur les réseaux classiques des entreprises.

Remarque

> **Qu'est-ce que l'intranet ?**
>
> Le terme intranet désigne l'application des technologies Internet à des réseaux internes, propres à une entreprise. Il s'agit d'un réseau TCP/IP pouvant être relié à Internet.

L'idée d'utiliser également dans le réseau d'entreprise les standards et outils d'Internet pour structurer, rechercher et transporter des données et informations a très vite germé. Ces techniques se sont en effet développées et ont fait leurs preuves au fur et à mesure de l'évolution d'Internet. C'est cette idée qui se cache derrière le terme intranet et qui fut le catalyseur de ce que l'on appelle depuis lors la "révolution intranet".

Astuce

Un serveur Internet pour vos tests

Si vous n'avez pas de serveur intranet à votre disposition, vous pouvez utiliser, pour vos essais, le Serveur Web Personnel de Microsoft. Il est fourni avec Windows 98. Il s'agit d'un serveur Web de bureau qui peut faire office d'hôte pour un site Web dans un intranet ou qui peut servir pour le développement et le test d'un site Web. De manière générale, un serveur Web est un ordinateur équipé d'un logiciel serveur de manière à être capable, à l'aide des protocoles Internet HTTP et FTP, de répondre aux demandes de clients Web dans un réseau TCP/IP. L'installation du Serveur Web Personnel est facile : insérez le CD-Rom de Windows 98 dans le lecteur, cliquez sur le menu **Démarrer** puis sur **Exécuter** et tapez la ligne de commande x:\add-ons\pws\install.exe, x étant la lettre de lecteur du CD-Rom. Cliquez sur OK et suivez les instructions données par le programme d'installation.

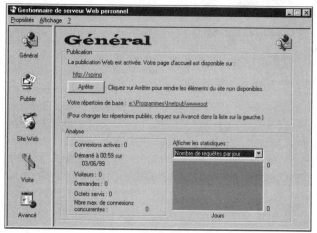

▲ Fig. 13.1 : *La centrale de commande du Serveur Web personnel de Microsoft*

D'un point de vue technique, l'intranet est un réseau local ou une combinaison de plusieurs réseaux locaux, basé sur le protocole TCP/IP et qui bénéficie des mêmes possibilités et services qu'Internet en ce qui concerne l'accès aux données et leur transfert. Il peut donc fonctionner comme un "Internet privé".

Le navigateur Web prend une importance capitale pour l'accès aux données sur l'intranet, tout comme sur Internet. Les navigateurs disposent d'une interface utilisateur normalisée pour la communication interne de l'entreprise, que ce soit sur l'intranet ou en utilisant les services Internet. L'utilité du navigateur Web ne se limite plus seulement aux services Internet classiques que sont le Web, les groupes de discussion, le courrier électronique et FTP ; il sert de plus en plus souvent à accéder aux applications spécifiques de l'entreprise, par exemple aux bases de données.

13.2   Excel découvre l'intranet

Microsoft a pris note de cette tendance et a rendu Excel apte à l'intranet. Une des conditions de base était de faire en sorte que le format HTML (.*html*, .*htm*) spécifique aux documents hypertextes devienne un format de fichier natif au même titre que le format .*xls*.

Remarque

HTML

HTML signifie **H**yper**t**ext **M**arkup **L**anguage. HTML est un standard mondialement reconnu pour l'utilisation de code incorporé servant à indiquer comment un texte doit être mis en forme. Si vous voulez par exemple afficher le mot Bonjour en gras, le fichier texte lu par le navigateur doit contenir les balises suivantes :
BONJOUR. L'auteur d'une page Web peut créer un fichier de texte pur et y insérer les balises en question pour obtenir une page pouvant être affichée par un navigateur. Peu importe par ailleurs sous quel système le navigateur est exécuté. Cette compatibilité transversale fait de HTML un outil idéal d'échange d'informations entre des systèmes qui sont habituellement incompatibles.

La conséquence en est qu'Excel est en train de devenir l'outil de prédilection pour le travail en commun avec les données de l'entreprise sur l'intranet propre à la société. Tous les collaborateurs ont, à partir d'Excel, un accès facile à l'intranet et aux données qui s'y trouvent, et ils peuvent travailler en commun sur des rapports basés sur ces données.

L'utilisation d'Excel en frontal sur l'intranet permet de combiner différentes tâches avec un seul programme : création de contenus, analyse des données, possibilité d'accès à d'autres documents sur l'intranet, travail en groupe et, pour finir, publication des documents sur l'intranet. Nous reviendrons sur ces sujets dans les prochaines sections.

13.3 Publication sur l'intranet

Dès qu'une information a vu le jour et a été mise en forme, il faut trouver un moyen de la rendre accessible à tous les collaborateurs concernés dans l'entreprise. Il est important, à cette occasion, que les outils qui ont servi à créer le document puissent également être utilisés pour la publication de l'information. C'est possible avec le nouvel Excel 2000. La publication sur un intranet consiste pour l'essentiel à copier le document à publier, la page Web, dans le dossier de base du serveur intranet ou dans un dossier correspondant mis à disposition sur le serveur pour vos publications.

Remarque

Dossier de base

Chaque site Web doit disposer d'un dossier ou répertoire de base. Ce dossier de base est le point de départ pour le visiteur du site et la base de la structure de publication. Le dossier contient une page d'accueil ou fichier d'index ainsi que des liens hypertextes vers d'autres pages du site. Il est lié au nom de domaine du site Web. En supposant que le nom de domaine Internet soit spring et le dossier de base *C:\Webdocs*, les navigateurs clients utilisent l'URL http://spring/ pour l'accès aux fichiers du dossier *C:\Webdocs*. Si vous utilisez le Serveur Web personnel de Microsoft, le répertoire de base est C:\inetpub\wwwroot, créé lors de l'installation et utilisé comme dossier par défaut. Copiez les fichiers directement dans le dossier de base ou organisez-les dans des sous-dossiers.

Nous allons vous montrer deux manières de publier un document Excel sur l'intranet. Vous pouvez en effet publier un document de manière statique, ce qui signifie que l'utilisateur n'a plus aucune possibilité de modifier les contenus des documents dans le navigateur Web. Vous pouvez également publier un document de telle manière qu'une modification interactive soit possible dans le navigateur Web.

Publication statique d'un classeur Excel sur l'intranet

Procédez de la façon suivante pour publier un classeur Excel de manière statique sur l'intranet :

1. Ouvrez le classeur destiné à la publication.

2. Choisissez la commande **Fichier/Enregistrer sous**.

3. Sélectionnez le dossier de base du serveur Web. Le contenu de ce dossier ainsi que les éventuels sous-dossiers s'affichent.

4. Le cas échéant, double-cliquez sur le sous-dossier que vous prévoyez d'utiliser pour la publication.

5. Indiquez un nom pour le classeur à publier. Il peut être différent du nom original du classeur.

6. Sélectionnez le type de fichier *Page Web (*.htm; *.html)*.

7. Sélectionnez également l'option *Classeur entier*.

8. Cliquez sur le bouton **Enregistrer** (voir fig. 13.2).

Vous pouvez examiner le résultat de la publication dans le navigateur Web en entrant l'URL correspondante en guise d'adresse. Dans notre cas, le serveur Web s'appelle `http://spring`, et nous avons également appelé Intranet.htm le fichier qui nous sert d'exemple. L'adresse complète est : `http://spring/intranet.htm` (voir fig. 13.3).

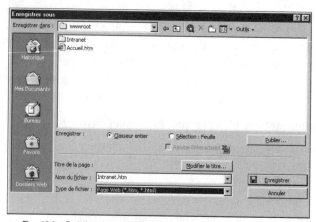

▲ **Fig. 13.2** : *Publication statique d'un classeur Excel dans le dossier de base d'un serveur Intranet*

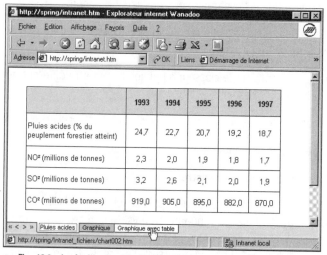

▲ **Fig. 13.3** : *La feuille de calcul Pluies acides du classeur Intranet.htm affichée dans le navigateur Web*

Les autres feuilles du classeur peuvent être affichées en cliquant sur les onglets correspondants. Lorsque le pointeur de la souris vient se placer sur un onglet, l'adresse complète de la feuille de calcul s'affiche dans la barre d'état du navigateur.

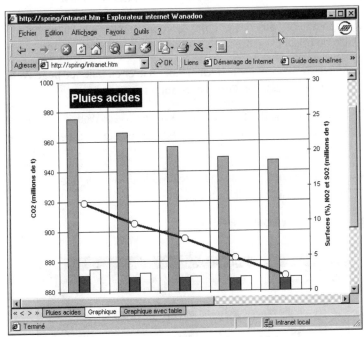

▲ Fig. 13.4 : *Une feuille de graphique dans le navigateur Web*

Publier une feuille de calcul Excel sur l'intranet avec les fonctionnalités du classeur

Lorsque vous publiez une feuille de calcul Excel avec les fonctionnalités du classeur, vous disposez également, bien qu'avec certaines restrictions, des possibilités d'un classeur Excel, même lorsque cette feuille de calcul est ouverte dans le navigateur Web. Vous pouvez effectuer des calculs dans la feuille de calcul en utilisant des formules Excel et procéder à des mises en forme. Les opérations de tri et de filtre sont également possibles. Il faut cependant que soit installé Internet Explorer 4.01 ou supérieur ainsi que les composants Web Office.

Renvoi

Vous trouverez davantage d'informations à propos des composants Web Office au chapitre intitulé *Excel et Internet*.

Voici comment vous devez procéder pour publier sur l'intranet une feuille de calcul Excel avec la fonctionnalité d'un classeur :

1. Choisissez la commande **Fichier/Enregistrer en tant que page Web**. La boîte de dialogue **Enregistrer sous** s'affiche.

2. Sélectionnez le dossier de base de votre serveur Web. Dans l'exemple, c'est le dossier *inetpub\wwwroot* du serveur Web personnel de Microsoft.

3. Le cas échéant, double-cliquez sur le sous-dossier que vous prévoyez d'utiliser pour la publication.

4. Cliquez sur le bouton **Publier**.

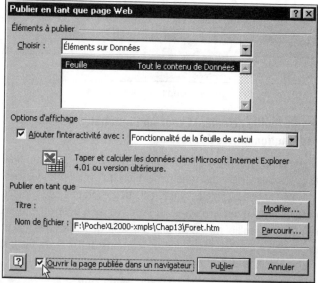

▲ Fig. 13.5 : *La boîte de dialogue Publier en tant que page Web*

5. La boîte de dialogue **Publier en tant que page Web** s'affiche. Dans la rubrique *Options d'affichage*, activez la case à cocher *Ajouter l'interactivité avec* et sélectionnez l'option *Fonctionnalité de la feuille de calcul* dans la liste déroulante.

6. Vous pouvez définir le titre du document à publier ou le modifier s'il existe déjà. Cliquez à cet effet sur le bouton **Modifier** dans la rubrique *Publier en tant que*. La boîte de dialogue **Définir le titre** s'affiche. Entrez un titre et validez avec OK.

7. Cliquez ensuite sur le bouton **Publier**. La feuille de calcul Excel est stockée en tant que page Web avec la fonctionnalité d'une feuille de calcul, dans le sous-dossier spécifié du répertoire de base de votre serveur. Tout utilisateur ayant accès à votre intranet peut à présent afficher cette feuille de calcul dans son navigateur en indiquant l'URL correspondante, dans l'exemple `http://spring/foret.htm`, et l'éditer.

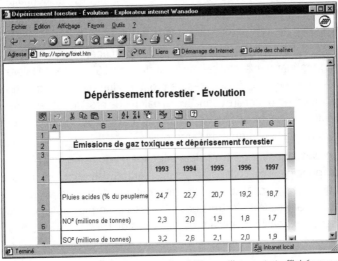

▲ Fig. 13.6 : *Une feuille de calcul Excel publiée sur l'intranet et affichée avec la fonctionnalité d'une feuille de calcul dans le navigateur Web*

Dans cette feuille de calcul ainsi publiée, vous pouvez effectuer des modifications grâce aux fonctionnalités de la feuille de calcul qui ont été conservées, par exemple éditer la valeur en G6, insérer une formule ou modifier la hauteur des lignes.

De la même manière, vous pouvez ainsi publier des objets Excel avec la fonctionnalité d'un graphique ou d'un tableau croisé dynamique. La fonctionnalité du graphique suppose que vous pouvez également modifier dans le navigateur Web les données sous-jacentes au graphique. La fonctionnalité du tableau croisé dynamique vous permet de réorganiser dans le navigateur Web un tableau croisé dynamique comme vous avez déjà appris à le faire dans une feuille de calcul Excel.

13.4 Structurer la communication avec Excel sur l'intranet

L'intranet offre également la possibilité de structurer et d'organiser les informations internes à l'entreprise en profitant des fonctionnalités du Web. L'un des aspects essentiels de ce concept d'organisation est la structure hypertexte des documents HTML.

Les collaborateurs de l'entreprise peuvent accéder plus facilement à ces informations que sur un réseau local classique. S'il est tout à fait naturel pour bon nombre de sociétés de profiter d'Internet pour se présenter au monde et pour faire connaître sa palette de produits et ses capacités, on utilise également de plus en plus souvent l'intranet pour structurer la communication interne de l'entreprise.

L'organisation du contrôle de qualité est un domaine d'application de ce principe. Les collaborateurs de l'entreprise sont en mesure de trouver rapidement sur l'intranet les contenus du manuel de contrôle de qualité ainsi que les instructions relatives aux normes, aux procédures à mettre en œuvre et aux autres consignes de travail.

Astuce

Créer facilement des documents pour l'intranet avec Excel

Alors qu'il y a peu de temps encore, la création et la maintenance de documents pour l'intranet étaient une affaire de spécialistes, ils peuvent maintenant être créés très facilement avec n'importe laquelle des applications Office. Bon nombre de documents destinés à être publiés sur l'intranet ayant une structure tabulaire, Excel est l'outil idéal pour leur conception et leur mise au point. Il n'y a plus de risque de perte de mise en forme en raison de la conversion au format HTML, car Excel prend dorénavant ce format en charge en tant que format de fichier natif.

Exemple : un système d'information interne sur l'intranet

L'exemple ci-après montre le principe de la construction d'un système d'information basé sur l'hypertexte et destiné à l'intranet :

1. Entrez sur une feuille de calcul Excel les désignations des cibles prévues pour la structure hypertexte : Contrôle de qualité, Administration, etc. C'est en quelque sorte le menu principal de votre site (voir fig. 13.7).

2. Donnez un nom évocateur à la feuille de calcul contenant la page principale. Tapez également un titre et procédez à la mise en forme selon vos souhaits.

3. Créez une nouvelle feuille de calcul pour chaque entrée principale du système d'information ; elles devront contenir les entrées des niveaux inférieurs. Nous avons ainsi créé les feuilles Qualité pour la rubrique Contrôle de qualité, Administration pour les administratifs, etc. Entrez sur chaque feuille les nouvelles cibles des liens hypertextes. Sur la feuille Qualité, les différentes entrées pourraient être Manuel du contrôle de qualité, Procédures de contrôle, Consignes générales de travail, etc. N'oubliez pas, à la fin de la liste, l'option

permettant le retour à la page principale. Donnez à l'ensemble les mises en forme souhaitées.

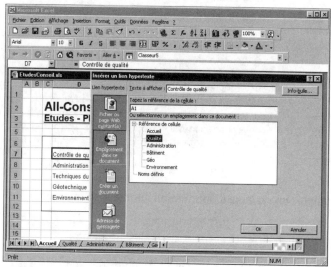

▲ Fig. 13.7 : *Un classeur Excel est à la base du système d'information*

4. Sélectionnez la cellule D7 sur la feuille de calcul Principal. Choisissez la commande **Insertion/Lien hypertexte**.

5. Dans la boîte de dialogue **Insérer un lien hypertexte**, cliquez sur le bouton **Emplacement dans ce document**. Toutes les feuilles de calcul du classeur en cours s'affichent alors dans la zone de liste *Ou sélectionnez un emplacement dans ce document*.

6. Cliquez sur *Qualité* pour définir un lien vers cette feuille puis cliquez sur OK. La cellule D7 contient à présent un lien hypertexte renvoyant à la feuille Qualité du classeur. Le fait qu'il s'agit d'un lien hypertexte est indiqué par la couleur bleue et le soulignement. En outre, lorsque le pointeur de la souris vient se placer sur cette cellule, il se transforme en une main. Un clic sur la cellule active la feuille de calcul Qualité contenant le sous-menu Contrôle de qualité.

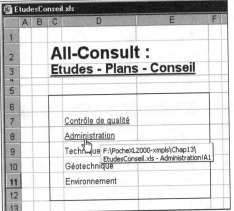

◄ Fig. 13.8 :
Deux liens hypertextes ont été définis sur la feuille de calcul Principal

7. Définissez de la même manière les liens hypertextes pour les autres entrées de la feuille de calcul Principal. Chacun doit renvoyer à la feuille de calcul correspondante du classeur. N'oubliez pas d'insérer sur chaque feuille une possibilité de retour à la page d'accueil.

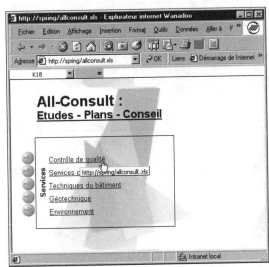

▲ Fig. 13.9 : *Le même contenu, mais avec davantage de mise en forme, dans le navigateur Web*

8. Traitez ensuite de la même façon chacune des feuilles contenant un sous-menu. Chaque option du sous-menu doit devenir un lien hypertexte renvoyant soit à un nouveau sous-menu, par exemple le sommaire du manuel de contrôle de qualité, soit à un document précis.

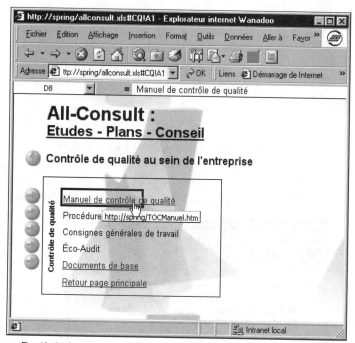

▲ Fig. 13.10 : *Le sous-menu Contrôle de qualité dans le navigateur Web*

Vous créez ainsi une arborescence dont l'extrémité de chaque branche doit correspondre à un document.

Publier les documents sur le serveur intranet

Il ne vous reste plus qu'à publier les documents sur l'intranet :

1. Enregistrez le classeur Excel contenant la page principale dans le dossier de base de votre serveur intranet. Choisissez à cet effet la commande **Fichier/Enregistrer sous**. Sélectionnez le format *.xls*.

2. Enregistrez tous les autres documents du système d'information dans le même dossier de base du serveur intranet à l'aide de la commande **Fichier/Enregistrer en tant que page Web**. Sélectionnez le format *.htm*.

3. Le système est alors accessible sous `http://ServeurIntranet/Fichier.xls`, ServeurIntranet étant le nom de votre serveur et Fichier.xls le nom de fichier du classeur contenant le menu principal. Les pages s'affichent dans votre navigateur Web. Pour représenter la page principale qui a été laissée au format *.xls* pour obtenir de meilleures performances, le navigateur Web démarre Excel en tant que serveur OLE.

13.5 Calculer sur l'intranet

Excel 2000 permet de créer des références externes vers des données situées dans des classeurs qui se trouvent sur un serveur intranet ou Internet. Les formules peuvent contenir des URL, indépendamment du fait que la feuille de calcul se trouve sur un serveur http ou ftp, sur le Bureau ou sur un réseau. Excel 2000 permet ainsi de créer des liens vers des données pouvant changer à tout moment, sur l'intranet de l'entreprise.

Les références externes doivent comporter l'URL complète du classeur Excel ainsi que la référence de cellule :

```
='http://serveur.domaine/dossier/[classeur.xls]Feuille'!Référence
```

Les deux apostrophes sont ajoutées automatiquement par Excel, il est donc inutile de les taper.

Les références externes peuvent être utilisées partout où vous pouvez aussi utiliser des références locales.

Mise à jour des références externes

Lorsque vous ouvrez un classeur contenant des références externes, Excel vous demande si vous souhaitez mettre à jour les informations liées ou si vous préférez conserver les informations actuelles.

La commande **Édition/Liaisons** ouvre la boîte de dialogue **Liaisons** dans laquelle vous pouvez indiquer de quelle manière les liaisons doivent être mises à jour :

- *Automatique* : les données liées sont mises à jour automatiquement à l'ouverture du fichier contenant les liaisons. Une confirmation vous est cependant demandée.

- *Manuelle* : les données liées sont mises à jour lorsque vous cliquez sur le bouton **Mettre à jour** dans cette boîte de dialogue.

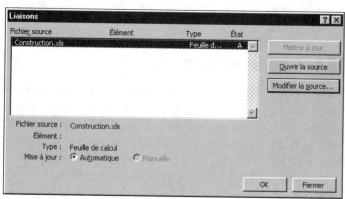

▲ **Fig. 13.11** : *La boîte de dialogue Liaisons*

Chapitre 14

Partager
des classeurs

14.1	Partager un classeur	403
14.2	Partager un dossier	404
14.3	Partager un dossier pour le Web	405
14.4	Ouvrir un classeur partagé	407
14.5	Suivre les modifications	408
14.6	Accepter ou rejeter les modifications dans le classeur	411
14.7	Commentaires	412

Certaines tâches effectuées avec Excel sont d'une complexité telle que vous n'y travaillerez probablement pas tout seul. Lorsque plusieurs personnes sont occupées par un même projet, chacune a généralement une tâche bien précise à remplir. Le problème qui se pose alors est celui de la sécurité des données et de l'organisation des accès aux fichiers. Lorsque plusieurs personnes travaillent sur différentes copies d'un même document, apportent des modifications ou ajoutent des commentaires, il est possible de générer un document maître collectif par la suite. Il faut pour cela que le document soit partagé entre tous les collaborateurs concernés.

14.1 Partager un classeur

Pour pouvoir travailler en commun sur un projet, il faut que le classeur soit partagé :

1. Activez le classeur que vous voulez partager.

2. Choisissez la commande **Outils/Partage du classeur Excel** afin d'ouvrir la boîte de dialogue **Options de partage du fichier**.

3. Activez l'onglet **Modification**. Toutes les personnes travaillant momentanément sur ce document sont listées dans cette boîte de dialogue.

4. Activez la case à cocher *Permettre une modification multiutilisateur* (voir fig. 14.1).

5. Cliquez sur OK.

6. Si le classeur n'avait pas encore été enregistré, alors la boîte de dialogue **Enregistrer sous** s'ouvre. Enregistrez le classeur dans un dossier partagé, de sorte que d'autres membres du groupe puissent également y accéder. Si le classeur était déjà enregistré, choisissez la commande **Fichier/Enregistrer sous** afin de le sauvegarder à nouveau. La mention [Partagé] s'inscrit dans la barre de titre.

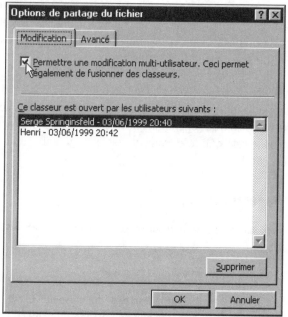

▲ Fig. 14.1 : *La boîte de dialogue Options de partage du fichier*

Remarque

Restrictions

Un classeur partagé est soumis à quelques restrictions en ce qui concerne les possibilités d'édition. Vous pouvez y saisir des données et ajouter ou supprimer des lignes et des colonnes, vous pouvez modifier et créer des formules, effectuer des mises en forme, afficher ou masquer des lignes et des colonnes et filtrer des données. Vous ne pouvez toutefois pas ajouter ou modifier de graphiques.

14.2 Partager un dossier

Procédez de la façon suivante si le dossier (ou le lecteur) dans lequel vous avez enregistré le classeur partagé n'est pas encore lui-même partagé :

1. Cliquez dans l'Explorateur sur le dossier qui doit être partagé.

2. Choisissez la commande **Fichier/Propriétés**.

3. Si l'onglet **Partage** n'est pas visible, activez d'abord le partage de fichier et d'imprimante.

4. Activez l'option *Partagé en tant que* dans la boîte de dialogue **Propriétés**.

5. Sous *Nom de partage*, vous pouvez indiquer quel nom les membres du groupe devront sélectionner pour accéder au dossier ou au lecteur. Vous pouvez également saisir un commentaire.

6. Sous *Type d'accès*, vous pouvez indiquer si l'accès doit être autorisé en lecture seule ou en lecture et écriture. Vous pouvez en outre protéger l'accès par un mot de passe.

7. Cliquez sur OK. Le dossier ou le lecteur est alors signalé comme étant partagé.

14.3 Partager un dossier pour le Web

Pour partager un dossier pour l'accès au Web ou pour l'utilisation sur un intranet, activez l'onglet **Partage Web** dans la boîte de dialogue des propriétés. Sélectionnez l'option *Partager ce dossier*. Le dossier est ajouté en tant que dossier virtuel dans la liste des sous-dossiers du répertoire de base du serveur Web utilisé. L'accès à un document de ce dossier est alors possible via l'URL
`http://mon_serveur/dossier_partagé/document.html`.

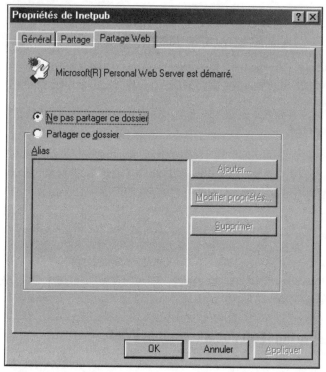

▲ Fig. 14.2 : *Cette boîte de dialogue permet de partager un dossier pour le Web*

Remarque

Partage Web

Si un dossier a é té partagé pour le Web, les documents qui s'y trouvent sont accessibles en lecture et en écriture de manière interactive sur l'intranet, par plusieurs personnes en même temps, y compris depuis un navigateur Web, sans que les mécanismes de suivi des modifications soient mis en œuvre et sans que les utilisateurs en cours soient listés dans la boîte de dialogue **Partage**.

14.4 Ouvrir un classeur partagé

Pour travailler avec un classeur partagé, vous devez l'ouvrir dans l'environnement réseau de votre ordinateur :

1. Choisissez la commande **Fichier/Ouvrir**.

2. Ouvrez la liste déroulante *Regarder dans* et cliquez sur *Voisinage réseau*.

3. Double-cliquez sur le nom de l'ordinateur contenant le fichier partagé. Les dossiers partagés de cet ordinateur sont alors affichés.

4. Ouvrez celui qui contient votre fichier puis sélectionnez le nom de ce fichier.

5. Cliquez sur OK.

Options de partage

Choisissez la commande **Outils/Partage du classeur Excel** afin d'ouvrir la boîte de dialogue **Options de partage du fichier**. Activez l'onglet **Avancé**.

Dans la rubrique *Suivi des modifications*, indiquez si les modifications doivent être enregistrées et, si oui, pendant quelle durée.

Dans la rubrique *Mise à jour des modifications*, vous pouvez décider à quel moment les modifications doivent être appliquées définitivement au classeur : soit à l'occasion de l'enregistrement du fichier, soit automatiquement à intervalles réguliers.

Si vous avez opté pour une mise à jour automatique, vous pouvez également choisir entre deux options supplémentaires : *Enregistrer mes modifications et afficher celles des autres* et *Afficher uniquement les modifications des autres utilisateurs*. Si la première est active, vos modifications sont enregistrées automatiquement à l'issue du délai fixé et les modifications des autres utilisateurs sont affichées. Si la deuxième option est active, les modifications des autres utilisateurs sont affichées.

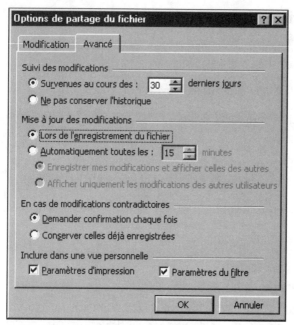

▲ Fig. 14.3 : *L'onglet Avancé de la boîte de dialogue*
Options de partage du fichier

Dans la rubrique *En cas de modifications contradictoires*, vous pouvez choisir entre *Demander confirmation chaque fois* et *Conserver celles déjà enregistrées*.

Enfin, dans la rubrique *Inclure dans une vue personnelle*, vous pouvez indiquer si les *Paramètres d'impression* et les *Paramètres du filtre* définis dans le classeur partagé doivent être conservés.

14.5   Suivre les modifications

Certaines modifications effectuées dans des classeurs partagés sont mémorisées par Excel, si bien que vous pouvez déterminer sans problème qui a changé quoi. C'est le cas des modifications aux contenus de cellules, des déplacements de cellules, de l'insertion ou de la suppression de lignes ou de colonnes.

Choisissez la commande **Outils/Suivi des modifications/Afficher les modifications**. La boîte de dialogue **Afficher les modifications** s'ouvre. Lorsque la case à cocher *Suivre les modifications au fur et à mesure* est activée, les modifications sont mémorisées en fonction des options définies dans cette boîte de dialogue. Dans la liste déroulante *Le*, vous pouvez indiquer si toutes les modifications effectuées depuis le dernier enregistrement ou depuis un instant précis doivent être enregistrées, ou uniquement celles qui n'ont pas encore été révisées. Dans la liste déroulante *Par*, vous pouvez sélectionner les modifications de tous les membres du groupe, si elles doivent être suivies, ou uniquement celles de certains membres particuliers. Dans la liste déroulante *Dans*, vous pouvez délimiter la plage de cellules dans laquelle les modifications doivent être suivies.

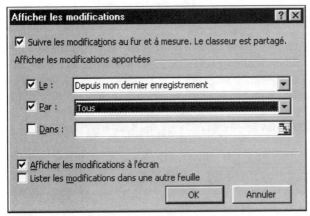

▲ **Fig. 14.4** : *La boîte de dialogue Afficher les modifications*

Si vous souhaitez que les modifications soient visualisées à l'écran, activez la case à cocher correspondante au bas de la boîte de dialogue. Les cellules modifiées sont alors signalées par une petite marque bleue dans le coin supérieur gauche, les marques des commentaires s'affichant quant à elles en rouge et dans le coin supérieur droit des cellules.

Lorsque vous amenez le pointeur de la souris sur une cellule marquée comme étant modifiée, une zone de texte affiche la modification correspondante.

▲ Fig. 14.5 : *Les cellules modifiées peuvent être signalées à l'écran par des marques de couleur*

Les modifications peuvent aussi être listées dans une feuille de calcul. Activez à cet effet la case à cocher *Lister les modifications dans une autre feuille*. Cela suppose cependant que les modifications ont été enregistrées au préalable. Excel ajoute alors dans le classeur une nouvelle feuille, nommée Historique, qui s'efface à nouveau d'elle-même si vous désactivez la case à cocher correspondante.

	Date	Heure	Par qui	Modification	Feuille	Plage	Nouvelle valeur	Ancienne valeur
2	03/06/99	22:59	Henri	Changement de cellule	Mise en forme automatique	D3	25 600,00	22 000,00
3	03/06/99	22:59	Henri	Changement de cellule	Mise en forme automatique	D4	7 200,00	5 000,00
4	03/06/99	22:59	Henri	Changement de cellule	Mise en forme automatique	D7	6 300,00	4 500,00
5								
6	se termine avec les modifications enregistrées sur 03/06/1999 à 22:59.							
7								
8								
9								

▲ Fig. 14.6 : *Excel peut aussi ajouter une feuille de calcul spécialement pour l'historique des modifications*

14.6 Accepter ou rejeter les modifications dans le classeur

Choisissez la commande **Outils/Suivi des modifications/Accepter ou refuser les modifications**. La boîte de dialogue ci-dessous s'affiche.

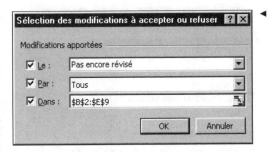

◄ Fig. 14.7 :
La boîte de dialogue Sélection des modifications à accepter ou refuser

Définissez ici à partir de quand vous voulez contrôler les modifications, de quels utilisateurs et éventuellement la plage de cellules à contrôler. L'option *Pas encore révisé* signifie que seront révisées toutes les modifications qui ne l'ont pas encore été jusqu'à présent. Vous pourriez aussi entrer une date dans cette zone. Dans ce cas, seules les modifications postérieures à cette date seraient vérifiées.

Lorsque vous cliquez sur OK s'affiche la boîte de dialogue dans laquelle vous pouvez accepter ou refuser les modifications.

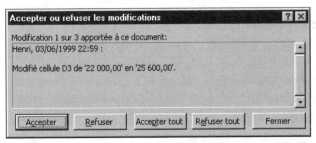

▲ Fig. 14.8 : *La boîte de dialogue Accepter ou refuser les modifications*

Vous pouvez utiliser les barres de défilement si nécessaire, pour visualiser la totalité des informations. Vous pouvez accepter ou refuser en bloc toutes les modifications avec **Accepter tout** et **Refuser tout**. Vous pouvez également les contrôler une à une et cliquer chaque fois sur **Accepter** ou sur **Refuser**. Si deux valeurs différentes ont été entrées dans une cellule, vous êtes invité à arbitrer le différend et à choisir une des deux valeurs.

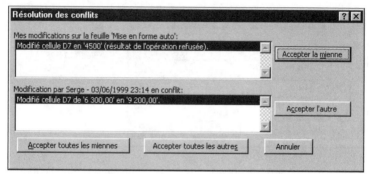

▲ Fig. 14.9 : *La boîte de dialogue Résolution des conflits vous permet de choisir parmi plusieurs valeurs proposées*

14.7 Commentaires

Excel vous donne aussi la possibilité de définir des commentaires pour certaines cellules. C'est intéressant dans le cadre d'un travail en groupe car chaque collaborateur peut faire des remarques, signaler des anomalies, proposer des solutions à des problèmes, etc.

Créer un commentaire

Sélectionnez la cellule à laquelle vous voulez associer un commentaire. Choisissez la commande **Insertion/Commentaire**. Une zone de texte s'affiche. Elle contient votre nom d'utilisateur tel qu'il est défini sur l'onglet **Général** de la boîte de dialogue **Options**, dans la zone de saisie *Nom d'utilisateur*.

Vous pouvez modifier ou effacer ce nom.

Sous le nom clignote le point d'insertion. Tapez le texte de votre choix. Appuyez sur la touche **Entrée** lorsque vous voulez aller à la ligne. Cliquez ensuite n'importe où sur la feuille de calcul pour refermer la zone de texte.

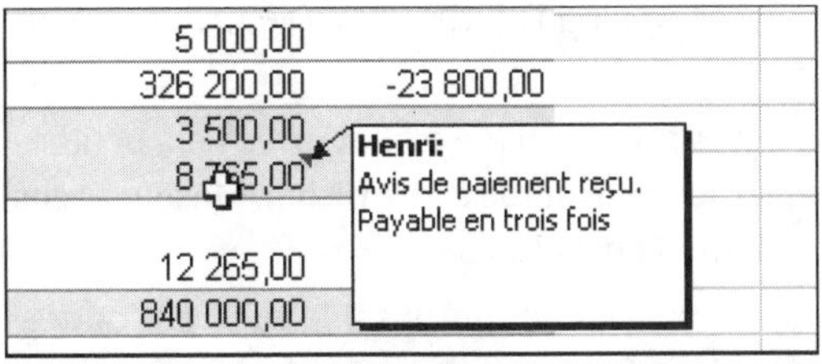

▲ Fig. **14.10** : *Une feuille de calcul avec un commentaire affiché*

Visualiser un commentaire

Les cellules qui contiennent un commentaire sont signalées par une petite marque rouge (indicateur) dans le coin supérieur droit. Pour prendre connaissance du texte du commentaire, amenez le pointeur de la souris sur la cellule correspondante. La zone de texte s'affiche alors à nouveau.

Éditer un commentaire

1. Amenez le pointeur de la souris sur la cellule dont vous voulez éditer le commentaire.

2. Cliquez avec le bouton droit et choisissez la commande **Modifier le commentaire** dans le menu contextuel.

3. Le point d'insertion clignote dans la zone de texte, et vous pouvez modifier le texte du commentaire à votre guise.

Activer/désactiver l'affichage des indicateurs de commentaire

Si vous voulez désactiver l'affichage des indicateurs de commentaire dans une feuille de calcul, choisissez la commande **Outils/Options**, activez l'onglet **Affichage** et sélectionnez l'option *Aucun* dans la rubrique *Commentaires*.

Afficher les commentaires en permanence

Sur ce même onglet vous pouvez aussi décider de laisser les commentaires affichés en permanence. Sélectionnez à cet effet l'option *Com-*

mentaire et indicateur. Pour revenir à l'affichage des seuls indicateurs, sélectionnez *Indicateur seul*.

Vous pouvez obtenir le même résultat avec les boutons **Afficher/Masquer le commentaire** et **Afficher/Masquer tous les commentaires** de la barre d'outils *Révision*.

Pour afficher les commentaires les uns à la suite des autres, cliquez sur les boutons **Commentaire précédent** ou **Commentaire suivant**.

Effacer un commentaire

1. Sélectionnez la cellule contenant le commentaire à supprimer.

2. Cliquez avec le bouton droit de la souris et choisissez la commande **Effacer l'annotation** dans le menu contextuel.

Mise en forme d'un commentaire

1. Pour afficher la boîte de dialogue servant à définir le format du commentaire, affichez d'abord le commentaire puis cliquez dessus afin de le sélectionner. Il se trouve alors en mode Édition de texte.

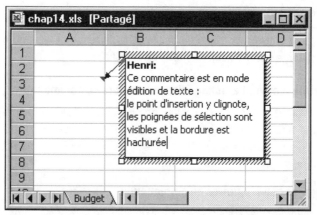

▲ Fig. 14.11 : *Ce commentaire est en mode Édition de texte*

2. Cliquez sur la bordure hachurée du commentaire. Le point d'insertion disparaît et la bordure est maintenant en pointillé. Par ailleurs, les boutons de la barre d'outils *Révision* sont également activés. Vous êtes alors en mode Mise en forme.

▲ Fig. 14.12 : *Ce commentaire est en mode Mise en forme*

3. Double-cliquez sur la bordure en pointillé ou choisissez la commande **Format/Commentaire**. La boîte de dialogue **Format de commentaire** s'affiche. Elle contient toutes les options de mise en forme disponibles pour ce type d'objet. Vous pouvez ouvrir la même boîte de dialogue avec la commande **Format de commentaire** du menu contextuel.

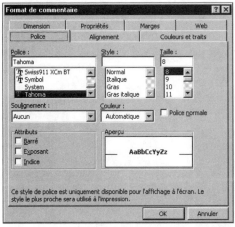

▲ Fig. 14.13 : *La boîte de dialogue Format de commentaire*

Chapitre 15

Excel et Internet

15.1	Connexion	420
15.2	Excel 2000 et le format HTML	421
15.3	La barre d'outils Web intégrée	422
15.4	D'Excel vers le Web et du Web vers Excel	424
15.5	Les composants Office pour le Web	429
15.6	Lier des documents par des liens hypertextes	435
15.7	Requêtes Web avec Excel	437

Nous sommes en train de vivre un phénomène époustouflant : le début de l'ère de la communication et de l'information avec Internet. Depuis l'invention de l'imprimerie, c'est probablement l'évolution la plus importante en ce qui concerne l'accès au savoir accumulé par notre civilisation.

Internet est une fédération de réseaux de données et d'informations, administratifs, scientifiques, commerciaux et privés. L'internaute y trouvera accès à d'innombrables bases de données, systèmes de renseignements, statistiques, études et pourra exploiter sur son propre ordinateur le fruit de ses recherches.

Les grincheux et critiques de tout poil rétorqueront que l'on n'a jamais réussi à télécharger une choucroute ni quelque autre denrée vitale sur Internet. Mais en ce qui concerne le passionné d'Excel, une fois ces besoins élémentaires satisfaits, il aura surtout faim de données de toutes sortes. Et pour lui, Internet est une vraie caverne d'Ali Baba.

Cela ne vous étonnera donc pas d'apprendre que Microsoft a beaucoup travaillé et continuera encore à travailler sur la relation qu'Excel 2000 et les autres applications Office ont avec Internet. Vous pouvez avoir maintenant un accès permanent aux cours de la Bourse, à des résultats d'entreprise ou à quantité d'autres sortes de données, et, grâce aux fonctions mises à disposition par Excel, vous pouvez les retravailler, les exploiter et les analyser à volonté.

Le format HTML étant devenu un format de fichier natif d'Excel, Excel 2000 peut charger et enregistrer directement des fichiers HTML et les transmettre dans ce format à un serveur Web.

Avec Excel 2000, vous pouvez créer directement des documents au format HTML pour le Web et également, grâce aux nouveaux composants Web, intégrer dans les pages Web les fonctionnalités spécifiques des feuilles de calcul, graphiques et tableaux croisés dynamiques d'Excel et les afficher avec le navigateur Web.

Le mécanisme du glisser-déplacer fonctionne également avec les contenus de feuilles de calcul affichés dans des navigateurs Web. Il existe donc une possibilité toute nouvelle et toute simple de transfert de données entre le Web et Excel. Excel permet par ailleurs de visualiser un aperçu de ce que donnera en tant que page Web le document en cours d'édition.

Remarque

Qu'est-ce qu'un site Web ?

Un site Web est un endroit d'un réseau où les utilisateurs ont accès à des informations sous forme de pages ou de documents. Cela peut être sur Internet ou sur un intranet (un réseau local reliant tous les ordinateurs de votre entreprise). Les informations peuvent être publiées au format HTML ou dans d'autres formats de document. Pour afficher les informations mises à disposition par un site, l'utilisateur doit utiliser un programme spécial, appelé navigateur, capable de convertir le code HTML des pages Web en texte et en images et de les afficher à l'écran.

Grâce aux liens hypertextes, qui peuvent également être utilisés dans des formules, les feuilles de calcul Excel peuvent être liées avec n'importe quelles pages Web accessibles sur Internet ainsi qu'avec des documents de l'intranet ou du réseau local.

Les requêtes Web constituent une autre application importante des aptitudes Internet d'Excel 2000. Elles permettent de lire des informations bien précises sur Internet, de les actualiser en permanence et de les récupérer dans les feuilles de calcul Excel.

Il est bien entendu possible d'automatiser toutes les possibilités Internet d'Excel à l'aide de programmes VBA.

15.1 Connexion

Pour pouvoir profiter des aptitudes d'Excel en matière d'Internet, vous devez tout d'abord connecter votre PC à un ordinateur relié à Internet, c'est-à-dire à un serveur Internet. Vous ferez généralement appel, pour cela, à un fournisseur d'accès qui vous rendra le service demandé moyennant un abonnement.

La liaison entre votre PC et le serveur Internet se fera à l'aide d'un modem, d'une carte Numéris (ISDN) ou d'un boîtier Numéris externe.

Les assistants de Windows 95/98 vous permettent d'aménager et de configurer confortablement votre accès Internet.

Un navigateur Web doit également être installé.

Astuce

Interactivité

Si vous souhaitez utiliser de manière interactive des éléments d'Excel sur un site Web, par exemple pour permettre à l'utilisateur de modifier dans le navigateur Web la vue d'un tableau croisé dynamique ou de saisir une formule dans une feuille de calcul Excel sans qu'Excel soit exécuté en tant que serveur OLE, vous devez au moins utiliser la version 4.01 d'Internet Explorer, et les composants Web de Microsoft Office doivent être installés.

15.2   Excel 2000 et le format HTML

Quiconque a déjà eu affaire avec Internet aura au moins une fois tapé les trois lettres WWW (**W**orld **W**ide **W**eb). Il s'agit du service Internet qui est probablement le plus réputé, en l'occurrence les pages d'informations basées sur le principe de l'hypertexte et mises à disposition sur les serveurs WWW.

Un hypertexte est un document contenant en plus des passages de texte normaux des textes possédant une mise en forme particulière et appelés liens hypertextes, qui contiennent des liens vers d'autres documents également disponibles sur Internet. Ces documents sont activés automatiquement dès que vous cliquez sur le lien hypertexte correspondant. Les documents HTML étant écrits dans le langage de description de page HTML (**H**yper**t**ext **M**arkup **L**anguage), conçu spécialement à cet effet, on les appelle aussi des documents HTML. HTML est la syntaxe que doit posséder un document pour pouvoir être affiché par le navigateur Web.

HTML en tant que format standard d'Excel

Le nouvel Excel prend en charge le format HTML en tant que format de fichier natif. Vous pouvez donc enregistrer des classeurs directement au format *.htm* ou *.html*. Le transfert de données entre Excel et le navigateur Web se fait ainsi avec une très grande fidélité de restitution. La plupart des mises en forme sont maintenant conservées durant ce transfert. Vous pouvez donc aller et venir entre Excel et votre navigateur Web sans risquer de perdre des données spécifiques à Excel, notamment les formules.

Pour faire du format HTML le format de fichier par défaut d'Excel, choisissez la commande **Outils/Options**, activez l'onglet **Transition** et sélectionnez l'option *Page Web (*.htm, *.html)* dans la liste déroulante *Type de fichiers par défaut*.

15.3 La barre d'outils Web intégrée

Pour faciliter la navigation sur Internet, Excel 2000 met à disposition la barre d'outils *Web*, que l'on retrouve par ailleurs dans toutes les applications d'Office 2000.

La barre d'outils Web est à peu de choses près la même que celle que l'on trouve dans les navigateurs. Elle comprend notamment les boutons permettant de passer aux pages précédentes ou suivantes déjà consultées ainsi qu'un bouton d'accès direct à la page de démarrage.

 Le bouton **Rechercher sur le Web** permet une recherche plein texte à l'aide des moteurs de recherche habituels d'Internet.

Une liste déroulante combinée avec une zone de saisie permet de sélectionner ou de saisir une URL ou l'endroit où est stocké un fichier. Elle contient la liste des dernières pages visitées. Comme dans Internet Explorer, il y a un dossier des favoris dans lequel vous pouvez placer les raccourcis vers les sites que vous visitez le plus souvent. Vous pouvez compléter cette barre d'outils par le bouton **Insérer un lien hypertexte**, qui vous permet d'ajouter un lien hypertexte dans un document par un simple clic. Le bouton **Afficher seulement la barre d'outils Web** masque toutes les autres barres d'outils lorsqu'il est activé. Cela vous permet de profiter de la totalité de l'écran pour l'affichage du document en ligne.

▲ Fig. 15.1 : *La barre d'outils Web*

Si vous avez déjà travaillé avec Internet Explorer de Microsoft, vous connaissez probablement la fonction de la plupart des boutons de la barre d'outils *Web* ainsi que des menus correspondants. Si ce n'est pas le cas, faites quelques essais et vous comprendrez rapidement le fonctionnement de chaque bouton. Les fonctions les plus importantes sont celles du bouton **Aller à**. Procédez de la façon suivante pour accéder à partir d'Excel à n'importe quel document disponible sur le Web :

1. Cliquez sur le bouton **Aller à** et choisissez la commande **Ouvrir**. La boîte de dialogue **Ouvrir une adresse Internet** s'affiche.

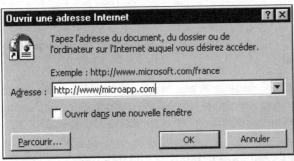

▲ Fig. 15.2 : *La boîte de dialogue Ouvrir une adresse Internet*

2. Tapez dans la zone de saisie *Adresse* l'URL d'un document sur Internet. Cette URL identifie précisément chaque document sur le réseau. Dans cet exemple, nous faisons un essai avec `http://www.microapp.com`. Validez avec OK.

3. Avant que ne soit établie la liaison avec Internet, le fournisseur d'accès contrôle normalement certaines données spécifiques telles que le nom d'utilisateur et le mot de passe afin de s'assurer que vous êtes autorisé à vous connecter. La page demandée s'affiche ensuite dans le navigateur Web.

Remarque

> **Qu'est-ce qu'une URL ?**
>
> URL est l'acronyme de **U**niform **R**esource **L**ocator. Il s'agit d'une convention fixant les noms servant à identifier un ordinateur, un dossier ou un fichier sur Internet. L'URL spécifie en même temps le protocole à utiliser : HTTP, FTP ou NEWS.

Un clic sur le bouton **Page de démarrage** commande à Internet Explorer d'établir la liaison avec la page spécifiée comme page de démarrage lors de la configuration du navigateur Web.

Changer la page de démarrage

1. Ouvrez le Panneau de configuration de Windows 95/98 et double-cliquez sur le module *Options Internet*.

2. Activez l'onglet **Général** dans la boîte de dialogue **Propriétés de Internet**.

3. Dans la zone de saisie *Adresse* de la rubrique *Page de démarrage*, vous pouvez indiquer la référence d'une page Web quelconque, y compris de votre propre page d'accueil. Validez avec OK.

15.4 D'Excel vers le Web et du Web vers Excel

Commençons par un petit aller-retour sur Internet. À l'adresse `http://www.mulhouse.cci.fr/html/pchiff.html`, la chambre de commerce et d'industrie du Haut-Rhin donne quelques statistiques intéressantes sur la situation économique de ce département. Voici comment vous pouvez récupérer ces données :

1. Cliquez sur le bouton **Aller à** de la barre d'outils *Web* et choisissez la commande **Ouvrir**. Entrez dans la zone de saisie *Adresse* de la boîte de dialogue **Ouvrir une adresse Internet** l'URL souhaitée. Le cas échéant, indiquez votre nom d'utilisateur ainsi que le mot de passe demandé par le fournisseur d'accès pour établir la connexion.

2. Lorsque la connexion est établie, Internet Explorer prend la main et affiche la page à laquelle se réfère l'URL indiquée.

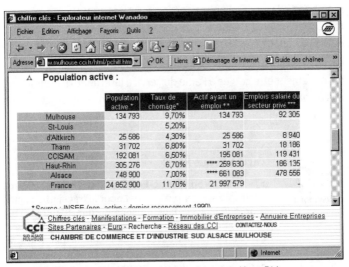

▲ Fig. 15.3 : *Les données de l'emploi dans le sud du Haut-Rhin*

3. Dès que le document souhaité est chargé, vous pouvez vous déconnecter pour éviter des frais inutiles.

Glisser-déplacer pour récupérer des données sur le Web

Pour récupérer les données de ce site Web dans une feuille de calcul Excel, sélectionnez l'extrait souhaité et faites-le glisser avec la souris dans une nouvelle feuille de calcul Excel. Vous pouvez constater que le glisser-déplacer fonctionne parfaitement pour importer des données depuis un navigateur Web vers Excel.

Vous pouvez ensuite exploiter ces données dans la feuille de calcul, par exemple pour les comparer avec des statistiques plus récentes ou plus anciennes ou avec celles d'autres départements ou encore pour en faire une représentation graphique.

Transférer des données d'Excel sur le Web

Vous souhaitez publier à nouveau sur le Web les données que vous avez modifiées ? Dans le chapitre consacré à l'intranet, vous avez vu comment publier des documents Excel sur un serveur intranet. Avec le nouvel Excel, ce n'est pas non plus un problème sur Internet.

La page Web que vous voulez publier sur un serveur Internet doit normalement être copiée à l'aide du service Internet FTP dans le dossier mis à votre disposition à cet effet par votre fournisseur d'accès ou dans n'importe quel sous-dossier de ce dossier.

Remarque

Qu'est-ce que FTP ?

FTP est l'acronyme de **F**ile **T**ransfer **P**rotocol. C'est un protocole standard d'Internet pour le transfert de fichiers à grande vitesse dans un sens ou dans l'autre. FTP est fondé sur le protocole Internet TCP/IP. Pour utiliser le service FTP, vous devez vous identifier par votre nom d'utilisateur et un mot de passe dès que la liaison avec le serveur est établie. De nombreux serveurs permettent cependant aussi une connexion anonyme sans mot de passe, en tant qu'invité. Après la connexion, vous pouvez parcourir les dossiers accessibles en fonction du nom d'utilisateur que vous avez indiqué ou sélectionner le dossier prévu pour la publication et transférer le fichier correspondant.

Voici la procédure de transfert d'une page Web sur un serveur Internet via FTP :

1. Choisissez la commande **Fichier/Enregistrer en tant que page Web**. La boîte de dialogue **Enregistrer sous** s'affiche.

2. Sélectionnez l'option *Adresses Internet (FTP)* dans la liste déroulante *Enregistrer dans*. Si des accès FTP sont déjà configurés sur votre ordinateur, ils apparaissent dans la liste.

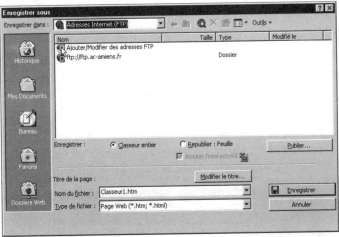

▲ Fig. 15.4 : *La boîte de dialogue Enregistrer sous pour une publication sur un serveur FTP*

Si aucune liaison n'est aménagée sur l'ordinateur, double-cliquez sur *Ajouter/Modifier des adresses FTP*. La boîte de dialogue de même nom s'affiche pour vous permettre d'y saisir les indications appropriées (voir fig. 15.5).

3. Après avoir sélectionné le serveur de destination sous *Enregistrer dans*, Excel tente d'établir la connexion. Elle aboutit si les indications données dans la boîte de dialogue **Ajouter/Modifier des adresses FTP** sont exactes.

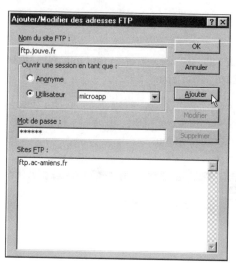

▲ **Fig. 15.5** : *La boîte de dialogue Ajouter/Modifier des adresses FTP*

4. Lorsque la communication est établie, la structure des dossiers du serveur FTP s'affiche. Sélectionnez le dossier de publication dans l'arborescence. Dans notre exemple, c'est le dossier *In*.

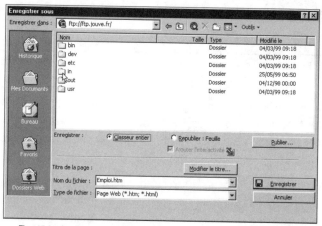

▲ **Fig. 15.6** : *La liaison étant établie, l'arborescence des dossiers du serveur FTP s'affiche dans la boîte de dialogue Enregistrer sous*

5. Cliquez ensuite sur le bouton **Publier**. La boîte de dialogue **Publier en tant que page Web** s'affiche. Si vous souhaitez que la feuille de calcul mette à disposition les fonctionnalités Excel dans le navigateur, activez la case à cocher *Ajouter l'interactivité avec* et sélectionnez l'option *Fonctionnalité de la feuille de calcul* dans la liste déroulante correspondante. Cliquez ensuite sur le bouton **Publier**. Si la case à cocher *Ouvrir la page publiée dans un navigateur* était restée activée dans la boîte de dialogue **Publier en tant que page Web**, le navigateur Web est démarré et la page s'y affiche. Si vous avez ajouté l'interactivité, la page Web est dotée de la fonctionnalité d'une feuille de calcul Excel : vous pouvez éditer des nombres, saisir des formules, effectuer des mises en forme, etc.

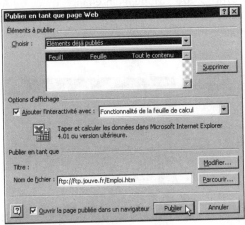

▲ Fig. **15.7** : *Options de publication de la page Web sur un serveur FTP*

15.5 Les composants Office pour le Web

Les applications Office 2000 disposent avec les composants Office pour le Web d'une série de nouveaux composants permettant à l'utilisateur d'intervenir de manière interactive sur des objets Excel, par exemple des feuilles de calcul ou des tableaux croisés dynamiques, à l'aide du navigateur Web, sans avoir besoin d'Excel en tant que serveur OLE.

Remarque

Qu'est-ce qu'un composant ?

Un composant est une unité de code indépendante créée sur la base de technologies ActiveX et mettant à disposition une série bien précise de services par le biais d'une interface bien définie. Les composants mettent à disposition les objets demandés à l'exécution par les clients.

Pour profiter des nouveaux composants Web, ils doivent être installés et vous devez également utiliser Microsoft Internet Explorer 4.01 ou supérieur. Si vous n'aviez pas installé ces composants lors de l'installation initiale d'Office 2000, vous pouvez les ajouter par la suite. Exécutez à nouveau le programme d'installation et choisissez dans la boîte de dialogue **Microsoft Office 2000 - Mode maintenance** le bouton **Ajouter/supprimer des composants**. Dans la boîte de dialogue **Mise à jour des composants Office** qui s'affiche alors, sélectionnez les *Office Web Components*.

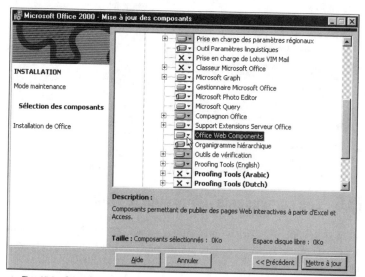

▲ Fig. 15.8 : *Sélection des Office Web Components lors de l'installation d'Office 2000*

Le composant feuille de calcul

Le composant feuille de calcul met à disposition les possibilités élémentaires d'une feuille de calcul dans le navigateur Web. Des calculs à l'aide de formules Excel peuvent par conséquent être effectués également dans le navigateur Web. Les calculs peuvent également se référer à d'autres contenus du Web.

Remarque

Ajouter l'interactivité

La condition pour profiter des possibilités interactives de ce composant feuille de calcul est que la feuille de calcul Excel originale ait été publiée sur un serveur HTTP en tant que page Web avec la fonctionnalité de la feuille de calcul.

Lorsque vous ouvrez dans votre navigateur Web une feuille de calcul publiée en tant que page Web sur un serveur HTTP avec la fonctionnalité de la feuille de calcul, votre navigateur vous présente un tableau avec des en-têtes de lignes et de colonnes, une barre de titre et une barre d'outils. Vous disposez en quelque sorte d'un "petit Excel" sur le Web (voir fig. 15.9).

La barre d'outils de la feuille de calcul contient les principales fonctions pour le travail avec le composant.

▲ **Fig. 15.10** : *Les principales fonctions de la feuille de calcul sont également disponibles dans le navigateur Web grâce à la barre d'outils*

De gauche à droite, après le symbole d'Office, figurent les boutons **Annuler**, **Couper**, **Copier**, **Coller**, **Somme automatique**, **Tri croissant**, **Tri décroissant**, **Filtre automatique**, **Export to Excel**, **Property Toolbox** et **Aide**.

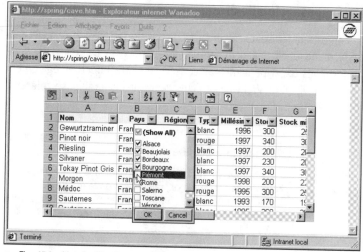

▲ Fig. 15.9 : *Une feuille de calcul, avec la fonction de filtre automatique activée, en tant que composant Web interactif dans le navigateur*

Remarque

Noms de boutons en français et en anglais

Dans la version bêta d'Office 2000 dont nous disposons pour la mise au point de cet ouvrage, les noms de boutons sont tous en anglais. Nous avons néanmoins fait le choix de vous donner en français les noms de boutons que vous connaissez bien pour les avoir déjà employés bien souvent dans Excel et dans les autres applications Microsoft. Les deux seuls noms en anglais sont ceux des nouveaux boutons **Export to Excel** et **Property Toolbox**, dont nous ne savons pas quelle sera la traduction en français.

La plupart de ces boutons sont bien connus, notamment tous ceux dont les noms sont en français ci-dessus. Le bouton **Export to Excel** est nouveau. Lorsque vous cliquez sur ce bouton, le navigateur Web redonne la main à Excel, qui ouvre le fichier en lecture seule, toutes les fonctionnalités du programme étant alors à nouveau disponibles. Il faut bien entendu qu'Excel soit installé sur l'ordinateur. Notez en effet que ce n'est pas indispensable pour travailler avec les seuls composants Web.

Paramétrages et mises en forme

Un clic sur le bouton **Property Toolbox** ou le choix de la commande de même nom dans le menu contextuel ouvre une boîte de dialogue dans laquelle vous pouvez définir les principales options pour le travail avec le composant ainsi que pour les mises en forme dans le tableau.

Vous trouvez ainsi les différentes possibilités de paramétrage que vous connaissez déjà pour les avoir utilisées souvent dans Excel 2000. Vous pouvez par exemple afficher ou masquer le quadrillage ou les en-têtes de lignes et de colonnes, mettre en forme les cellules, etc.

Le composant graphique

Le composant graphique reporte sur les pages Web quelques-unes des fonctionnalités des graphiques Excel.

Remarque

Ajouter l'interactivité

La condition pour profiter des possibilités interactives de ce composant graphique est que la feuille de calcul Excel originale ait été publiée sur un serveur HTTP en tant que page Web avec la fonctionnalité du graphique.

Les graphiques affichés par le navigateur sont alors liés avec les données sous-jacentes. Les modifications dans la feuille de calcul correspondante se répercutent immédiatement, exactement comme si le graphique était affiché dans Excel (voir fig. 15.11).

Le processus inverse, à savoir la modification de points de données par glisser-déplacer directement sur le graphique, n'est pas possible dans le composant graphique, contrairement à un vrai graphique Excel. Une modification a posteriori du type de graphique n'est pas possible non plus (voir fig. 15.12).

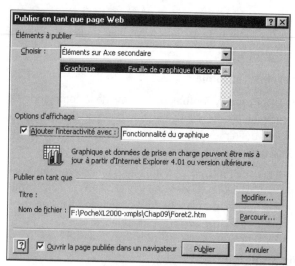

▲ Fig. 15.11 : *Pour une utilisation interactive du composant graphique, il faut que la feuille de graphique Excel ait été publiée sur un serveur HTTP, en tant que page Web et avec la fonctionnalité du graphique*

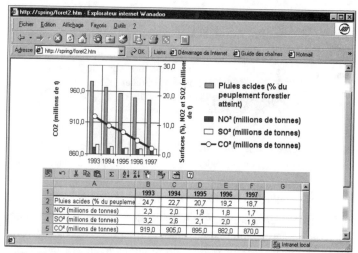

▲ Fig. 15.12 : *Le graphique avec la feuille de calcul sous-jacente en tant que composant Web dans Internet Explorer*

Le composant tableau croisé dynamique

Ce composant met à disposition dans une page Web les possibilités dynamiques d'analyse et de représentation de données des tableaux croisés dynamiques. Pour pouvoir modifier une feuille de calcul Excel en tant que tableau croisé dynamique dans le navigateur Web, vous devez publier la feuille de calcul en tant que page Web et avec la fonctionnalité correspondante.

Vous trouverez davantage d'informations sur les tableaux croisés dynamiques au chapitre intitulé *Tableaux et graphiques croisés dynamiques*.

15.6 Lier des documents par des liens hypertextes

Les liens hypertextes sont une particularité marquante des documents HTML. Il s'agit de ces mots ou expressions qui sont mis en évidence au moyen d'un graphisme spécial et qui renvoient à d'autres documents HTML.

Les liens hypertextes entre les documents permettent à l'utilisateur d'accéder aisément à des informations connexes. Excel fournit une boîte de dialogue simple avec laquelle l'utilisateur peut créer et modifier des liens hypertextes. Ils peuvent renvoyer aussi bien à d'autres documents Office qu'à des fichiers HTML ou à un fichier quelconque dont l'adresse est clairement identifiée par le chemin d'accès. Les liens hypertextes constituent par conséquent un excellent moyen de lier entre eux les principaux objets Office tels que des textes, des graphiques, des objets OLE ou des cellules de feuille de calcul.

Créer une structure hypertexte

1. Créez une liste des catégories de produits proposées par votre société. Cette liste constitue le point de départ de la structure hypertexte.

2. Sélectionnez la cellule dans laquelle le lien hypertexte doit être inséré. Dans l'exemple, il s'agit de la cellule B9.

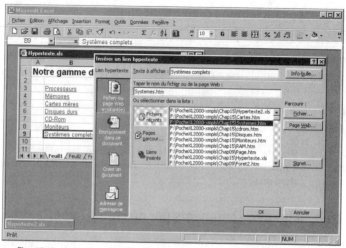

▲ **Fig. 15.13** : *Insertion d'un lien hypertexte dans une feuille de calcul Excel*

3. Choisissez la commande **Insertion/Lien hypertexte**. La boîte de dialogue **Insérer un lien hypertexte** s'affiche.

4. Dans la zone de saisie *Taper le nom du fichier ou de la page Web*, indiquez le chemin et le nom de fichier du document HTML. Vous pouvez également sélectionner la page souhaitée dans la zone de liste qui vous propose les derniers liens hypertextes insérés ou les dernières pages Web visitées.

5. Validez avec un clic sur OK. Le contenu de la cellule a maintenant changé de couleur et il est souligné (voir fig. 15.14).

6. Dorénavant, lorsque le pointeur de la souris vient se placer sur la cellule B9, il se transforme en main, et le lien est affiché sous forme de commentaire. Un clic sur la cellule affiche le document lié par le lien hypertexte, que ce soit un autre document Office ou une page Web.

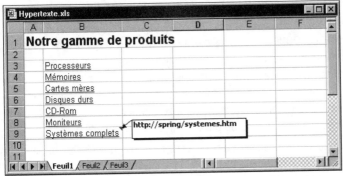

▲ Fig. **15.14** : *Un lien hypertexte a été inséré dans la cellule B9*

Le document cible visé par le lien hypertexte peut à son tour contenir d'autres liens. Rien ne vous empêche par conséquent d'apporter votre contribution à l'immense toile d'araignée qui se tisse jour après jour sur le réseau.

Des URL dans des formules

Excel 2000 permet de créer des formules contenant des références à des plages de cellules situées dans un classeur sur le Bureau ou sur un réseau local.

Des références à des données contenues dans des classeurs situés sur un serveur Web sont également possibles. Les formules peuvent contenir des URL référençant une feuille de calcul sur un serveur HTTP ou FTP, sur le Bureau ou sur le réseau local. Il est ainsi possible de créer des liens avec toutes les données importantes, indépendamment de l'endroit où elles se trouvent.

15.7 Requêtes Web avec Excel

Certaines données disponibles sur Internet changent très régulièrement, voire en permanence. C'est le cas des cours de la Bourse, des données météorologiques, des tarifs, etc. Par ailleurs, le nombre des données disponibles sur Internet est de plus en plus important, et il est tout à fait naturel de tenter d'utiliser ces données directement lorsque l'on en a besoin.

Dans Excel 2000, il est possible d'exécuter des requêtes Web sur des données situées sur l'intranet ou sur Internet et de récupérer ces données dans des feuilles de calcul. Ces données importées peuvent être tenues à jour et utilisées pour des calculs et des analyses. L'utilisateur a la possibilité d'accéder directement aux données sur Internet à partir d'Excel, sans être obligé de passer par le navigateur Web.

Les fichiers de requête Web portent l'extension *.iqy*. Ils contiennent plusieurs lignes servant à indiquer le type de requête et à préciser la source de données à interroger. Ils contiennent aussi des instructions de contrôle de la requête. Ils peuvent être créés avec n'importe quel éditeur de texte, par exemple avec le Bloc-notes.

Syntaxe des requêtes Web

Les fichiers de requête Web doivent contenir les éléments suivants :

- type de la requête (facultatif) ;
- version de la requête (facultatif) ;
- URL (requis) ;
- paramètres.

On distingue les requêtes dynamiques et statiques. Les premières affichent une boîte de dialogue à l'exécution pour vous demander d'indiquer les paramètres, tandis que pour les secondes ces paramètres sont spécifiés de manière définitive dans la définition de la requête.

L'exemple ci-après définit une requête Web statique servant à lire des cours de la Bourse de la société PC Quote (`http://www.pc-quote.com/`). Les cours des actions des sociétés Microsoft, IBM, Novell, Netscape, Corel, General Motors, Ford et AT&T sont demandés. Dans la ligne des paramètres figurent les abréviations habituellement utilisées pour les titres boursiers : "f" pour Ford, "msft" pour Microsoft, etc. Ces abréviations sont séparées par des signes +.

Exemple 1

```
WEB
1
http://webservices.pcquote.com/cgi-bin/excel.exe
QUOTE0=msft+ibm+novl+nscp+cosff+gm+f+t
```

L'exemple ci-dessous correspond à une requête dynamique dont les paramètres sont demandés dans une boîte de dialogue.

Exemple 2

```
WEB
1
http://webservices.pcquote.com/cgi-bin/excel.exe
QUOTE0=["QUOTE0","Indiquez jusqu'à 20 codes d'actions en les
séparant par des espaces."]
```

Dans le sous-dossier Queries du dossier Office se trouvent par ailleurs d'autres exemples de requêtes concernant des cours de la Bourse.

Exécuter une requête Web

1. Choisissez la commande **Démarrer/Programmes/Accessoires/Bloc-notes**.

2. Tapez les lignes suivantes, qui correspondent à la définition de l'exemple 1 ci-dessus :

```
WEB
1
http://webservices.pcquote.com/cgi-bin/excel.exe
QUOTE0=msft+ibm+novl+nscp+cosff+gm+f+t
```

3. Enregistrez le fichier en tant que fichier de requête Web dans le sous-dossier *Queries*, en l'appelant par exemple Requete1.iqy et avec le type de fichier *Documents texte*.

4. Choisissez la commande **Données/Données externes/Exécuter une requête enregistrée**.

5. La boîte de dialogue **Exécuter une requête** s'affiche. Le dossier
Queries est automatiquement sélectionné dans la liste déroulante
Regarder dans. Sélectionnez la requête *Requete1.iqy*.

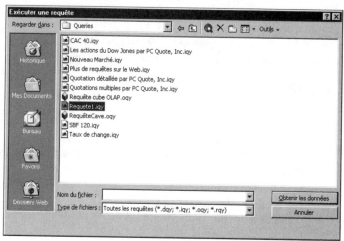

▲ Fig. 15.15 : *La boîte de dialogue Exécuter une requête*

6. Cliquez sur le bouton **Obtenir les données**. La boîte de dialogue
Renvoi de données externes vers Excel s'affiche. Vous pouvez y
indiquer si les données à importer doivent être insérées dans une
nouvelle feuille de calcul ou dans une feuille de calcul existante.

7. Cliquez sur OK. La liaison avec Internet est alors établie et les
données fournies par le serveur interrogé sont insérées dans la
feuille de calcul et à l'emplacement spécifié dans la précédente
boîte de dialogue. Enregistrez le fichier sous le nom Requete.htm.

Mise à jour d'une requête

Les cours de la Bourse changent quotidiennement. Vous serez donc
amené à exécuter souvent encore la requête précédente. Procédez de
la façon suivante pour mettre à jour une requête existante :

1. Ouvrez le fichier Requête.htm, sélectionnez la feuille de calcul Cours, qui contient les dernières données fournies par le serveur.

2. Choisissez la commande **Données/Actualiser les données**.

3. La liaison avec Internet est établie et les données sont mises à jour.

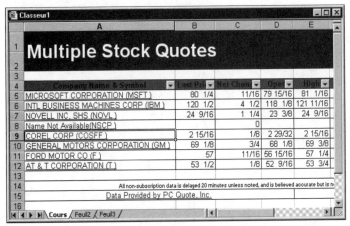

▲ **Fig. 15.16** : *Les cours de la Bourse obtenus sur le serveur Web par une requête Web exécutée à partir d'Excel*

Comme vous pouvez le constater, le fichier texte Requete1.iqy n'est plus utile pour la mise à jour des données. La définition de la requête a en effet été enregistrée avec la feuille Cours du classeur.

Chapitre 16

Programmer Excel avec VBA

16.1	L'environnement de développement de programmes VBA	445
16.2	Votre premier programme	446
16.3	Structure d'un module VBA	451
16.4	Événements et objets : un concept orienté objet	458
16.5	Comment créer vos propres classes d'objets	465
16.6	Enregistrer des modules VBA avec l'enregistreur de macro	471
16.7	Le Gestionnaire de macros complémentaires	473
16.8	Dialoguer avec Excel : les boîtes de dialogue	474

Visual Basic Edition Applications, en abrégé VBA, est le langage de programmation d'Excel et des autres applications Office. Avec VBA, vous disposez d'un outil de programmation puissant et très au point avec lequel vous pourrez créer vos propres applications Excel. La version VBA d'Excel 2000 porte le numéro 6.0.

Plus d'informations

Il ne nous est pas possible, dans cet ouvrage, de vous offrir une présentation détaillée de la programmation avec VBA. Pour davantage d'informations sur ce sujet, nous vous invitons à vous reporter à l'aide en ligne d'Excel 2000, dans laquelle vous trouverez une référence complète de VBA.

16.1 L'environnement de développement de programmes VBA

Lorsque vous développez une application Excel 2000, tous les fichiers faisant partie de cette application sont gérés dans un projet. Démarrez l'éditeur en choisissant la commande **Outils/Macro/Visual Basic Editor** ou en cliquant sur le bouton **Visual Basic Editor** dans la barre d'outils *Visual Basic*.

Raccourci clavier

La combinaison de touches Alt+F11 permet d'ouvrir très rapidement l'environnement de développement.

La barre d'outils *Visual Basic* contient d'autres boutons dont vous pouvez vous aider pour la création des modules VBA.

◄ Fig. 16.1 :
Les boutons de la barre d'outils Visual Basic

Lorsqu'au démarrage de l'éditeur VBA le classeur actif s'appelle par exemple Vba.xls, un projet portant le même nom est automatiquement généré. Dans la partie gauche de la fenêtre Visual Basic se trouve l'Explorateur de projets, dans lequel vous pouvez gérer les projets VBA et leurs composants. La fenêtre **Propriétés** s'affiche également. On y trouve les propriétés de l'objet sélectionné. Vous pouvez également afficher un formulaire, un module ou un module de classe.

16.2 Votre premier programme

Nous allons vous présenter l'utilisation de l'éditeur VBA à l'aide d'un exemple. Traditionnellement, le premier programme créé par tout apprenti programmeur consiste à afficher un texte à l'écran, généralement un très classique mais sans doute chaleureux "Bonjour". Nous n'allons pas déroger à la tradition.

Créer un module

Pour votre première incursion dans l'univers de la programmation, enregistrez d'abord un classeur sous le nom Bonjour.xls. Appelez également Bonjour la première feuille de ce classeur. Activez ensuite l'environnement de développement de VBA.

Choisissez à cet effet la commande **Outils/Macro/Visual Basic Editor**. Vous pouvez également actionner la combinaison de touches **Alt + F11** ou cliquer sur le bouton correspondant de la barre d'outils *Visual Basic*.

L'Éditeur Visual Basic

VBA gère sous forme de module les programmes que vous créez. Pour commencer la saisie du code du programme, choisissez la commande **Insertion/Module** dans la barre de menus de l'Éditeur VBA. Une nouvelle fenêtre de module vide s'affiche.

Vous pouvez à présent saisir le code du programme dans le module VBA. Entrez le code ci-après sans vous soucier dans un premier temps de la signification des différentes instructions. Vous les comprendrez lorsque vous aurez vu le programme à l'œuvre et lorsque vous aurez fait quelques expériences avec le code. Les lignes qui commencent par une apostrophe sont des commentaires.

```
'Code de la procédure Bonjour
Sub Bonjour()
'Sélection de la feuille
    Sheets("Bonjour").Select
'Sélection de la cellule C6 dans la feuille de calcul Bonjour
    Range("C6").Select
'Largeur de la colonne
    Columns("C:C").ColumnWidth = 20
'Affectation d'un contenu à la cellule
    ActiveCell.FormulaR1C1 = "Bonjour"
'Format des caractères
    With Selection.Font
        .Name = "Arial"
        .Size = 20
        .FontStyle = "gras"
    End With
'Masquer le quadrillage
    ActiveWindow.DisplayGridlines = False
End Sub
```

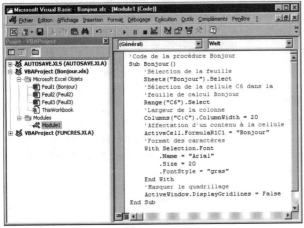

▲ Fig. 16.2 : L'Éditeur VBA avec le code de la procédure Bonjour

Saisie du code de programme

Tenez compte des observations suivantes lors de la saisie du code :

- Corrigez les fautes de frappe avec **Retour arrière** ou **Suppr**.

- Une ligne de code ne contient normalement qu'une seule instruction.

- Lorsque plusieurs instructions doivent figurer dans une même ligne, elles doivent être séparées par un deux-points (**:**).

- Terminez chaque ligne par la touche **Entrée**.

- Si le texte de l'instruction est trop long pour tenir dans la ligne, utilisez le caractère de renvoi à la ligne : c'est le trait de souligne-ment (_), qui doit toujours être précédé d'une espace.

- Si vous souhaitez insérer des commentaires dans le code, placez une apostrophe au début du texte du commentaire.

Astuce

Code en couleur

Lors de la saisie de la procédure Bonjour, vous avez pu constater que le code s'affiche en couleur. Pour modifier les couleurs utilisées, choisissez la commande **Outils/Op-tions** et activez l'onglet **Format de l'éditeur**. Vous pouvez y choisir la police et la taille des caractères ainsi que les couleurs à utiliser pour la mise en évidence des différents éléments du code. Vous pouvez également décider si la barre des indicateurs doit être affichée en marge du code.

Exécuter le code

Vous pouvez exécuter la procédure que vous venez de créer en cliquant sur le bouton **Exécuter Sub/UserForm** dans la barre d'outils *Standard* ou en choisissant la commande **Exécution/Exécuter Sub/UserForm**.

> **Raccourci clavier**
>
> Pour exécuter et tester une procédure durant la phase de développement, utilisez la touche F5 pour gagner du temps.

Même si le code que vous avez créé ne vous est pas vraiment très utile pour le moment, vous pouvez néanmoins voir dans la feuille de calcul Bonjour ce qui a été réalisé : le texte Bonjour s'est inscrit dans la cellule C6, en police Arial, en taille 20 et en gras. L'affichage du quadrillage de la feuille a également été désactivé.

Enregistrer le programme

Pour enregistrer le programme, choisissez la commande **Fichier/Enregistrer Bonjour.xls** ou actionnez la combinaison de touches **Ctrl + S**.

Fermer l'Éditeur VBA

Choisissez la commande **Fichier/Fermer et retourner à Microsoft Excel** ou faites **Alt + Q**.

Affecter une macro à un bouton

La commande ou le bouton **Exécuter Sub/UserForm** ne sert normalement à exécuter une procédure que lors de la phase de test. Dans l'application devenue opérationnelle, vous utiliserez normalement un bouton, dans une feuille de calcul ou une boîte de dialogue, pour activer une procédure et exécuter les actions correspondantes.

Pour vous montrer comment créer un tel bouton, nous allons en insérer un dans la feuille de calcul Bonjour et l'associer à la procédure Bonjour.

Associer une procédure avec un bouton

1. Ouvrez la barre d'outils *Boîte à outils Contrôles* et cliquez sur **Bouton de commande**.

2. Placez le nouveau bouton à l'endroit souhaité sur la feuille de calcul en traçant un rectangle de la dimension souhaitée. La taille peut être

modifiée ultérieurement en agissant sur les poignées de sélection. Le nouvel objet porte son nom par défaut CommandButton1 dans un premier temps.

3. Double-cliquez sur le nouveau bouton. L'Éditeur de code s'ouvre. Il contient la structure prédéfinie de la procédure CommandButton1_Click(). C'est la procédure d'événement du bouton qui sera exécutée lorsque l'utilisateur cliquera sur le bouton. Complétez la procédure comme ci-dessous, en insérant l'appel de la procédure Bonjour que vous avez créée précédemment.

```
Private Sub CommandButton1_Click()
    Bonjour
End Sub
```

4. Modifiez le texte du bouton en cliquant dessus avec le bouton droit de la souris alors qu'il est encore sélectionné et en choisissant la commande **Propriétés** dans le menu contextuel. Vous pouvez alors modifier l'intitulé du bouton à votre guise en remplaçant la valeur de la propriété *Caption*.

5. Mettez fin au mode Création en cliquant sur le bouton correspondant dans la *Boîte à outils Contrôles*. Un clic sur le bouton **Bonjour** lance à présent l'exécution de la procédure correspondante.

Remarque

Mode Création

Si vous voulez modifier le bouton, par exemple pour lui donner un autre intitulé ou changer ses dimensions, vous devez repasser en mode Création en cliquant sur le bouton correspondant dans la *Boîte à outils Contrôles*. Cliquez ensuite sur le bouton afin de l'activer. Vous obtenez à nouveau la fenêtre des propriétés du bouton, dans laquelle vous pouvez effectuer les modifications souhaitées.

Attente du clic

Avez-vous remarqué que votre programme ne se compose que de la seule procédure Bonjour ? Il n'existe pas de programme principal qui active cette procédure. L'exécution de la procédure dépend de l'utilisateur. C'est lui qui, en cliquant ou en ne cliquant pas sur le bouton **Bonjour !**, décide si la procédure doit être exécutée ou non. Le code de la procédure attend en quelque sorte que survienne l'événement qui a été choisi pour l'activer. Cette façon de contrôler le déroulement d'un programme en fonction des événements est typique des interfaces graphiques.

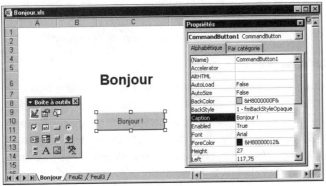

▲ Fig. 16.3 : *La feuille de calcul avec le bouton en mode Création*

Un clic sur le bouton **Bonjour !** démarre la procédure Bonjour, et le résultat s'affiche dans la cellule C6 de la feuille de calcul Bonjour.

16.3 Structure d'un module VBA

Les applications VBA simples sont généralement composées de plusieurs procédures stockées dans un module. Dans les applications plus complexes, il est souvent plus intéressant de répartir les procédures dans différents modules en fonction des tâches qui leur sont confiées. Un module VBA est constitué d'une section de déclaration et d'une section de procédures.

Section de déclaration (au niveau module)

La section de déclaration d'un module n'est pas obligatoire. Elle sert aux déclarations dont la portée s'étend sur tout le module (déclaration au niveau du module). Les déclarations sont des instructions non exécutables servant à nommer et à définir des variables, des constantes ou des types de données personnalisés. Concrètement, vous indiquez dans la section de déclaration du module à quel type de données appartient une variable dont vous avez besoin dans l'application projetée. Lorsque les variables sont utilisées sans déclaration préalable, VBA leur affecte un type de données standard, ce qui n'est généralement souhaitable ni du point de vue des performances du programme ni du point de vue de l'occupation de l'espace disque. Les instructions exécutables ne sont pas acceptées dans la section de déclaration.

Types de données VBA

VBA connaît les types de données élémentaires énumérés dans le tableau ci-après. Si vous n'affectez pas explicitement un type de données à une variable, elle a automatiquement le type par défaut `Variant`. VBA connaît également les types de données définis par l'utilisateur, que vous pouvez créer avec l'instruction `type`. Ils définissent une structure composée de plusieurs types de données élémentaires.

Types de données VBA élémentaires

Tab. 16.1 : Les types de données élémentaires de VBA			
Type de données	Mémoire occupée (octets)	Symbole	Plage de valeurs
Octet	1	aucun	0 à 255
Integer (entier)	2	%	-32 768 à 32 767
Long (entier long)	4	&	-2 147 483 648 à 2 147 483 647

Tab. 16.1 : Les types de données élémentaires de VBA

Type de données	Mémoire occupée (octets)	Symbole	Plage de valeurs
Single (nombre à virgule flottante)	4	!	$-3,402823^E$ 38 à $-1,401298^E$ -45 (valeurs négatives) $1,401298^E$ 645 à $3,402823^E$ 38 (valeurs positives)
Double (virgule flottante à double précision)	8	#	$-1,79769313486231E308$ à $-4,94065645841247E-324$ (valeurs négatives) $4,94065645841247E-324$ à $1,79769313486232E308$ (valeurs positives)
Currency (monétaire)	8	@	922337203685477,5808 à 922337203685477,5807
String	1 par caractère	$	longueur fixe : 2^{16} caractères au maximum longueur variable : 2^{31} caractères au maximum
Boolean (booléen)	2	aucun	Vrai ou Faux
Date (date et heure)	8	aucun	1er janvier 100 à 31 décembre 9999 0:00:00 à 23:59:59
Object (objet)	4	aucun	Référence quelconque à un objet
Variant	16 + 1 par caractère	aucun	Null, Error ou contenu quelconque d'un autre type de données

Section de procédures d'un module

La section de procédures d'un module contient les procédures, comme son nom l'indique. Une procédure est une suite de définitions et d'instructions. Dans VBA, il existe deux types de procédures : Sub et Function.

Une procédure Sub représente une unité de code délimitée par les mots-clés **Sub** et **End Sub**. Elle traite diverses instructions mais ne renvoie aucune valeur en guise de résultat.

Une procédure Function est une unité de code délimitée par les mots-clés **Function** et **End Function** et qui traite également diverses instructions mais renvoie une valeur en guise de résultat. Cette valeur peut être utilisée dans une expression.

La portée des procédures VBA est privée ou publique. Une procédure publique contient le mot-clé **Public** dans son en-tête, et elle est accessible à toutes les autres procédures de tous les modules du classeur. Une procédure privée, en revanche, n'est accessible qu'aux procédures du module dans lequel elle a été déclarée. Les procédures privées sont déclarées avec le mot-clé **Private**.

Remarque

Procédure privée

Une procédure déclarée en tant que procédure privée ne peut être exécutée toute seule. Elle doit toujours être appelée par une autre procédure.

L'exécution des instructions contenues dans une procédure peut être déclenchée par un événement convenu pour cette procédure, par exemple un clic sur un bouton, ou en l'appelant par son nom à l'intérieur d'une autre procédure. Les procédures comportent les sections ci-après :

- L'en-tête de la procédure : le type, le nom et les paramètres de la procédure y sont déclarés.

- La section de déclaration : vous pouvez y déclarer les variables et constantes dont la portée se limite à la procédure.

- Le corps de la procédure : il contient les instructions exécutables de la procédure.

Toutes les instructions VBA exécutables doivent être utilisées dans des procédures, plus précisément dans le corps de la procédure. Les procédures peuvent également comporter une section de déclaration. La portée des éléments déclarés dans cette section est locale, c'est-à-dire limitée à la seule procédure. La structure de base d'un module VBA est représentée schématiquement dans l'illustration suivante.

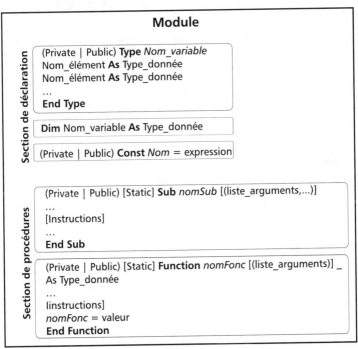

▲ Fig. 16.4 : *Structure de base d'un module VBA*

Les structures de contrôle de VBA

Sauf indication contraire, les instructions contenues dans le corps de la procédure sont traitées l'une après l'autre, dans l'ordre où elles figurent dans le code. Des structures de contrôle peuvent être utilisées si l'on veut que certaines instructions soient exécutées selon qu'une condition est vraie ou fausse ou si l'on veut répéter plusieurs fois un bloc d'instructions également en fonction du résultat d'une expression.

VBA propose une vaste gamme de structures de contrôle. Il s'agit pour l'essentiel de structures de prise de décision et de boucles.

Les types fondamentaux de structures de contrôle de VBA sont présentés ci-dessous. Il est possible d'imbriquer ces types élémentaires pour construire des structures plus complexes. C'est ainsi qu'une boucle For Each...Next peut contenir un bloc If...Then qui contient à son tour une boucle Do...Loop Until.

Si des boucles doivent être arrêtées avant que la condition de sortie n'ait la valeur True, il faut utiliser l'instruction Exit.

Prise de décision

If...Then

```
If valeur <0 Then valeur = 0
```

If...Then...End If

```
If valeur > 25 Then
    valeur = valeur + 5
End If
```

If...Then...Else

```
If valeur < 10 Then
    calcul1
Else
    calcul2
End If
```

If...Then...ElseIf

```
If valeur = 1 Then
    instruction1
ElseIf valeur = 2  Then
    instruction2
Else
    instruction3
End If
```

Select Case

```
Select Case valeur
```

```
Case 1    instruction1
Case2, 3, 4    instruction2
Case Is > 5    instruction3
Case Else    instruction4
End Select
```

Boucles

Do While...Loop

```
Do While condition
    instructions
Loop
```

Do Until...Loop

```
Do Until condition
    instructions
Loop
```

Do...Loop While

```
Do
    instructions
Loop While condition
```

Do...Loop Until

```
Do
    instructions
Loop Until condition
```

For...Next

```
For valeur=1 To 100
    instructions
Next valeur
```

For Each...Next

```
For Each élément In groupe
    instructions
Next élément
```

16.4 Événements et objets : un concept orienté objet

Lorsque vous programmez avec VBA, vous travaillez dans un environnement de programmation orienté objet et piloté par des événements.

Objets, classes et conteneurs

Un des principes de base de la programmation orientée objet est que le code de programme et les données constituent une entité appelée objet. Le code décrivant ce qu'un objet est capable de faire est appelé "méthode" dans la terminologie orientée objet, tandis que les données qui définissent les caractéristiques de l'objet sont appelées "propriétés". Un objet peut posséder de nombreuses méthodes et propriétés. Il existe par exemple des méthodes pour sélectionner, couper, copier ou supprimer un objet.

Une classe d'objet est la description de la définition d'un objet. Elle renseigne sur le type des propriétés et méthodes. Un objet est une instance dans la classe. Il existe de nombreuses instances d'une classe dans une application VBA. Dans un classeur, par exemple, il peut y avoir différents objets feuille de calcul et chacun de ces objets est une instance de la classe **Sheet**.

Les collections sont un autre élément de la programmation orientée objet. Une collection est un conteneur qui ne contient de manière générale que des individus d'un seul type de classe. La classe **Sheets**, par exemple, est une telle collection d'individus de la classe **Sheet**. Un objet concret de la classe **Sheet** pourrait s'appeler par exemple Feuil1. Les conventions en vigueur pour la désignation des bibliothèques de classes VBA veulent que le nom du conteneur corresponde au pluriel de la classe qui y est contenue.

Méthodes et propriétés

Le code qui décrit ce dont un objet est capable s'appelle une méthode dans la terminologie de la programmation orientée objet. Les données qui définissent les caractéristiques de l'objet sont, quant à elles, appelées propriétés.

Remarque

Qu'est-ce qu'une méthode ?

Les méthodes sont des instructions qui exécutent des actions sur l'objet dans lequel elles ont été définies ou qui demandent à l'objet d'exécuter une action. Ces actions peuvent modifier l'objet ou donner à l'utilisateur le contrôle de l'objet. L'objet *Shape*, que l'on peut utiliser pour afficher des objets graphiques simples, possède par exemple une méthode Select permettant de sélectionner l'objet.

Les méthodes et propriétés sont définies dans la classe à laquelle appartient l'objet, et elles sont disponibles dès sa création. Un objet peut posséder de nombreuses méthodes et propriétés.

Remarque

Qu'est-ce qu'une propriété ?

Chaque attribut individuel d'un objet est appelé propriété. Un objet peut avoir un nombre quelconque de propriétés. L'objet *Shape* possède par exemple la propriété Fill, dont la valeur détermine la couleur de remplissage de l'objet. Une propriété est une caractéristique spécifique de l'objet, que l'utilisateur peut choisir et modifier.

Les événements(Events, en anglais) sont un autre élément constitutif de ce modèle de programmation. Un événement correspond généralement à une action de l'utilisateur et déclenche une méthode d'un objet. Les programmes contrôlés par événements ne comportent plus de programme principal au sens classique du terme, c'est-à-dire dans lequel les différentes routines sont exécutées les unes après les autres dans un ordre défini à l'avance par le programmeur. Le programme est à présent contrôlé dans son déroulement par les événements que provoque l'utilisateur.

Remarque

> **Qu'est-ce qu'un événement ?**
>
> Un événement est une action déclenchée par l'utilisateur, une application ou le système. Les déplacements de la souris, un clic droit ou un clic sur un bouton sont des événements. Beaucoup d'objets possèdent des méthodes qui sont exécutées lorsqu'un événement se produit. Tous les objets ne sont pas forcément capables de réagir aux mêmes événements. Une procédure d'événement est affectée à un événement. Cette procédure est exécutée lorsque l'événement en question se produit.

Pour piloter les objets VBA, il faut utiliser la méthode de la notation par point pour se référer aux propriétés et méthodes. C'est une technique fondamentale de la manipulation de classes et d'objets qui consiste à placer un point devant la propriété ou la méthode. Exemple :

```
NomObjet.Propriété = valeur
```

L'exemple ci-après montre comment employer cette technique pour définir la couleur de remplissage d'un objet du type *Shape*. L'objet est d'abord sélectionné à l'aide de la méthode **Select** ; quelques paramètres de la propriété **Fill** de cet objet sont ensuite définis :

```
myDocument.Shapes.AddShape(msoShapeOval, 100, 50, 1, 1).Select
With Selection.ShapeRange.Fill
    .ForeColor.RGB = RGB(255, 255, 0)
    .BackColor.RGB = RGB(200, 0, 0)
    .TwoColorGradient msoGradientHorizontal, 1
End With
```

Exemple simple de définition des propriétés d'un objet

Pour illustrer ce qu'est concrètement le concept de la programmation orientée objet, nous utilisons un exemple dans lequel nous manipulons un objet graphique. Le code du programme ci-après montre comment sont définies les propriétés d'un objet et comment sont appelées les méthodes de l'objet dans les procédures **Lever** et **Coucher**, qui font lever et coucher un soleil symbolisé par un disque jaune.

Ouvrez d'abord un nouveau classeur et enregistrez-le en l'appelant Soleil.xls.

Activez ensuite l'Éditeur Visual Basic. L'Explorateur de projet génère un nouveau projet nommé Soleil. Ajoutez un nouveau module en cliquant sur le bouton **Ajouter un module** ou avec la commande **Insertion/Module**.

Pour saisir une procédure dans le module, choisissez **Insertion/ Procédure** ou cliquez sur le bouton **Ajouter une procédure**. La boîte de dialogue **Ajouter une procédure** s'affiche. Entrez le nom de la procédure, en l'occurrence Lever, dans la zone de saisie *Nom*. L'option *Sub* doit être activée dans la rubrique *Type*, et l'option *Public* dans la rubrique *Portée*. Cliquez sur OK. La première et la dernière ligne de la procédure sont alors inscrites dans le module. Complétez ce corps de procédure en insérant le code selon le listing ci-après.

Procédure Lever

```
Dim Size As Double
Public Sub Lever()
ActiveWindow.DisplayGridlines = False
Set myDocument = Worksheets("Feuil1")
myDocument.Shapes.AddShape(msoShapeOval, 100, 50, 1, 1).Select
With Selection.ShapeRange.Fill
    .ForeColor.RGB = RGB(255, 255, 0)
    .BackColor.RGB = RGB(200, 0, 0)
    .TwoColorGradient msoGradientHorizontal, 1
End With
For Size = 1 To 100 Step 1
    Selection.Height = Size
    Selection.Width = Size
```

```
      Selection.Name = "Soleil"
      Cells(13, 4) = Size
Next Size
Cells(1, 1).Select
End Sub
```

Passez à présent dans la feuille de calcul Feuil1 avec la combinaison de touches Alt+Q afin de tester la nouvelle procédure.

Cliquez à cet effet sur le bouton **Exécuter une macro** dans la barre d'outils *Visual Basic*. La boîte de dialogue **Macro** s'affiche. Sélectionnez votre macro dans la liste et cliquez ensuite sur le bouton **Exécuter**.

Si tout s'est bien déroulé comme prévu, vous pouvez vous attaquer au coucher du soleil. Il faut pour cela ajouter au module une nouvelle procédure, que nous nommerons Coucher. Affichez une nouvelle fois la boîte de dialogue **Ajouter une procédure**, créez la structure de la procédure comme précédemment puis complétez le code comme ci-dessous.

Procédure Coucher

```
Public Sub Coucher()
    ActiveSheet.Shapes("Soleil").Select
    For z = Size To 1 Step -1
        Selection.Height = z
        Selection.Width = z
        Cells(13, 4) = z
    Next z
    Selection.Delete
End Sub
```

L'exécution des procédures à l'aide du bouton **Exécuter une macro** n'a bien entendu un sens que durant la phase de développement et de test. Pour pouvoir lancer facilement les procédures, nous allons ajouter un bouton bascule dans la feuille de calcul Feuil1. Ce type de bouton connaît les deux états activé et désactivé et convient par conséquent pour piloter nos deux procédures.

Cliquez sur **Bouton bascule** dans la barre d'outils *Boîte à outils Contrôles*. Tracez ensuite le bouton à l'emplacement et aux dimensions souhaitées à l'aide de la souris. Le pointeur prend la forme d'une petite croix. Le nouveau contrôle porte le nom par défaut ToggleButton1.

Cliquez sur le bouton **Propriétés** dans la boîte à outils puis modifiez la valeur de la propriété `Caption` dans la boîte de dialogue qui s'affiche. L'intitulé du bouton change. Ne modifiez pas la propriété `Name` du contrôle. Cette propriété a également la valeur ToggleButton1, mais il s'agit ici du nom de la variable objet. Cette valeur n'a donc rien à voir avec l'intitulé du bouton.

Pour associer le nouveau contrôle avec le code de façon à exécuter nos procédures, cliquez dans la boîte à outils sur le bouton **Visualiser le code**. Dans l'Éditeur de code s'affiche alors le corps de la procédure d'événement ToggleButton1_Click(). Complétez cette procédure comme ci-dessous.

Procédure d'événement du bouton bascule ToggleButton1

```
Private Sub ToggleButton1_Click()
With ToggleButton1
   If .Value = True Then
     Lever
   ElseIf .Value = False Then
     Coucher
   End If
End With
End Sub
```

Le code fonctionne de la façon suivante : lorsque la propriété `Value` du contrôle a la valeur True (bouton enfoncé), la procédure **Lever** est exécutée, tandis que si cette même propriété a la valeur False (bouton relâché), c'est la procédure **Coucher** qui est exécutée.

Pour vous amuser tout en vous familiarisant avec la manipulation des contrôles, vous pouvez encore ajouter une barre de progression indiquant l'état d'avancement de l'animation.

La boîte à outils ne contient pas ce type de contrôle mais, en cliquant sur le bouton **Autres contrôles**, vous ouvrez une boîte de dialogue dans laquelle vous pouvez sélectionner le contrôle LotusProgressBar.

Après avoir positionné la barre sur la feuille de calcul (Feuil1), cliquez sur le bouton **Propriétés** dans la boîte à outils, l'élément LotusProgressBar1 étant naturellement sélectionné. Entrez la valeur suivante pour la propriété `LinkedCell` : `Feuil1!D13`. Pourquoi justement la cellule D13 de la feuille Feuil1 ? Les lignes de code

```
Cells(13, 4) = Size
```

et

```
Cells(13, 4) = z
```

des procédures `Lever` et `Coucher` ont pour tâche d'inscrire dans la cellule D13 (on aurait pu en choisir une autre !) de la feuille de calcul la valeur correspondant au diamètre courant du soleil levant ou couchant. Cette valeur est contenue dans les variables `Size` et `z`. Le contenu de cette cellule contrôlera par conséquent l'affichage de la barre de progression, la liaison se faisant par le biais de la propriété `LinkedCell` (cellule liée).

Associer une procédure VBA avec un bouton d'une barre d'outils

Vous pouvez également utiliser des boutons de barre d'outils pour exécuter des procédures. Ils peuvent être intégrés dans une barre d'outils existante, mais rien ne vous empêche d'en créer une nouvelle.

1. Choisissez la commande **Affichage/Barres d'outils/Personnaliser**.

2. Activez l'onglet **Barres d'outils** dans la boîte de dialogue **Personnaliser**. Cliquez sur le bouton **Nouvelle**.

3. Dans la boîte de dialogue qui s'affiche, indiquez un nom pour la nouvelle barre d'outils, par exemple `Soleil`.

4. Activez l'onglet **Commandes** et sélectionnez la catégorie *Macros*.

5. Sélectionnez le bouton **Bouton personnalisé** et faites-le glisser dans la nouvelle barre d'outils. Cliquez ensuite dans la boîte de dialogue **Personnaliser** sur le bouton **Modifier la sélection**. Indiquez dans la zone *Nom* un intitulé pour la procédure à exécuter, par exemple Lever de soleil. Cliquez ensuite sur **Affecter une macro** et sélectionnez la procédure Lever dans la boîte de dialogue. Celle-ci se referme aussitôt.

6. Faites glisser une nouvelle fois le bouton **Bouton personnalisé** dans la barre d'outils et cliquez également sur **Modifier la sélection**. Tapez cette fois Coucher de soleil en guise de nom. Cliquez à cet effet sur **Modifier l'image du bouton**. Une palette contenant divers boutons s'affiche. Un clic sur l'un d'eux affecte l'image correspondante au bouton sélectionné, et la palette se referme.

7. Vous pouvez également modifier une icône existante. Cliquez à nouveau sur **Modifier la sélection** et choisissez **Éditeur de boutons**. L'Éditeur de boutons est activé et vous pouvez modifier l'image du bouton à votre guise. Un clic sur OK ferme l'Éditeur et reporte les modifications sur le bouton sélectionné.

8. Cliquez une fois encore sur **Modifier la sélection** puis sur **Affecter une macro** et sélectionnez la procédure Coucher.

9. Cliquez sur le bouton **Fermer**.

Un clic sur un des boutons exécute la macro correspondante.

16.5 Comment créer vos propres classes d'objets

Outre les classes d'objets existantes, prédéfinies et organisées en différentes bibliothèques, l'utilisateur peut également se servir de classes d'objets qu'il peut lui-même définir. Cela peut être très utile dans le cadre du développement d'applications VBA complexes.

Dans VBA, les classes d'objets sont définies dans un module de classe où sont enregistrées toutes les propriétés et méthodes de la nouvelle classe.

Nous nous servons ici d'un exemple simple pour vous montrer comment créer une nouvelle classe contenant des propriétés et méthodes. Il s'agit de générer de petits personnages informatiques et de les faire communiquer entre eux.

1. Créez un nouveau classeur et enregistrez-le sous un nom de votre choix. Ouvrez l'Éditeur VBA.

2. Choisissez la commande **Insertion/Module de classe**. Dans l'Explorateur de projet, un module nommé **Classe1** est créé sous le dossier *Modules de classe*.

3. Pour donner un nom évocateur au nouveau module de classe, changez **Classe1** en **Personnages**. Cliquez à cet effet sur **Classe1** dans l'Explorateur de projet puis choisissez **Affichage/Fenêtre Propriétés**. La fenêtre **Propriétés** s'affiche pour **Classe1**.

4. Changez la valeur de la propriété (**Name**) en **Personnages**.

5. Ajoutez également un nouveau module avec la commande **Insertion/Module**. Il servira à définir une procédure dans laquelle nous utiliserons la nouvelle classe que vous venez de définir dans le module de classe. Le projet VBA devrait alors se présenter comme ci-dessous dans l'Explorateur de projet.

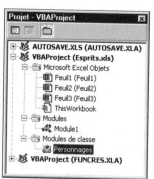

◄ Fig. 16.5 :
Un module et un module de classe ont été ajoutés au projet

Propriétés et méthodes de la nouvelle classe

Pour construire les propriétés et méthodes de la nouvelle classe, nous devons d'abord préciser ce que nous attendons des futurs objets de cette classe :

- Les objets doivent s'afficher dans n'importe quelle cellule d'une feuille de calcul Excel.

- Chaque objet a un nom et un âge.

- Chaque objet doit pouvoir dire son nom et son âge lorsqu'il y est invité.

Pour réaliser ces exigences, nous déclarons dans le module de classe **Personnages** les variables Age et Nom, comme dans le listing ci-dessous. Nous avons besoin également des variables Posx et Posy pour les numéros de ligne et de colonne de la cellule dans laquelle se trouve le personnage. Ces variables constituent les propriétés de la nouvelle classe.

Nous créons également les méthodes Naissance et Parle de la nouvelle classe dans les deux procédures Sub suivantes.

Définition de la classe Personnages dans le module de classe

```
Public Age As Integer
Public Nom As String
Public Posx As Integer
Public Posy As Integer
Sub Naissance(row, col, g_age As Integer, g_name As String)
        ' instructions
        ' voir listing ci-dessous
End Sub
Sub Parle()
        ' instructions
        ' voir listing ci-dessous
End Sub
```

La méthode Naissance attend que soient spécifiées deux valeurs entières pour les numéros de ligne et de colonne de la cellule d'affichage, une valeur entière pour l'âge et une chaîne de caractères avec le nom du personnage. La section instructions de la méthode **Naissance** contient les instructions servant à déterminer les propriétés **Age** et **Nom** et à l'affichage des personnages à une position définie par **Posx** et **Posy**. Le listing de cette section se trouve ci-dessous.

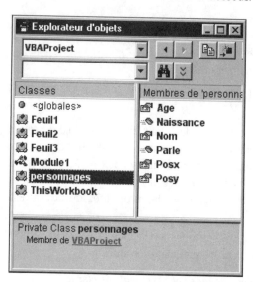

◄ Fig. 16.6 :
Les propriétés de la nouvelle classe dans l'Explorateur d'objets

La méthode **Parle** n'attend aucune valeur. Elle contient les instructions pour l'affichage du nom et de l'âge du personnage. Des commentaires sont insérés dans les cellules où se trouvent les personnages et affichés. Lorsque les propriétés et méthodes de la nouvelle classe sont définies, vous les retrouvez dans l'Explorateur d'objets sous VBAProject pour la classe **Personnages**.

Méthode Naissance

```
Sub Naissance(row, col, g_age As Integer, g_name As String)
    Sheets("Feuil1").Activate
    ActiveWindow.DisplayGridlines = False
    With Me
        .Nom = g_name
        .Age = g_age
        .Posx = row
```

```
        .Posy = col
        ActiveSheet.Cells(.Posx, .Posy).Select
    End With
    ActiveCell.FormulaR1C1 = "J"
    With Selection
        .HorizontalAlignment = xlCenter
        .VerticalAlignment = xlCenter
    End With
    With Selection.Font
        .Name = "Wingdings"
        .Size = 48
    End With
    Me.Parle
End Sub
End Sub
```

Méthode Parle

```
Sub Parle()
    ActiveSheet.Cells(Posx, Posy).Select
    With ActiveCell
        .ClearComments
        .AddComment
        .Comment.Visible = True
        .Comment.Text Text:="Bonjour !" _
            & Chr(10) & "Je m'appelle " _
            & Me.Nom & Chr(10) _
            & "J'ai " _
            & Me.Age _
            & "an(s)."
    End With
    ActiveSheet.Cells(1, 1).Select
End Sub
```

Utiliser la nouvelle classe

Pour tester la nouvelle classe d'objets, nous créons une petite procédure dans le module que nous avons déjà créé à cet effet. Dans la section de déclaration, nous déclarons à l'aide de l'instruction Dim une variable nommée **Personnage**, du type de la nouvelle classe ; et avec le mot-clé **New**, nous générons directement un nouvel objet de ce type. La méthode **Naissance** de la classe **Personnages** est ensuite exécutée plusieurs fois. À chaque appel de la méthode sont spécifiées les valeurs pour la position de la cellule, l'âge et le nom du personnage.

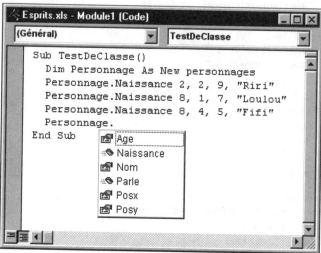

▲ Fig. 16.7 : *La procédure de test dans l'Éditeur de code ; dès que vous vous référez à un objet de la nouvelle classe, l'Éditeur vous montre automatiquement quelles propriétés et méthodes sont contenues dans cette classe*

Astuce

Vérifier ce dont l'objet est capable

Lors de la création de cette procédure, vous avez pu vous rendre compte d'un détail important pour le travail dans l'environnement de programmation orienté objet : chaque fois que vous vous référez dans l'Éditeur de code à un objet d'une classe, par exemple de celle que vous venez de créer, les propriétés et méthodes contenues dans cet objet sont affichées automatiquement. C'est probablement inutile pour la classe relativement simple que vous venez de créer, mais votre collègue qui doit également l'utiliser en votre absence appréciera probablement cette fonction.

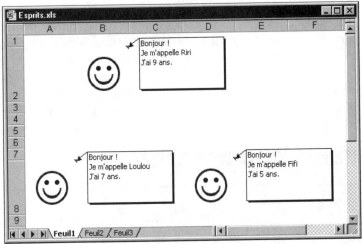

▲ Fig. 16.8 : *Les objets de la nouvelle classe se présentent les uns aux autres*

La facilité avec laquelle il est possible de créer de nouvelles classes d'objets vous incitera probablement à ajouter vos propres extensions au langage. Pourquoi ne pas ajouter une méthode **Marche** qui laisserait les personnages se déplacer sur la feuille de calcul ?

16.6 Enregistrer des modules VBA avec l'enregistreur de macro

L'enregistreur de macros permet de créer automatiquement du code de programme VBA. Il enregistre pour vous une séquence de commandes et la code sous forme de procédure VBA. La mise en œuvre est d'une simplicité enfantine.

Choisissez la commande **Outils/Macro/Nouvelle macro** ou cliquez sur le bouton **Enregistrer une macro**.

Dans la boîte de dialogue **Enregistrer une macro**, vous pouvez entrer un nom sous *Nom de la macro*. Vous pouvez également spécifier une combinaison de touches qui servira de raccourci clavier pour exécuter la macro. Indiquez dans la liste déroulante *Enregistrer la macro dans* l'endroit où doit être stockée la macro. Vous avez le choix entre le classeur en cours, un nouveau classeur ou le classeur de macros personnelles. Dans la zone de saisie *Description* vous pouvez rédiger un bref commentaire à propos de la macro. Cliquez sur OK. La boîte de dialogue se referme et, à partir de ce moment précis, l'enregistreur de macro note tous vos faits et gestes. Toutes les commandes et actions exécutées sont codées en tant que procédure VBA et enregistrées dans un module, jusqu'à ce que vous mettiez fin à l'enregistrement.

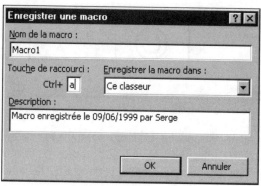

▲ Fig. 16.9 : *La boîte de dialogue Enregistrer une macro*

Mettre fin à l'enregistrement d'une macro

■ Pour arrêter l'enregistrement d'une macro, cliquez sur le bouton **Arrêter l'enregistrement** ou choisissez la commande **Outils/ Macro/Arrêter l'enregistrement**.

Modifier une macro enregistrée

Pour modifier une macro enregistrée, choisissez **Outils/Macro/Macros** et sélectionnez la macro concernée dans la boîte de dialogue. Cliquez sur **Modifier**. L'Éditeur VBA est ouvert, la macro y est affichée et peut être éditée.

16.7 Le Gestionnaire de macros complémentaires

Excel 2000 est fourni avec une bibliothèque de macros complémentaires pouvant être utilisées pour différentes tâches de gestion de données, de calcul, d'analyse ou de présentation de graphiques et de feuilles de calcul. Ces macros intégrées peuvent être gérées, c'est-à-dire chargées ou retirées, avec le Gestionnaire de macros complémentaires. Pour charger une macro complémentaire dans l'interface d'Excel, choisissez **Outils/Macros complémentaires**.

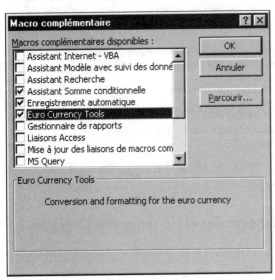

▲ **Fig. 16.10** : *Le Gestionnaire de macros complémentaires*

Le Gestionnaire de macros complémentaires s'affiche. Dans la zone de liste *Macros complémentaires disponibles* s'affichent toutes celles qui sont actuellement installées sous Excel 2000. Activez les cases à cocher correspondant à celles que vous souhaitez utiliser.

Toutes les macros complémentaires dont les cases à cocher sont activées sont intégrées dans le menu Excel, d'où elles peuvent être exécutées.

Si la macro complémentaire que vous souhaitez utiliser ne figure pas dans la liste de la boîte de dialogue, cliquez sur le bouton **Parcourir**. Une boîte de dialogue s'ouvre pour vous permettre de localiser la macro complémentaire manquante dans les lecteurs et dossiers de votre ordinateur.

Remarque

> ### Macros complémentaires installé es
>
> Seules les macros complémentaires installées peuvent être intégrées dans l'interface Excel. Si vous avez procédé à une installation personnalisée d'Excel 2000, il est possible que vous ne les ayez pas sélectionnées toutes à ce moment-là. Dans ce cas, vous devez redémarrer le programme d'installation et compléter celle-ci.

Retirer des macros complémentaires

Pour retirer une macro complémentaire de l'interface d'Excel, choisissez la commande **Outils/Macros complémentaires** et désactivez la case à cocher correspondante.

La suppression devient immédiatement effective, les commandes correspondantes disparaissant des menus.

16.8   Dialoguer avec Excel : les boîtes de dialogue

Avec Excel 2000, vous pouvez très facilement créer des boîtes de dialogue en utilisant toute la gamme de contrôles de l'interface du programme. Vous pourriez par exemple souhaiter travailler avec une boîte de dialogue personnalisée si vous deviez gérer des données dans une liste et si la grille standard d'Excel 2000 ne répondait pas à toutes vos exigences en matière de confort de saisie, de fonctionnalité et de présentation. Pour l'exemple, nous allons construire une boîte de dialogue pour la saisie des données relatives au suivi du budget d'un projet de construction. Les données saisies doivent bien entendu être reportées dans une feuille de calcul. Celle-ci pourrait se présenter comme ci-après.

	A	B	C	D	E	F
1	N°	Date	Catégorie	Recettes	Dépenses	Solde
2						budget : 1 000 000 F
3	1	04/01/99	Terrassement	- F	27 000,00 F	973 000,00 F
4	2	11/01/99	Divers	- F	2 560,00 F	970 440,00 F
5	3	10/01/99	Maçonnerie	- F	120 000,00 F	850 440,00 F
6						
7						
8						
9						
10						

▲ Fig. 16.11 : *La feuille de calcul pour le suivi du budget*

Créer une boîte de dialogue

Pour créer une boîte de dialogue personnalisée en vue de la saisie des données, vous devez d'abord ouvrir l'Éditeur VBA. Vous avez le choix, pour cela, entre un clic sur le bouton **Visual Basic Editor** dans la barre d'outils *Visual Basic* ou la commande **Outils/Macro/Visual Basic Editor**.

Dans l'Éditeur VBA, choisissez la commande **Insertion/User-Form**. Dans VBA, le terme UserForm désigne le formulaire dans lequel vous assemblez les éléments de votre boîte de dialogue et dans lequel vous définissez leurs propriétés. Un formulaire vierge s'affiche en même temps que la boîte à outils.

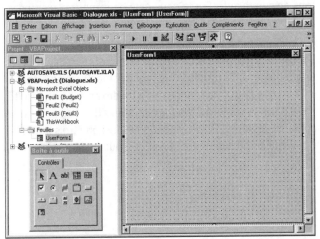

▲ Fig. 16.12 : *Le formulaire pour la définition d'une boîte de dialogue*

Définir les propriétés

 Commencez par définir les propriétés de votre future boîte de dialogue, notamment l'intitulé de la barre de titre. Si la fenêtre **Propriétés** n'est pas encore affichée, cliquez sur le bouton **Propriétés** ou ouvrez le menu contextuel et choisissez la commande correspondante.

Les propriétés peuvent être affichées dans l'ordre alphabétique ou par catégories. Pour modifier l'intitulé de la barre de titre de la boîte de dialogue, changez la valeur de la propriété `Caption`. Tapez par exemple `Budget` comme nouveau titre de la boîte de dialogue.

Insérer des contrôles

Les étiquettes et zones de saisie doivent être sélectionnées dans la boîte à outils et placées sur le formulaire à l'aide de la souris. Tant qu'un élément est encore sélectionné, vous pouvez modifier à volonté ses dimensions et sa position. Si vous devez modifier un contrôle par la suite, vous devez d'abord le sélectionner en cliquant dessus.

Ajoutez d'abord un élément Multipage avec deux onglets dans le formulaire. La première page est destinée à recevoir les zones de saisie et les boutons de commande. Sur la deuxième page, nous placerons le contrôle Calendrier, qui nous facilitera la sélection des dates.

Après avoir positionné le contrôle Multipage sur le formulaire, cliquez sur l'onglet **Page 1** et transformez la valeur de la propriété `Caption` en `Saisie` dans la fenêtre **Propriétés**. Faites de même avec l'onglet **Page 2**, dont l'intitulé peut être changé en `Calendrier`. Insérez ensuite sur la première page de l'objet *Multipage* cinq zones de saisie, une zone de liste modifiable, les intitulés correspondants ainsi que trois boutons. Le résultat pourrait se présenter comme ci-dessous.

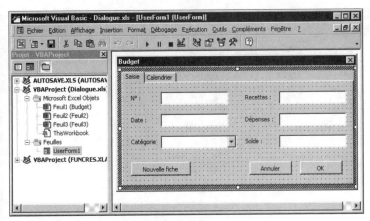

▲ Fig. 16.13 : *Création de la boîte de dialogue*

Propriétés des contrôles

Pour identifier clairement les différents contrôles, vous pouvez aussi modifier leur propriété (Name). Cliquez sur chaque contrôle successivement en modifiant chaque fois la valeur correspondante dans la fenêtre **Propriétés**. Ces noms seront également utilisés par la suite dans le module VBA pour la transcription des données dans la feuille de calcul Budget.

Dans notre exemple, nous avons utilisé les noms suivants pour les contrôles de notre formulaire.

Tab. 16.2 : Ces noms identifient les différents éléments dans le formulaire	
Zone de saisie *Numéro*	zs_no
Zone de saisie *Date*	zs_date
Zone de saisie *Recettes*	zs_rec
Zone de saisie *Dépenses*	zs_dep
Zone de saisie *Solde*	zs_solde
Zone de liste modifiable *Catégorie*	lm_cat

Tab. 16.2 : Ces noms identifient les différents éléments dans le formulaire	
Zone de saisie *Numéro*	zs_no
Bouton **Nouvelle fiche**	BoutonNouvelleFiche
Bouton **Annuler**	BoutonAnnuler
Bouton **OK**	BoutonOK

La propriété `Value` des zones de saisie *Recettes* et *Dépenses* a en outre la valeur zéro.

Remarque

Tester la boîte de dialogue

Vous pouvez contrôler l'apparence de la boîte de dialogue à l'exécution en cliquant sur le bouton **Exécuter Sub/UserForm**. Un clic sur le bouton **Fermer** dans la barre de titre de la boîte de dialogue vous ramène au mode Création.

Travailler avec des zones de liste modifiables

Pour la saisie des valeurs de la colonne Catégorie, nous avons choisi une zone de liste modifiable. Cela permet de proposer dans une liste déroulante toutes les catégories possibles. Cela peut être le cas pour la construction d'une maison, mais ce sera sûrement aussi le cas si vous reproduisez notre exemple pour gérer votre budget familial, et on peut alors imaginer que les catégories Alimentation, Voiture, Charges, Impôts, etc. reviendront très (trop ?) régulièrement. Pour notre exemple, nous proposons dans la liste déroulante les catégories Terrassement, Maçonnerie, Charpente et Zinguerie.

Initialiser et activer le formulaire

Notre boîte de dialogue **Budget** doit être activée par un bouton **Saisir des données**, que vous devez placer dans la feuille de calcul. Écrivez pour ce bouton une procédure d'événement dont la tâche sera d'initialiser et d'activer la boîte de dialogue. Les contenus existants des zones de saisie doivent être effacés au préalable. La procédure `Effacer` est prévue pour cela. La méthode `AddItem` de l'objet Zone de liste modifiable *Budget.lm_cat* est utilisée pour ajouter les options *Terrassement*, *Maçonnerie*, *Charpente* et *Zinguerie* dans la liste déroulante.

Procédure d'événement du bouton Saisir des données

```
Private Sub CommandButton1_Click()
'Initialisation
    Effacer
    Budget.lm_cat.AddItem "Charpente"
    Budget.lm_cat.AddItem "Maçonnerie"
    Budget.lm_cat.AddItem "Terrassement"
    Budget.lm_cat.AddItem "Zinguerie"
'Rechercher la dernière entrée
    Rechercher
'N° de l'entrée
    Budget.zs_no = Row - 2
'Afficher la boîte de dialogue
    Budget.Show
End Sub
```

Le formulaire Budget est à présent suffisamment avancé pour que nous puissions créer une interface entre la boîte de dialogue et la feuille de calcul Budget dans laquelle doivent être reportées les données. Cette interface sera constituée d'une série de procédures VBA et d'une fonction que nous allons créer dans un module ajouté à cet effet.

Transcrire les données de la boîte de dialogue dans la feuille de calcul

Les données qui sont saisies dans la boîte de dialogue doivent être inscrites au bon endroit dans la feuille de calcul Budget. Il convient pour cela de déterminer le numéro de ligne **row** de la dernière entrée existante dans la feuille de calcul (procédure **Rechercher**) afin que la nouvelle entrée puisse être inscrite dans la ligne suivante.

Les données tapées dans les zones de saisie doivent en outre être stockées dans les variables **date_zs**, **rec_zs** , **dep_zs** et **cat_lm** déclarées à cet effet. C'est la procédure **Lire** qui se charge de cela.

La procédure **Écrire** transcrit finalement dans la feuille de calcul les données contenues dans les variables. C'est aussi dans cette procédure qu'est appelée la fonction Solde, qui calcule le solde courant en fonction des dépenses et des recettes.

La procédure **Nouveau** prépare la boîte de dialogue pour la saisie de nouvelles données en appelant la procédure **Effacer**, qui efface les contenus des zones de saisie, et en augmentant de 1 le compteur de ligne **row** en vue de la prochaine saisie dans la feuille de calcul Budget.

Ajoutez d'abord le module dont vous avez besoin. Tapez ensuite les déclarations de variables et les procédures **Rechercher**, **Lire**, **Écrire**, **Nouveau**, **Effacer** et la fonction Solde.

Module interface entre la boîte de dialogue et la feuille de calcul

```
Public Row As Integer
Dim Date_zs As Date
Dim No_zs As Integer
Dim Rec_zs As Currency
Dim Dep_zs As Currency
Dim Solde_zs As Currency
Dim Cat_lm As String
Sub Rechercher()
    Sheets("Budget").Activate
    Range("A1").Select
    Row = 3
    While ActiveSheet.Cells(Row, 1).Value <> ""
        ActiveSheet.Cells(Row, 1).Select
        Row = Row + 1
    Wend
ActiveSheet.Cells(Row, 1).Select
End Sub
Sub Lire()
```

```
        No_zs = Budget.zs_no
        Date_zs = Budget.zs_date
        Rec_zs = Budget.zs_rec
        Dep_zs = Budget.zs_dep
        Cat_lm = Budget.lm_cat
End Sub
Sub Ecrire ()
        Cells(Row, 1) = No_zs
        Cells(Row, 2) = Date_zs
        Cells(Row, 3) = Cat_lm
        Cells(Row, 4) = Rec_zs
        Cells(Row, 5) = Dep_zs
        Solde_zs = Cells(Row - 1, 6).Value
        Cells(Row, 6) = Solde(Solde_zs, Rec_zs, Dep_zs)
End Sub
Function Solde(S, R, D As Currency) As Currency
        Budget.zs_solde = S + R - D
        Solde = S + R - D
End Function
Sub Nouveau()
        Effacer
        Row = Row + 1
        Budget.zs_no = Row - 2
        Budget.zs_date.SetFocus
End Sub
Sub Effacer()
        Budget.zs_dep = 0
        Budget.zs_rec = 0
        Budget.zs_date = ""
End Sub
```

Pour que les procédures soient exécutées, vous devez encore associer les boutons **Nouvelle fiche**, **Annuler** et **OK** avec les procédures d'événement correspondantes.

Procédure d'événement du bouton OK

Un clic sur le bouton OK doit provoquer l'exécution des procédures Lire et Écrire. L'appel de ces procédures sera par conséquent inclus dans la procédure d'événement BoutonOK_Click() du bouton OK.

Pour créer cette procédure, double-cliquez dans le formulaire Budget sur le bouton OK. Une structure de procédure est créée automatiquement. Complétez-la selon l'exemple ci-dessous.

```
Private Sub BoutonOK_Click()
    Lire
    Ecrire
End Sub
```

Remarque

Pour mémoire

Le bouton OK est un objet de type *CommandButton*, dont le nom par défaut était CommandButton3 dans notre exemple. Nous l'avons rebaptisé CommandOK (propriété (Name)) afin de l'identifier plus aisément, et nous avons choisi OK comme intitulé (propriété Caption). La procédure d'événement que nous devons créer est celle qui doit être exécutée en cas de clic sur le bouton ; il s'agit donc de la procédure d'événement BoutonOK_Click().

Procédure d'événement du bouton Nouvelle fiche

Double-cliquez dans le formulaire sur le bouton **Nouvelle fiche** et complétez la structure de procédure comme ci-dessous :

```
Private Sub BoutonNouvelleFiche_Click()
    Nouveau
End Sub
```

Procédure d'événement du bouton Annuler

Un clic sur le bouton **Annuler** doit fermer la boîte de dialogue **Budget**. Double-cliquez sur le bouton en question et complétez la procédure d'événement :

```
Private Sub BoutonAnnuler_Click()
    Budget.Hide
End Sub
```

Saisir des dates avec le contrôle Calendrier

La zone de saisie *Date* (`zs_date`) du formulaire Budget est prévue pour la saisie de dates. Vous pouvez y taper une date au clavier à condition de respecter un format de date valide.

Ce serait cependant bien plus confortable si vous pouviez sélectionner la date en question dans un calendrier. Vous pourriez le loger sur la deuxième page du contrôle Multipage.

La boîte à outils ne contient aucun contrôle de ce type, mais vous en trouverez un dans la boîte de dialogue qui s'affiche avec la commande **Outils/Contrôles supplémentaires** de l'éditeur VBA. Activez la case à cocher *Contrôle calendrier 8.0*. Cliquez sur OK. Le contrôle figure à présent dans la boîte à outils.

Cliquez sur le bouton correspondant au contrôle Calendrier dans la boîte à outils et disposez l'élément comme d'habitude en traçant un rectangle à l'aide de la souris. Vous aurez évidemment pris soin d'activer au préalable l'onglet **Calendrier** du formulaire. Le résultat devrait se présenter comme ci-dessous.

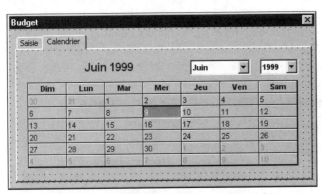

▲ Fig. 16.14 : *Intégration d'un calendrier dans un formulaire*

Il nous manque une procédure qui reporte dans la zone de saisie `zs_date` la date sélectionnée sur le calendrier. Elle n'est guère compliquée. Double-cliquez sur le calendrier dans le formulaire et complétez la procédure d'événement comme suit.

Procédure d'événement du contrôle Calendrier

```
Private Sub Calendar1_Click()
    zs_date = Calendar1.Value
    Budget.MultiPage 1.Value = 0
End Sub
```

Dans la première ligne de code, la valeur **Value** de l'objet Calendrier *Calendar1* est affectée à la variable **zs_date**, qui est la variable objet de la zone de saisie de la date. Cette valeur représente la date sélectionnée sur le calendrier.

Pour provoquer un retour automatique au premier onglet de la boîte de dialogue après la sélection de la date, la deuxième ligne de code de la procédure fixe à 0 la propriété **Value** de l'objet *Multipage 1*. Cela signifie que le premier onglet est activé (la valeur 1 activerait le deuxième onglet).

Travailler concrètement avec la boîte de dialogue

Un clic sur le bouton **Saisir des données** dans la feuille de calcul Budget affiche la boîte de dialogue **Budget**. L'onglet **Calendrier** est activé par défaut, et vous pouvez donc sélectionner directement la date. L'onglet **Saisie** est alors activé automatiquement et la date est inscrite dans la zone de saisie correspondante. Vous pouvez taper les valeurs manquantes. Cliquez sur OK pour reporter les données dans la feuille de calcul puis sur **Nouvelle fiche** si vous souhaitez saisir un nouvel enregistrement. Si vous préférez arrêter et fermer la boîte de dialogue, cliquez sur le bouton **Annuler**.

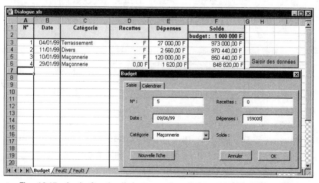

▲ Fig. 16.15 : *La boîte de dialogue est maintenant opérationnelle*

Chapitre 17

Exemples pratiques

17.1	Biorythme	487
17.2	Le solveur	489
17.3	Un problème de gestion	495
17.4	Simulation avec Excel	500
17.5	Théorie du chaos dans la feuille de calcul	506

Chapitre 7

Exemples pratiques

17.1 Biorythme

Connaissez-vous votre biorythme ? Si la réponse est non, pourquoi ne pas le calculer ? Quant à savoir s'il faut y croire ou non, c'est un autre débat dans lequel nous ne nous engagerons pas ici. Nous nous limiterons à la réalisation technique du calcul avec Excel.

Calculer le biorythme

Pour calculer le biorythme, vous devez d'abord déterminer le nombre de jours écoulés depuis votre naissance. Cette valeur peut être obtenue aisément en faisant la différence entre la date du jour qui vous intéresse et votre date de naissance.

1. Entrez votre date de naissance en A5, et en B5 la date pour laquelle le calcul doit être effectué.

2. La cellule C5 contient la différence entre les deux dates (=B5- $A $5), c'est-à-dire le nombre de jours écoulés depuis la date de naissance. La référence à la cellule A5 doit être absolue.

D5			=	=SI(($C5/E$3-ENT($C5/E$3))*E$3=0;E$3;($C5/E$3-ENT($C5/E$3))*E$3)
	A	B	C	D	E	F	G	H	I
1	Biorhythme								
2	Date	Date	Nombre	Physique		Psychique		Mental	
3	de	en	de	Jours :	23	Jours :	28	Jours :	33
4	naissance	cours	jours	absolu	cos	absolu	cos	absolu	cos
5	07/05/55	01/06/99	16 096	19	-0,460	24	-0,623	25	-0,048
6		02/06/99	16 097	20	-0,683	25	-0,782	26	-0,236
7		03/06/99	16 098	21	-0,854	26	-0,901	27	-0,415
8		04/06/99	16 099	22	-0,963	27	-0,975	28	-0,580
9		05/06/99	16 100	23	-1,000	28	-1,000	29	-0,724
10		06/06/99	16 101	1	-0,963	1	-0,975	30	-0,841

▲ Fig. 17.1 : *Calcul du biorythme*

3. La cellule D5 contient la formule

```
=SI(( $C5/E $3-ENT( $C5/E $3))*E $3=0;E $3;
( $C5/E $3-ENT( $C5/E $3))*E $3)
```

Elle calcule le jour de votre biorythme physique. La théorie du biorythme se fonde en effet sur le principe de l'existence de trois rythmes : physique, psychique et mental, les cycles respectifs étant de 23, 28 et 33 jours.

4. Dans la cellule F5 figure la formule calculant le biorythme psychique :

```
=SI(( $C5/G $3-ENT( $C5/G $3))*G $3=0;G $3;
( $C5/G $3-ENT( $C5/G $3))*G $3)
```

La formule ne se différencie de la précédente que par la référence à la cellule G3, qui contient le facteur 28 au lieu de 23.

5. De la même manière, la formule de la cellule H5 calcule le biorythme mental :

```
=SI(( $C5/I $3-ENT( $C5/I $3))*I $3=0;I $3;
( $C5/I $3-ENT( $C5/I $3))*I $3)
```

6. Pour représenter le rythme sous une forme plus régulière, il convient de normaliser les résultats à l'aide d'une fonction d'angle. Les formules correspondantes se trouvent dans les cellules E5, G5 et I5 :

```
=-COS(2*PI()*(D5/ $E $3))
=-COS(2*PI()*(F5/ $G $3))
=-COS(2*PI()*(H5/ $I $3))
```

7. Pour effectuer le même calcul pour les autres jours de l'année, sélectionnez la cellule B5 et faites glisser la poignée de recopie vers le bas. Les dates sont incrémentées de 1 jour par ligne.

8. Copiez de même les formules des cellules C5 à I5 vers le bas.

Représentation graphique

1. Sélectionnez dans la plage de dates qui vous intéresse les valeurs des colonnes B, E, G et I et choisissez la commande **Insertion/Graphique** afin d'activer l'Assistant Graphique.

2. Suivez les instructions de l'Assistant Graphique et sélectionnez le type de graphique Nuages de points. Effectuez la mise en forme selon vos préférences.

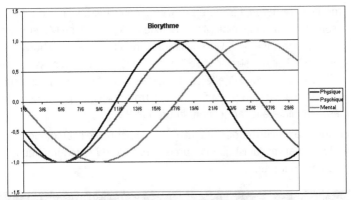

▲ **Fig. 17.2** : *Représentation graphique du biorythme*

Dans l'exemple, nous avons représenté la période du 1er au 30 juin 1999. Le mois commence relativement mal puisque les trois courbes sont au plus bas presque en même temps. Les choses devraient cependant s'arranger nettement vers le milieu du mois puisque à ce moment, les trois courbes sont dans la partie supérieure du graphique.

17.2 Le solveur

Le solveur permet d'effectuer des calculs de simulation basés sur des cellules variables, sur des cellules à minimiser ou à maximiser, et sur des contraintes. Lorsqu'un calcul de valeur cible exige que l'on modifie plus d'une cellule variable ou que l'on tienne compte de plusieurs contraintes, le solveur est l'outil qu'il vous faut.

Démarrer le solveur

Pour démarrer le solveur, choisissez la commande **Outils/Solveur**. Si la commande ne figure pas dans le menu, vous devez intégrer le solveur à l'aide du Gestionnaire de macros complémentaires.

Définir le problème pour le solveur

Essayons de résoudre le problème suivant à l'aide du solveur : deux produits A et B sont fabriqués sur trois machines. La fabrication du produit A se déroule selon un processus en trois phases, la première faisant appel à la machine M1, la deuxième à la machine M2 et la troisième à la machine M3. Une pièce du produit A passe d'abord sur la machine M1 afin d'être coupée à la bonne longueur. Elle passe ensuite sur la machine M2, où elle est taraudée. Pour finir, elle passe sur la machine M3, où sa tête est fraisée. Les trois machines participent de la même manière à la fabrication du produit B.

Le nombre d'heures pour chaque machine par pièce est indiqué dans le tableau ci-après, ainsi que la durée maximale de fonctionnement des machines par jour.

Tab. 17.1 : Les données du problème

Machine	Heures / pièce	Heures / pièce	Heures machine max./ jour
Produit	A	B	
M1	hA1 = 1	hB1 = 3	15
M2	hA2 = 2	hB2 = 2	14
M3	hA3 = 2	hB3 = 1	12

Le produit A dégage un bénéfice de 150 F par pièce et le produit B un bénéfice de 90 F par pièce. Un processus d'optimisation doit permettre de déterminer le nombre de pièces (x) du produit A et le nombre de pièces (y) du produit B devant être produits afin de dégager le bénéfice (B) maximal. Représentez d'abord le problème sous forme de tableau, comme sur l'illustration ci-dessous (voir fig. 17.3).

Vous pouvez commencer par formuler les conditions d'un bénéfice maximal. En supposant que vous fabriquez x pièces du produit A et y pièces du produit B, le bénéfice se calcule à l'aide de la formule suivante :

▣ = x * 150 F + y * 90 F

Cette formule traduite pour la feuille de calcul se présente ainsi :

	A	B	C	D
1	Optimisation d'un processus de production			
2		Produit A	Produit B	Durée de fonctionnement (heures / jour)
3	Machine 1	1	3	=$B$6*$B3+$C$6*$C3
4	Machine 2	2	2	=$B$6*$B4+$C$6*$C4
5	Machine 3	2	1	=$B$6*$B5+$C$6*$C5
6	Quantités	3	7	
7	Prix par unité	150	90	
8	Bénéfice maximal	=B6*B7+C6*C7		

▲ Fig. 17.3 : *Exemple d'optimisation d'un processus de production*

=B6*B7+C6*C7

Il s'agira par la suite de déterminer la valeur maximale pour ce bénéfice.

Intéressons-nous à présent aux autres conditions. Compte tenu du nombre d'heures nécessaire aux différentes machines pour la fabrication d'une pièce, nous obtenons les conditions suivantes :

$x * hA1 + y * hB1 \Leftarrow 15$
$x * hA2 + y * hB2 \Leftarrow 14$
$x * hA3 + y * hB3 \Leftarrow 12$

Si l'on traduit ces conditions en références de cellules, vous devez entrer la formule suivante dans la cellule D3 :

= $B $6* $B3+ $C $6* $C3

Copiez ensuite cette formule en D4 et D5. Vous vous demandez pourquoi les conditions <=15, <=14 et <=12 n'ont pas été intégrées dans les formules ? Rassurez-vous : elles seront spécifiées en tant que contraintes dans la boîte de dialogue du solveur. Choisissez à cet effet la commande **Outils/Solveur** (voir fig. 17.4).

Indiquez d'abord la cellule cible du processus d'optimisation. Il s'agit de la cellule B8, qui contient la formule calculant le bénéfice. L'optimisation a pour but de déterminer la valeur maximale de cette cellule. Cliquez donc sur l'option *Max* dans la rubrique *Égale à*. Dans la zone de saisie *Cellules variables*, indiquez les cellules qui doivent être modifiées au cours du processus. Dans l'exemple, il s'agit de la plage de cellules B6:C6, où figurent les quantités produites.

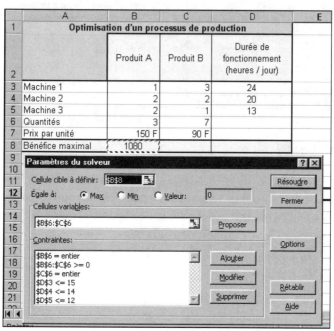

▲ Fig. 17.4 : *La boîte de dialogue Paramètres du solveur*

Les contraintes évoquées précédemment doivent être inscrites dans la zone de liste *Contraintes*. Cliquez à cet effet sur le bouton **Ajouter**. La boîte de dialogue **Ajouter une contrainte** s'affiche.

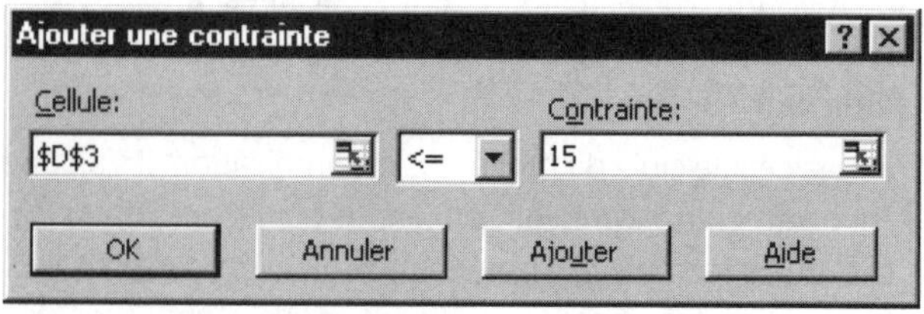

▲ Fig. 17.5 : *La boîte de dialogue Ajouter une contrainte*

Tapez la référence de cellule D3 dans la zone de saisie *Cellule*, sélectionnez un opérateur de comparaison dans la liste déroulante, en l'occurrence <=, puis tapez la valeur 15 dans la zone de saisie *Contrainte*. Cliquez sur le bouton **Ajouter**. La boîte de dialogue reste à l'écran et vous pouvez définir directement les contraintes pour les cellules D4 et D5 :

- D4 <= 14
- D5 <= 12

Précisez également que seules des valeurs entières doivent être retenues pour les quantités à produire :

- $B $6 = entier
- $C $6 = entier

Il nous reste à définir une dernière contrainte spécifiant que seules les quantités à produire supérieures à 0 peuvent être acceptées. Indiquez la référence de la plage de cellules B6:C6, sélectionnez l'opérateur >= et tapez la valeur 0 dans la zone de saisie *Contrainte*. Cliquez cette fois sur OK pour valider car c'est la dernière contrainte à définir. Vous revenez alors à la boîte de dialogue **Paramètres du solveur**.

Exécuter le processus d'optimisation

Lorsque tout est en ordre, vous pouvez démarrer le processus d'optimisation en cliquant sur le bouton **Résoudre**. Vous obtenez le résultat reproduit sur la figure ci-dessous.

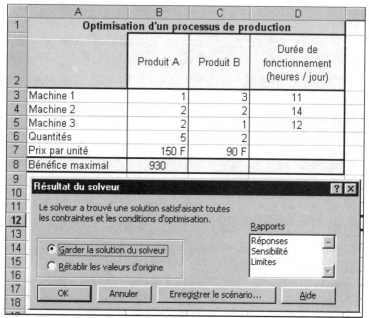

▲ Fig. 17.6 : *Le résultat de l'optimisation*

Utiliser la solution

Le solveur vous annonce qu'il a trouvé un résultat. Dans l'exemple, le bénéfice est de 930 F, la machine 1 fonctionnant pendant 11 heures, la machine 2 pendant 14 heures et la machine 3 pendant 12 heures pour une quantité de 5 pièces du produit A et de 2 pièces du produit B. Pour garder ce résultat, cliquez sur l'option *Garder la solution du solveur* puis sur OK.

Afficher et imprimer les rapports

Si vous le souhaitez, le solveur fournit un rapport des réponses, un rapport de la sensibilité et un rapport des limites. Chaque rapport est affiché dans une feuille de calcul spécifique. Il peut être affiché en activant la feuille correspondante et imprimé avec la commande **Fichier/Imprimer**.

Cellule cible (Max)			
Cellule	Nom	Valeur initiale	Valeur finale
$B$8	Bénéfice maximal Produit A	1080	930

Cellules variables			
Cellule	Nom	Valeur initiale	Valeur finale
$B$6	Quantités Produit A	3	5
$C$6	Quantités Produit B	7	2

Contraintes					
Cellule	Nom	Valeur	Formule	État	Marge
$D$3	Machine 1 Durée de fonctionnement (heures / jour)	11	$D$3<=15	Non lié	4
$D$4	Machine 2 Durée de fonctionnement (heures / jour)	14	$D$4<=14	Lié	0
$D$5	Machine 3 Durée de fonctionnement (heures / jour)	12	$D$5<=12	Lié	0
$B$6	Quantités Produit A	5	$B$6=entier	Lié	0
$B$6	Quantités Produit A	5	$B$6>=0	Non lié	5
$C$6	Quantités Produit B	2	$C$6>=0	Non lié	2
$C$6	Quantités Produit B	2	$C$6=entier	Lié	0

▲ Fig. 17.7 : *Le rapport des réponses du solveur*

17.3 Un problème de gestion

L'analyse de classification a pour but de mettre en évidence des concentrations. En économie de gestion, par exemple, on utilise ce type d'analyse pour déterminer quels produits représentent la plus grande part par rapport au chiffre d'affaires total.

Les quantités et valeurs des produits ont toujours un certain rapport. Il arrive qu'une petite quantité de produits rapporte la part la plus importante du bénéfice (ce sont les produits A), et inversement. Une analyse de classification permet de déterminer ce rapport.

Saisie des données

Notre exemple se base sur les données ci-après :

	H3		▼	=	=SI(G3<=A;"A";SI(G3<=B;"B";"C"))		
	A	B	C	D	E	F	G	H

	A	B	C	D	E	F	G	H
1	Analyse ABC							
2	Articles	Pièces / an	Prix / pièce	Total / an (F)	Rang	% du total	% cumulé	Classes de valeur
3	A 005 70	50	850,00	42 500,00	1	39,45	39,45	A
4	A 005 77	500	50,00	25 000,00	2	23,21	62,66	A
5	A 005 75	24 000	0,80	19 200,00	3	17,82	80,49	B
6	A 005 72	5 000	2,30	11 500,00	4	10,68	91,16	B
7	A 005 73	500	6,50	3 250,00	5	3,02	94,18	B
8	A 005 74	500	5,50	2 750,00	6	2,55	96,73	C
9	A 005 79	70 000	0,02	1 400,00	7	1,30	98,03	C
10	A 005 71	2 000	0,70	1 400,00	8	1,30	99,33	C
11	A 005 76	6 000	0,08	480,00	9	0,45	99,78	C
12	A 005 78	6 000	0,04	240,00	10	0,22	100,00	C
13	Sommes	114 550		107 720,00		100,00		

◀ Fig. 17.8 :
Une analyse de classification des produits

1. Saisissez d'abord dans une feuille de calcul tous les titres ainsi que les désignations et données des articles dans la plage de cellules A3:C12. La feuille s'appelle ABC-A.

2. Dans la colonne D, la quantité doit être multipliée par le prix unitaire. La formule en D4 est : =B3*C3.

3. Copiez cette formule en D4:D12.

4. En D13, il s'agit de calculer la valeur totale de la colonne D. La formule est : =SOMME(D3:D12).

5. Dans la cellule B13, nous calculons le nombre total de pièces : =SOMME(B3:B12).

Trier les données et définir le rang

La feuille de calcul doit à présent être triée afin de définir le rang des différents produits.

1. Sélectionnez la plage de cellules A3:D12.

2. Avec la touche **Tab**, amenez le pointeur de cellule sur la cellule D3.

3. Cliquez sur le bouton **Tri décroissant** dans la barre d'outils *Standard*.

4. Saisissez le rang de chaque produit dans la colonne E, en commençant par 1 dans la cellule E3.

Déterminer les valeurs cumulées

Les différents produits doivent ensuite être classés en catégories : A, B et C. À cet effet, nous calculons d'abord la part de chacun par rapport à la valeur totale. Les pourcentages sont ensuite cumulés dans une autre colonne.

1. Pour calculer la part de l'article A 005 70 par rapport au total, entrez la formule suivante dans la cellule F3 : =D3*100/ $D $13.

2. Copiez cette formule vers la plage de cellules F4:F12.

3. Déterminez en F13 la somme de la colonne F à l'aide de la formule : =SOMME(F3:F12).

4. Pour obtenir la valeur cumulée en pourcentage, entrez en G3 la formule =F3 et en G4 la formule =G3+F4.

5. Copiez vers la plage de cellules G5:G12 la formule de la cellule G4.

Classification des produits

Il vous faut d'abord déterminer de quelle manière se fera la classification. Dans l'exemple, nous décidons que les produits A doivent être ceux qui vont jusqu'à 80 % inclus, les produits B ceux qui vont jusqu'à 95 % inclus et les produits C les autres. Nous définissons ces valeurs en tant que constantes. De cette manière, elles seront plus facilement modifiables si le modèle doit être appliqué à une autre constellation de données.

1. Choisissez la commande **Insertion/Nom/Définir**.

2. Tapez la valeur A dans la zone de saisie *Noms dans le classeur*.

3. Tapez la formule =80 dans la zone de saisie *Fait référence à*.

4. Cliquez sur **Ajouter**.

5. Définissez la classification du groupe B de la même façon. Tapez B dans la zone de saisie *Noms dans le classeur* puis la formule =95 dans la zone de saisie *Fait référence à*.

6. Cliquez sur OK.

7. Pour permettre à Excel d'effectuer la classification, entrez la formule suivante dans la cellule H3 :

```
=SI(G3<=A;"A";SI(G3<=B;"B";"C"))
```

Si la valeur en G3 est inférieure ou égale à 80, la lettre A s'inscrit dans la cellule H3. Si la valeur en G3 est inférieure à 95, la lettre B s'inscrit dans la cellule H3 et, dans tous les autres cas, la lettre C.

Exploiter et représenter les données

1. Passez à la deuxième feuille de calcul nommée ABC-2. Saisissez les titres ainsi que les données des colonnes A et B.

C3	▼	= {=SOMME(SI('ABC-1'!H3:H12="A";1;0))}			
	A	B	C	D	E	F
1			Exploitation de l'analyse			
2	N°	Catégorie	Nb articles	% / quantité	% / valeur	Valeur F
3	1	A	2	20	62,7	67500,00
4	2	B	3	30	31,5	33950,00
5	3	C	5	50	5,8	6270,00
6	Sommes		10	100	100,0	107720,00

▲ Fig. 17.9 : *Exploitation de l'analyse*

2. Pour déterminer combien de références d'articles appartiennent au groupe A, nous utilisons une formule matricielle dans la cellule C3 :

> {=SOMME(SI('ABC-1'!H3:H12="A";1;0))}

Tapez cette formule et validez-la avec la combinaison de touches **Ctrl + Maj + Entrée** afin qu'elle soit reconnue en tant que formule matricielle.

Copiez la formule en C4:C5 et remplacez "A" par "B" ou "C" selon le cas. Validez chaque fois avec **Ctrl + Maj + Entrée**.

3. La formule en C6 est : =SOMME(C3:C5).

4. Pour déterminer le pourcentage par rapport à la quantité, nous avons besoin de la formule suivante en D3 : =C3*100/ $C $6. Copiez cette formule vers D4:D5.

5. La formule en D6 est : =SOMME(D3:D5).

6. En E3, nous calculons de même le pourcentage par rapport à la valeur totale avec la formule : =F3*100/ $F $6.

7. La formule en E6 est : =SOMME(E3:E5).

8. Pour déterminer la somme des valeurs des différents groupes, nous avons besoin d'une formule matricielle. Tapez la formule ci-après en F3 :

```
{=SOMME(SI(ABC_1!H3:H12="A";ABC_1!D3:D12;0))}
```

Validez avec la combinaison de touches **Ctrl + Maj + Entrée**.

Copiez la formule en F4 et F5, en remplaçant "A" par "B" ou "C" et validez chaque fois avec **Ctrl + Maj + Entrée**.

Dans le tableau ci-dessus, vous constatez que les produits du groupe A représentent 20 % des quantités produites et 62,7 % de la valeur et qu'inversement les articles du groupe C représentent 50 % des quantités produites, mais seulement 5,8 % de la valeur. Cette entreprise a par conséquent tout intérêt à accorder une très grande attention aux articles du groupe A car une augmentation de la production dans ce domaine ferait croître fortement le bénéfice. Une telle augmentation n'aurait en revanche que peu d'effet avec les articles du groupe C.

Si vous le souhaitez, vous pouvez représenter les résultats de cette analyse dans un graphique. Le graphique à bulles convient fort bien pour ce cas de figure. Sélectionnez les valeurs des colonnes A, D et E dans la feuille de calcul ABC-2. Activez l'Assistant Graphique puis sélectionnez le type de graphique *Bulle* (voir fig. 17.10).

Astuce

Convertir une formule matricielle en valeurs individuelles

Pour convertir une formule matricielle en son résultat, il convient de sélectionner d'abord toute la matrice puis de choisir la commande **Édition/Copier**. Choisissez ensuite la commande **Édition/Collage spécial** et sélectionnez l'option *Valeurs*. Cliquez sur OK.

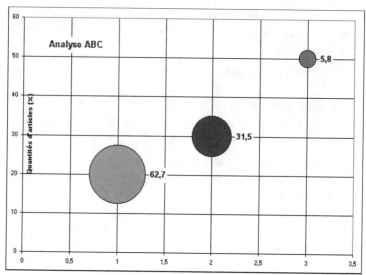

▲ Fig. 17.10 : *Le résultat de l'analyse représenté sous forme de graphique à bulles*

17.4 Simulation avec Excel

Un des premiers programmes de simulation de l'espace vital fut le jeu "Life" de J. Conway en 1970. Il s'exécutait alors sur un gros ordinateur de type DEC PDP-7 et simulait la croissance d'une culture de bactéries sous certaines conditions initiales. Le principe de base de ces programmes est qu'en partant d'une population originale on détermine la génération suivante par mutation et sélection d'après certaines règles. En fonction de la situation initiale, la population peut croître de manière illimitée, se développer en un motif périodique qui se répète inlassablement ou s'éteindre.

Le jeu se déroule dans un espace à deux dimensions composé de cellules qui sont actives ou inactives en fonction de l'état des cellules voisines.

La structure en cellules de la simulation d'espace vital permet de penser que l'on pourrait aussi réaliser la même chose avec un tableur, surtout si celui-ci dispose d'un langage de programmation. Dans cet exemple, nous réalisons cette expérience dans une feuille de calcul Excel.

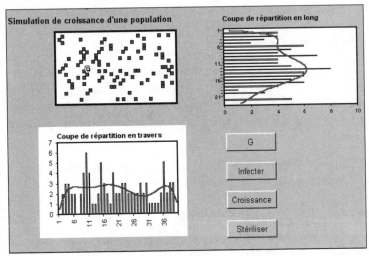

▲ Fig. 17.11 : *Simulation d'un processus de croissance*

La feuille de calcul Vie représente la simulation d'une culture bactériologique et sa répartition dans l'espace vital au moyen de graphiques en histogramme et à barres. En cliquant sur le bouton **Stériliser**, vous pouvez d'abord détruire toutes les bactéries existantes. Avec le bouton **Infecter**, vous pouvez générer une population initiale dont la croissance peut être démarrée à l'aide du bouton **Croissance**, sur la base de règles génériques définies dans un module VBA.

Les règles ci-après déterminent si une bactérie naît, survit ou meurt :

■ Chaque cellule possédant deux ou trois voisins survit pour la génération suivante.

■ Chaque cellule possédant quatre voisins ou davantage meurt en raison de la surpopulation. Chaque cellule qui ne possède qu'un voisin ou pas de voisin du tout meurt d'isolement.

■ Chaque cellule vide entourée de trois voisins exactement donne lieu à la naissance d'une nouvelle bactérie.

Procédez de la façon suivante pour réaliser ce jeu :

1. Dans un classeur, changez le nom d'une feuille de calcul en Vie. La plage de cellules B2:AO24 sert à la représentation des bactéries. Les cellules correspondant à une bactérie sont représentées en rouge et ont la valeur 1.

Donnez la largeur 0,42 à toutes les colonnes de cette plage de cellules et la hauteur 4 à toutes les lignes. Une copie de cet espace est nécessaire dans la plage de cellules B40:AO62. Vous devez par conséquent donner également la hauteur de ligne 4 pour cette plage de cellules.

2. Ouvrez l'Éditeur Visual Basic, ajoutez un module VBA et tapez le code ci-après.

```
Const max_lignes = 24
Const max_colonnes = 41
Const g_max = 100
Const Copie_offset_lignes = 38
Const Pop_max = 100
Dim g, zligne, zcolonne As Integer
Sub Effacer()
g = 0
    Application.ScreenUpdating = False
    Range("B2:AO24").Select
    With Selection
     .ClearContents
     .Interior.ColorIndex = xlNone
     .Borders(xlLeft).LineStyle = xlNone
     .Borders(xlRight).LineStyle = xlNone
     .Borders(xlTop).LineStyle = xlNone
     .Borders(xlBottom).LineStyle = xlNone
     .BorderAround Weight:=xlThick, ColorIndex:=xlAutomatic
     End With
    Application.ScreenUpdating = True
    Sheets("Vie").Cells(28, 45) = g
    Sheets("Vie").Cells(28, 45).Select
End Sub
Sub Copier_Vie()
```

```
    Range("B2:A024").Select
    Selection.Copy
    Range("B40").Select
    Selection.PasteSpecial _
        Paste:=xlAll, _
        Operation:=xlNone, _
        SkipBlanks:=False, _
        Transpose:=False
    Range("A1").Select
    Application.CutCopyMode = False
End Sub
Function Bacterie(x, y As Integer, _
Color As Integer, Contenu As Boolean) As Boolean
    If Contenu = True Then
        Sheets("Vie").Cells(x, y).Select
        Sheets("Vie").Cells(x, y) = 1
        With Selection.Interior
          .ColorIndex = Color
          .Pattern = xlSolid
        End With
        Selection.BorderAround Weight:=xlThin, ColorIndex:=1
    Else
        Sheets("Vie").Cells(x, y).Select
        Sheets("Vie").Cells(x, y) = 0
        With Selection
          .Interior.ColorIndex = xlNone
          .BorderAround LineStyle:=xlNone
          .Borders(xlLeft).LineStyle = xlNone
          .Borders(xlRight).LineStyle = xlNone
          .Borders(xlTop).LineStyle = xlNone
          .Borders(xlBottom).LineStyle = xlNone
        End With
    End If
End Function
Function Nombre_voisins(x, y As Integer) As Integer
    Nombre_voisins = _
      Sheets("Vie").Cells(x, y - 1) _
      + Sheets("Vie").Cells(x + 1, y - 1) _
      + Sheets("Vie").Cells(x + 1, y) _
      + Sheets("Vie").Cells(x + 1, y + 1) _
```

```
      + Sheets("Vie").Cells(x, y + 1) _
      + Sheets("Vie").Cells(x - 1, y + 1) _
      + Sheets("Vie").Cells(x - 1, y) _
      + Sheets("Vie").Cells(x - 1, y - 1)
End Function
Sub Def_population()
 Application.ScreenUpdating = False
 Count = 1
 While Count < Pop_max
  Randomize
  zligne = Int(((max_lignes - 3) * Rnd) + 3)
  zcolonne = Int(((max_colonnes - 3) * Rnd) + 3)
  succes = Bacterie(zligne, zcolonne, 3, True)
  Count = Count + 1
 Wend
 Application.ScreenUpdating = True
End Sub
Sub Def_glissement()
    Range("B3:H9").Select
    Selection.FormulaR1C1 = "0"
    Selection.Interior.ColorIndex = xlNone
    Range("D6,E7,F7,F6,F5").Select
    Range("F5").Activate
    Selection.FormulaR1C1 = "1"
    With Selection.Interior
        .ColorIndex = 7
        .Pattern = xlSolid
    End With
    Range("M9").Select
End Sub
Sub Generation()
Dim NaZa As Integer
Dim Row, Column As Integer
Application.ScreenUpdating = False
Copier_Vie
For Row = 3 + Copie_offset_lignes _
To max_lignes - 1 + Copie_offset_lignes
  For Column = 3 To max_colonnes - 1
    NaZa = Nombre_voisins(Row, Column)
    If _
```

```
        ((Sheets("Vie").Cells(Row, Column) = 1) And _
        (NaZa = 2 Or NaZa = 3)) Or _
        ((Sheets("Vie").Cells(Row, Column) = 0) And _
        (NaZa = 3)) Then
        succes = Bacterie(Row - Copie_offset_lignes, _
        Column, NaZa + 1, True)
    Else
        succes = Bacterie(Row - Copie_offset_lignes, _
        Column, xlNone, False)
    End If
  Next
Next
Application.ScreenUpdating = True
End Sub
Sub Life()
  g = 1
  While g < g_max + 1
    Generation
    Sheets("Vie").Cells(28, 45) = g
    g = g + 1
  Wend
End Sub
```

3. Insérez quatre boutons sur la feuille de calcul et affectez-leur des macros de la manière suivante :

   - Le bouton **Infecter** à la procédure Def_population.
   - Le bouton **G** à la procédure Def_glissement.
   - Le bouton **Stériliser** à la procédure Effacer.
   - Le bouton **Croissance** à la procédure Life.

4. Entrez la formule suivante en AP2 :

   ```
   =SOMME(B2:AO2)
   ```

   Copiez cette formule jusqu'à la cellule AP25.

5. Entrez la formule suivante en B25 :

   ```
   =SOMME(B1:B24)
   ```

Copiez cette formule jusqu'à la cellule AO25.

6. Sélectionnez la plage de cellules AP2:AP24 et insérez un graphique à barres sur cette même feuille. Sélectionnez la série de données sur le graphique et ajoutez une courbe de tendance en optant pour le type Polynomial et la valeur 6 pour l'ordre.

7. Procédez de même pour la plage de cellules B25:AO24, mais en sélectionnant cette fois un graphique de type histogramme.

8. Disposez le graphique en histogramme sous l'espace alloué à la population de bactéries et le graphique à barres à droite.

Vous pouvez maintenant faire vos expériences avec le programme. Il est intéressant d'observer comment, à partir de cultures de bactéries générées de manière aléatoire, naissent, croissent et meurent de nouvelles populations.

Une "configuration bactériologique" intéressante est générée lorsque vous cliquez sur le bouton **G**. Observez le comportement de cette population quand vous démarrez le processus de croissance en cliquant sur le bouton **Croissance**.

17.5 Théorie du chaos dans la feuille de calcul

La théorie du chaos et la géométrie fractale sont toujours des termes à la mode, et les revues informatiques leur consacrent régulièrement quelques pages. Vous pouvez aussi faire des essais avec Excel 2000.

C'est le mathématicien français Benoît Mandelbrot qui est en quelque sorte le père de la géométrie fractale. L'ensemble de Mandelbrot est un ensemble de nombres situé au niveau des nombres complexes. Lorsque l'on applique à des nombres complexes une opération mathématique bien précise de manière répétitive, les nombres situés en dehors de l'ensemble fuient vers l'infini tandis que ceux qui se trouvent dans l'ensemble varient à l'intérieur de cet ensemble. Aux limites de l'ensemble de nombres, des structures de plus en plus détaillées et d'une beauté graphique fascinante marquent l'amorce de l'instabilité et du chaos. L'expérimentation avec l'ensemble de Mandelbrot est captivante car elle ouvre de nouvelles visions sans cesse renouvelées de l'univers des nombres au bord du chaos.

Quel est le rapport entre l'ensemble de Mandelbrot et Excel ? Aucun, sinon le fait que le premier peut être généré et représenté sous forme de graphique par le second. Vous pourriez sans problème faire la même chose avec n'importe quel langage de programmation. La particularité de l'expérimentation avec l'ensemble de Mandelbrot à l'aide d'Excel vient du fait qu'il est généré et représenté dans une feuille de calcul, ce qui permet de l'analyser et de le documenter à l'aide des très nombreuses fonctions intégrées d'Excel ou de le représenter sous forme de graphique.

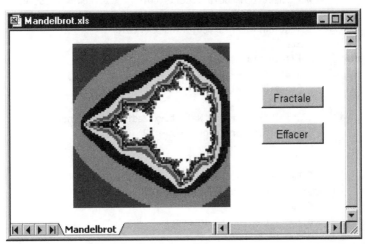

▲ Fig. 17.12 : *Représentation de l'ensemble de Mandelbrot*

Calculer l'ensemble de Mandelbrot avec Excel

1. La représentation graphique occupe la plage de cellules B2:CW100. Les colonnes B à CW ont une largeur de 0,17 et les lignes 2 à 100 une hauteur de 2.

2. Ajoutez ensuite un module VBA dans le classeur et tapez le code source VBA ci-après :

```
Const pmin = -2.25
Const pmax = 0.75
Const qmin = -1.5
Const qmax = 1.5
Const r_max = 50
Const k_max = 50
Const xres = 100
Const yres = 99
Const MaxColors = 16
Dim ak As Integer
Dim k As Integer
Dim dp, dq, p, q, x, x_alt, y As Single
Dim z, s, u_f As Integer
Sub PutPixel(Row, Column, Color As Integer)
  Worksheets("Mandelb").Cells(Column + 1, Row + 1).Select
  Worksheets("Mandelb").Cells(Column + 1, Row + 1) = Color
  Selection.Interior.ColorIndex = Color
End Sub
Sub Efface_fractale()
Application.ScreenUpdating = False
    Range("B2:CW100").Select
    With Selection
        .BorderAround Weight:=xlMedium, ColorIndex:=30
        .Interior.ColorIndex = 19
        .ClearContents
    End With
    Range("CZ5").Select
Application.ScreenUpdating = True
End Sub
Sub iterat(np, nq As Integer)
  p = pmin + np * dp
  q = qmin + nq * dq
  k = 0
  x = 0
  y = 0

  Do
    x_alt = x
    x = x * x - y * y + p
    y = 2 * x_alt * y + q
```

```
    k = k + 1
Loop Until (x * x + y * y > r_max) Or (k = k_max)
If k = k_max Then
    k = 0
End If
    z = np
    s = yres - nq
    u_f = k Mod ak
PutPixel z, s, u_f
End Sub
Sub Mandel()
Dim np, nq As Integer
    ak = MaxColors + 1
    dp = (pmax - pmin) / xres
    dq = (qmax - qmin) / yres
For np = 1 To xres - 1
    For nq = 0 To yres - 1
        iterat np, nq
    Next
Next
End Sub
```

3. Insérez dans la feuille de calcul les boutons **Fractale** et **Effacer** et affectez-les respectivement aux procédures Mandel et Efface _fractale.

4. Cliquez sur le bouton **Fractale** pour générer l'ensemble de Mandelbrot.

5. Pour mieux visualiser le principe de l'ensemble de Mandelbrot, vous pouvez insérer à droite du motif obtenu un graphique représentant les valeurs de la fonction Qc(z) comme sur l'illustration ci-après. Vous pouvez sélectionner une plage de cellules quelconque de l'ensemble. Dans l'exemple, nous avons sélectionné la plage B68:CW68. Insérez un graphique en nuages de points, variante 4, à côté de l'image de l'ensemble. Effectuez la mise en forme à votre guise.

Le graphique montre parfaitement le comportement des valeurs de la fonction selon qu'elles se situent à l'intérieur, en marge ou à l'extérieur de l'ensemble de Mandelbrot.

L'intérêt de l'expérimentation avec l'ensemble de Mandelbrot consiste à faire varier l'extrait représenté en modifiant les coordonnées correspondantes. Dans le programme VBA sont déclarées des constantes nommées **pmin** et **pmax**. Elles correspondent à la plage de coordonnées de la partie réelle, tandis que les constantes **qmin** et **qmax** représentent la plage de coordonnées de la partie imaginaire des nombres complexes. En faisant varier ces coordonnées, vous pouvez naviguer dans l'ensemble de Mandelbrot et modifier ainsi l'extrait représenté. Les coordonnées originales du module VBA sont choisies de manière à représenter la partie centrale de l'ensemble. L'illustration ci-dessous montre un extrait obtenu avec la plage de coordonnées pmin = -0,85, pmax = -0,55, qmin = -0,5 et qmax = -0,3.

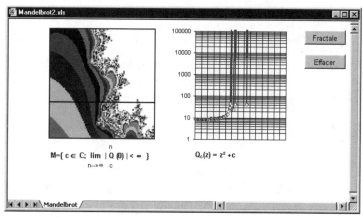

▲ Fig. 17.13 : *Le bord chaotique de l'ensemble de Mandelbrot*

Chapitre 18

Personnaliser Excel

18.1	Passage à Excel 2000	513
18.2	Les options avec lesquelles vous pouvez "jouer"	519
18.3	Résoudre les menus problèmes	523

Excel 2000 se présente avec certains paramètres par défaut : tout nouveau classeur contient par exemple trois feuilles de calcul et les références sont du style A1.

Ces paramètres peuvent être changés. Choisissez la commande **Outils/ Options** afin d'ouvrir la boîte de dialogue **Options**. Les possibilités de personnalisation offertes par cette boîte de dialogue sont nombreuses et variées, et nous ne pouvons les expliquer toutes dans cet ouvrage. Il serait judicieux de consacrer quelques instants pour étudier de près chacun des onglets.

Rappelez-vous qu'en cliquant sur le bouton **Aide** dans la barre de titre de la boîte de dialogue vous activez l'aide contextuelle et qu'il vous suffit alors de cliquer sur l'option qui pose problème pour obtenir des informations appropriées.

Nous vous présentons ci-après les principales options des onglets **Général** et **Affichage**.

18.1 Passage à Excel 2000

La principale modification à faire éventuellement si vous passez d'une ancienne version d'Excel à Excel 2000 concerne le format de fichier. Si vous comptez enregistrer vos classeurs afin de les réutiliser dans d'anciennes versions d'Excel ou en tant que pages Web, vous pouvez sélectionner le type de fichier que vous prévoyez d'employer le plus souvent. Par défaut, Excel enregistre les classeurs au format Excel 2000. Si toutefois beaucoup de personnes de votre entourage utilisent encore une ancienne version d'Excel, par exemple la version 5.0, vous pouvez sélectionner le format Classeur Microsoft Excel 5.0/95 ou un des doubles formats proposés. Si vous créez souvent des feuilles de calcul et graphiques destinés au Web, vous pouvez sélectionner le type Page Web (*.htm, *.html) comme type de fichier par défaut.

Remarque

Qu'est-ce qu'un double format de fichier ?

Lorsque vous enregistrez un classeur au format Classeur Microsoft Excel 97-2000 & 5.0/95, le classeur est enregistré dans un fichier contenant aussi bien le format Excel 97/2000 que le format Excel 5.0/95. Les utilisateurs d'Excel 2000 peuvent donc continuer à travailler avec ces classeurs sans perdre aucune caractéristique ou mise en forme spécifique à la version 2000. Lorsque des utilisateurs d'Excel 5.0 ou Excel 95 ouvrent le classeur, un message s'affiche pour recommander une ouverture en lecture seule. Si le classeur est malgré tout enregistré dans un format de fichier d'une précédente version, aucune caractéristique ni mise en forme spécifique à Excel 2000 ou 97 n'est enregistrée. Pour éviter de perdre des mises en forme ou d'autres éléments du contenu d'un fichier, vous pouvez le doter d'une protection en écriture.

Le format de fichier par défaut peut être sélectionné sur l'onglet **Transition** de la boîte de dialogue **Options** (voir fig. 18.1).

Les paramétrages suivants sont prévus sur l'onglet **Transition** :

- *Type de fichiers par défaut* : permet de sélectionner le type de fichier par défaut pour l'enregistrement des classeurs.

- *Autre touche d'accès aux menus ou à l'aide* : indiquez ici une touche servant à activer la barre de menus d'Excel.

- *Touches alternatives de déplacement* : active un groupe alternatif de touches pour la navigation dans les feuilles de calcul, la saisie des formules et intitulés et d'autres actions.

- *Autre interprétation des formules* : ouvre les fichiers Lotus 1-2-3 et les lit sans perte ni altération des informations. Si l'option est active, Excel considère les chaînes de caractères comme étant égales à 0, les expressions booléennes à 0 ou 1 et les critères de base de données sont évalués conformément aux règles de Lotus 1-2-3.

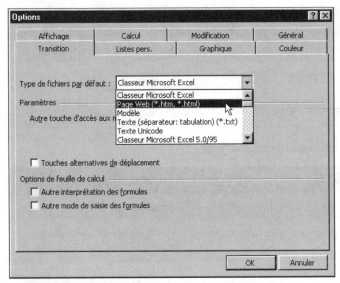

▲ Fig. 18.1 : *L'onglet Transition de la boîte de dialogue Options*

■ *Autre mode de saisie des formules* : convertit dans la syntaxe d'Excel les formules saisies dans la syntaxe utilisée par Lotus 1-2-3 version 2-2 et fait en sorte que les noms définis se comportent dans Excel comme dans Lotus 1-2-3.

Les caractéristiques ci-après ne sont pas conservées lorsque vous enregistrez un classeur Excel 2000 au format de fichier Excel 5.0/95.

Classeur Excel

Tab. 18.1 : Classeur Excel	
Format de classeur Excel 2000	Format de classeur Excel 5.0/95
65 536 lignes par feuille de calcul	Toutes les lignes sont supprimées à partir de la ligne 16 384.
32 767 caractères par cellule	Tous les caractères à partir du 255e sont supprimés.

Tab. 18.1 : Classeur Excel

Format de classeur Excel 2000	Format de classeur Excel 5.0/95
Affichages personnalisés définis pour un classeur	Non enregistrés.
Barres d'outils attachées	Non enregistrées.

Caractéristiques de mise en forme

Tab. 18.2 : Caractéristiques de mise en forme

Format de classeur Excel 2000	Format de classeur Excel 5.0/95
Texte mis en forme avec l'option *Ajuster*	Le texte est enregistré avec la taille de caractères qu'il avait avant l'application de l'option *Ajuster*.
Texte incliné	Le texte orienté autrement qu'à 90 °, -90 ° ou 0 ° est orienté à l'horizontale.
Retraits dans des cellules	Les retraits sont supprimés et les contenus des cellules alignés à gauche.
Cellules fusionnées	Les cellules sont dissociées de manière à rétablir la disposition d'origine. Les données sont placées dans la cellule supérieure gauche.
Mises en forme conditionnelles	Les mises en forme conditionnelles sont perdues. Les cellules sont mises en forme avec le style Normal.
Fonds	Les fonds ne sont pas enregistrés.
Nouveaux types de bordures	Les nouveaux types de bordures sont convertis dans les bordures les plus proches disponibles dans Excel 95.

Propriétés de graphiques

Tab. 18.3 : Propriétés de graphiques	
Format de classeur Excel 2000	Format de classeur Excel 5.0/95
Variantes Secteurs de secteur et Barres de secteur	Enregistré comme graphique à secteurs de type 1
Graphique à bulles	Enregistré en tant que graphique en nuages de points de type 1
Forme 3D pour points de données (cylindre, pyramide, cône)	Enregistrées en tant que graphique en histogramme 3D (forme rectangulaire)
Table de données dans les graphiques	Non enregistrée
Étiquettes d'axes et de données inclinées	Enregistrées en tant que texte horizontal
Dégradés et motifs sur les éléments de graphiques	Enregistrés à l'aide des couleurs et motifs similaires disponibles
Ombre des graphiques en surface	Non enregistrée
Axe chronologique (axe X avec format de date)	Format perdu, axe converti en un format normal
Ombre sur séries et points de données	Non enregistrée
Marques de points de données à taille variable des graphiques en courbes et nuages de points	Non enregistrées
Positions particulières des étiquettes de données	Enregistrées à la position standard
Rapports de graphique croisé dynamique	Enregistrés en tant que graphiques normaux

Tableau croisé dynamique, graphique croisé dynamique et accès aux données

Tab. 18.4 : Tableau croisé dynamique, graphique croisé dynamique et accès aux données

Format de classeur Excel 2000	Format de classeur Excel 5.0/95
Références en langage naturel dans les formules	Les références aux étiquettes de colonnes et de lignes sont converties dans la syntaxe du système de référence A1. Les noms des cellules et plages de cellules sont conservés.
Nouvelles fonctions de feuille de calcul non prises en charge dans Excel 95 ou version 5.0	Excel calcule la fonction avant l'enregistrement du fichier et remplace la formule par son résultat. La fonction LIEN_HYPERTEXTE est remplacée par la valeur d'erreur =#N/A.
Champs calculés, mises en forme et éléments calculés basés sur des tableaux de données structurés	Conservés jusqu'à la modification des données du tableau croisé dynamique.
Tableau croisé dynamique	Toutes les nouvelles caractéristiques sont perdues.
Requêtes Web et de sources de données externes	Les données de la dernière requête sont enregistrées, mais pas la requête elle-même.
Requêtes paramétrées	Ne peuvent être exécutées.

Caractéristiques Internet et de groupe de travail

Tab. 18.5 : Caractéristiques Internet et de groupe de travail

Format de classeur Excel 2000	Format de classeur Excel 5.0/95
Commentaires	Enregistrés en tant qu'annotations
Liens hypertextes	Non enregistrés
Suivi des modifications	L'historique des modifications est perdu
Classeurs partagés	Partage annulé

18.2 Les options avec lesquelles vous pouvez "jouer"

L'onglet Général

Les options définies sur l'onglet **Général** sont valables de manière générale et restent actives jusqu'à ce qu'elles soient à nouveau modifiées, c'est-à-dire même après que vous avez quitté puis redémarré Excel.

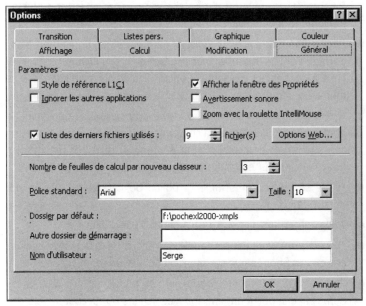

▲ Fig. 18.2 : *L'onglet Général de la boîte de dialogue Options*

- *Style de référence L1C1* : permet de passer du style de référence A1 au style L1C1.

- *Afficher la fenêtre des propriétés* : si l'option est cochée, la boîte de dialogue **Propriétés** s'affiche lorsque vous enregistrez un classeur pour la première fois, afin de vous permettre de saisir des informations sur l'auteur, le thème, des mots-clés ou une description.

- *Ignorer les autres applications* : lorsque la case à cocher est activée, les appels DDE (**D**ynamic **D**ata **E**xchange) sont ignorés. Il n'est pas possible, alors, d'échanger des données avec d'autres applications via DDE.

- *Avertissement sonore* : active le soulignement sonore des avertissements que vous adresse le programme.

- *Zoom avec la roulette IntelliMouse* : si vous possédez une souris Microsoft IntelliMouse, cette option vous permet de transformer la fonction de la roulette afin qu'elle serve au zoom et non plus au défilement de la feuille de calcul.

- *Liste des derniers fichiers utilisés* : permet de définir le nombre des derniers fichiers utilisés affichés au bas du menu **Fichier**. Lorsque la case à cocher est désactivée, aucun fichier n'est affiché dans ce menu. Le nombre maximal est 9.

- *Nombre de feuilles de calcul par nouveau classeur* : détermine le nombre de feuilles de calcul contenues dans un nouveau classeur à son ouverture. Un classeur peut contenir jusqu'à 255 feuilles. Un nouveau classeur en contient trois par défaut.

- *Police standard* : détermine la police de caractères utilisée par défaut dans le classeur.

- *Taille* : détermine la taille des caractères par défaut.

- *Dossier par défaut* : après son démarrage, Excel propose ce dossier par défaut pour l'enregistrement ou l'ouverture d'un classeur.

- *Autre dossier de démarrage* : permet de définir un dossier de démarrage supplémentaire. Tous les fichiers ou raccourcis vers des fichiers qui se trouvent dans ce dossier sont ouverts automatiquement au démarrage d'Excel. Le dossier de démarrage supplémentaire peut être utilisé par exemple pour ouvrir des classeurs ou modèles de classeurs qui sont enregistrés sur un lecteur réseau.

- *Nom d'utilisateur* : détermine le nom de l'utilisateur. Ce nom s'inscrit par défaut dans la zone de saisie *Auteur* de la boîte de dialogue **Propriétés**.

■ **Options Web** : un clic sur ce bouton ouvre une boîte de dialogue contenant cinq onglets et dans laquelle vous pouvez définir des options pour l'affichage et le comportement des données Excel lorsqu'elles sont affichées dans le navigateur Web.

L'onglet Affichage

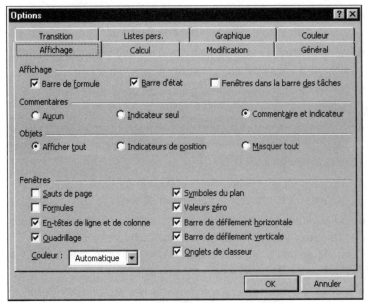

▲ Fig. 18.3 : *L'onglet Affichage de la boîte de dialogue Options*

Cet onglet propose des options pour le paramétrage de l'affichage d'Excel 2000 et des classeurs.

■ *Barre de formule* : affiche ou masque la barre de formule. Si vous avez l'habitude d'éditer les données directement dans les cellules, vous pouvez la masquer pour gagner un peu de place pour la feuille de calcul.

■ *Barre d'état* : affiche ou masque la barre d'état.

- *Fenêtres dans la barre des tâches* : cette option est activée par défaut, et chaque classeur ouvert est alors représenté par un bouton dans la barre des tâches. Si l'option est désactivée, les classeurs ouverts ne sont plus accessibles que par le menu **Fenêtre**.

- *Aucun* : active ou désactive l'affichage des commentaires. Si l'option est active, les commentaires ne sont plus signalés par une marque rouge dans le coin supérieur droit des cellules.

- *Indicateur seul* : visualise les commentaires au moyen d'une marque rouge dans le coin supérieur droit des cellules.

- *Commentaire et indicateur* : affiche la marque du commentaire et le commentaire lui-même.

- *Afficher tout* : tous les objets graphiques de la feuille de calcul sont affichés.

- *Indicateurs de position* : affiche les objets graphiques sous la forme de rectangles gris. Cette option peut accélérer considérablement la vitesse de défilement.

- *Masquer tout* : masque tous les objets graphiques. Les objets graphiques masqués ne sont pas imprimés non plus.

- *Sauts de page* : les sauts de page automatiques sont visualisés par des lignes lorsque vous demandez une impression ou passez en mode Aperçu avant impression. Désactivez cette case à cocher si vous ne voulez pas que ces lignes s'affichent.

- *Formules* : si cette case à cocher est active, les formules s'affichent dans les cellules à la place des résultats. L'option est désactivée par défaut et ce sont donc les résultats des formules qui figurent dans les cellules.

- *En-têtes de lignes et de colonnes* : les en-têtes de lignes et de colonnes s'affichent à l'écran lorsque cette case à cocher est activée.

- *Quadrillage* : cette option est activée par défaut et le quadrillage des feuilles de calcul s'affiche à l'écran. Si elle est désactivée, le quadrillage est masqué. Cette option n'a aucune influence sur l'impression du quadrillage.

- *Couleur* : ouvrez la liste déroulante et sélectionnez une couleur pour le quadrillage.

- *Symboles du plan* : affiche les symboles du plan lorsqu'un plan a été créé pour une feuille de calcul.

- *Valeurs zéro* : les valeurs zéro sont affichées à l'écran lorsque cette case à cocher est activée.

- *Barre de défilement horizontale* : affiche ou masque la barre de défilement horizontale.

- *Barre de défilement verticale* : affiche ou masque la barre de défilement verticale.

- *Onglets de classeur* : affiche ou masque les onglets des feuilles du classeur. Si un classeur ne contient qu'une seule feuille de calcul, il est judicieux de masquer l'onglet.

18.3   Résoudre les menus problèmes

Voici quelques menus problèmes que les utilisateurs rencontrent parfois avec Excel.

Toutes les commandes et fonctions ne sont pas disponibles dans Excel

- Assurez-vous que vous avez installé tous les composants. Il se peut que la commande que vous souhaitez utiliser fasse partie d'un composant optionnel dont l'installation est facultative.

- Assurez-vous que vous n'avez pas besoin d'une macro complémentaire. Il se peut en effet que la commande qui vous manque soit mise à disposition par une macro complémentaire.

- Assurez-vous que vous n'êtes pas en mode d'édition d'une cellule. De nombreuses commandes sont indisponibles pendant que vous êtes en train d'éditer une cellule. Vous vous trouvez en mode Édition lorsque le point d'insertion est positionné dans une cellule et que la mention "Modifier" figure dans la barre d'état.

- Assurez-vous que les menus et barres d'outils n'ont pas été modifiés. Si nécessaire, vous pouvez rétablir la composition initiale de tous les menus et barres d'outils.

- Assurez-vous que la commande ne se trouve pas uniquement dans le menu complet. Affichez le menu complet pour voir toutes les commandes qui y sont contenues.

- Assurez-vous que le classeur n'est pas partagé. Le cas échéant, la mention [Partagé] est inscrite dans la barre de titre. Certaines commandes et fonctions ne sont pas disponibles dans un classeur partagé.

- Assurez-vous que ce n'est pas un graphique qui est sélectionné. Certaines commandes ne sont pas accessibles dans ce cas.

- Assurez-vous que vous n'avez pas sélectionné un objet graphique ou une carte. Dans ce cas, vous n'avez accès qu'aux commandes concernant l'objet ou la carte. Pour accéder aux autres commandes, cliquez n'importe où en dehors de l'objet ou de la carte afin d'annuler la sélection.

- Assurez-vous que les commandes d'Excel 2000 n'ont pas changé. Il se peut qu'une commande à laquelle vous étiez habitué dans une précédente version d'Excel ait changé de nom ou n'existe plus dans Excel 2000.

La boîte de dialogue Options ne contient pas les paramètres que vous souhaitez modifier

De nombreux paramètres d'affichage sont des paramètres système de Windows. C'est le cas des couleurs des éléments des fenêtres, des formats par défaut pour les dates et l'heure, des paramètres régionaux, ainsi que des options d'interprétation des dates. Pour modifier ces options, choisissez la commande **Démarrer/Paramètres/Panneau de configuration**.

La commande Personnaliser est introuvable

- Il se peut qu'elle ait été supprimée du menu. Si vous avez supprimé la commande **Barres d'outils** du menu **Affichage**, voire le menu

Affichage ou **Outils** lui-même, cliquez avec le bouton droit de la souris sur un bouton quelconque d'une barre d'outils ou sur la barre de menus elle-même, puis choisissez la commande **Personnaliser** dans le menu contextuel.

- Pour rétablir la commande **Personnaliser**, cliquez avec le bouton droit de la souris sur une barre d'outils quelconque ou sur la barre de menus, puis choisissez la commande **Personnaliser** dans le menu contextuel. Laissez la boîte de dialogue **Personnaliser** ouverte. Cliquez avec le bouton droit de la souris sur le menu **Affichage**, puis choisissez la commande **Réinitialiser** dans le menu contextuel. Procédez de même pour rétablir la commande **Personnaliser** dans le menu **Outils**.

Pour rétablir un menu entier, par exemple le menu **Affichage** ou **Outils**, activez l'onglet **Commandes** dans la boîte de dialogue **Personnaliser**. Sélectionnez *Menus prédéfinis* dans la zone de liste *Catégories* puis faites glisser le menu **Affichage** ou **Outils** dans la barre de menus.

Excel ne trouve pas la macro complémentaire souhaitée

- Contrôlez le fichier de macro complémentaire sur votre ordinateur. Il se peut qu'il ait été renommé ou déplacé. Les macros complémentaires ont l'extension *.xla* et elles sont normalement stockées dans le dossier *Macrolib*, qui est un sous-dossier de votre dossier *Office*.

- Si la macro complémentaire est enregistrée sur le réseau, contrôlez le lecteur réseau. Il se peut que ce lecteur ne soit pas disponible. Pour être sûr de pouvoir utiliser la macro complémentaire même lorsque le lecteur réseau n'est pas accessible, enregistrez-en une copie sur votre propre ordinateur.

Chapitre 19

Index

&

&

Opérateur de concaténation. 157, 264

2000

An 2000. 41

.htm 387

.html 387

.iqy 438

.prn 252

.xla 525

.xlw 104

A

Abandonner une saisie 126

Absolue

Référence absolue. 159

Activer

un onglet. 66

une cellule. 19

une commande. 64

une feuille de calcul. 106

Actualiser les données 329, 381

Adresse

d'une cellule 122

FTP. 427

Afficher

des commentaires 522

des scénarios. 32

Afficher

et masquer des barres d'outils 74

la fenêtre des propriétés. 519

la table des données. 296

les formules. 522

les info-bulles 73

les menus 72

les symboles de légende. 296

ou masquer la barre de formule. 521

ou masquer la barre d'état 521

ou masquer les onglets. 523

tout. 356

un classeur masqué 114

une colonne masquée. 223

une fenêtre 60

une feuille de calcul masquée. 113

une ligne masquée. 221

Agrandir des éléments du graphique 301

Aide à la saisie 126

Ajouter

l'interactivité. 429

un classeur aux favoris. 95

un menu dans la barre de menus. 82

une commande dans un menu. 81

une contrainte 492

une courbe de tendance à une série de données. . . 306

une nouvelle ligne à une liste 341

une procédure 461

Ajuster 256

la hauteur de ligne. 220

la largeur de colonne 222

le graphique à la fenêtre. 302

Alignement 225

des contenus de cellule 224

An 2000 . . . . 41, 241

Analyser les résultats des scénarios 32

Ancrer une barre d'outils 76

Animation de menus 73

Annuler

la sélection d'un objet 281

une commande. 65

une saisie 20

une sélection en cours 132

ANSI 377

Aperçu

avant impression. 33, 254

des sauts de page 267

Argument 187

Arithmétique

Opérateurs arithmétiques 156

Arrêter l'enregistrement d'une macro **472**

ASCII **377**

Assistant

Cube OLAP 373

Fonction 188

Graphique 275

Importation de texte 378

Tableau croisé dynamique 319, 376

Associer un commentaire à une cellule **412**

Atteindre **109**

des cellules nommées 173

Augmenter la taille de la police **228**

Automatique

Bouton Somme automatique 177

Format automatique 27

Mise en forme automatique d'une feuille de

calcul 27

Recopie automatique de listes 40

Axe

à angle droit 300

des abscisses 273

des ordonnées 273

des séries 290

du graphique 273

secondaire 292

B

Barre d'état **521**

Barre d'outils **63, 71, 464**

ancrée 75

Ancrer 76

Boîte à outils Contrôles 463

flottante 75

Graphique 280

Microsoft Map 310

Mise en forme 217

Visual Basic 445

Web 422

Barre

de défilement 523

de formule 19, 124, 280, 521

de fractionnement 116

de menus 62, 71

Base de données **205**

Requête de base de données 39

Boîte de dialogue **66**

Atteindre 109

avec onglets 71

Format de cellule 218

Imprimer 251

Mise en page 255

Naviguer dans une boîte de dialogue 70

Ouvrir 92

personnalisée 475

Boucle **455**

Aide 513

Annuler 126

Affecter une macro à un bouton 86, 449, 465

Aperçu avant impression 264

Aperçu des sauts de page 267

bascule 463

Couleur de remplissage 233

de navigation 106

Développer 72

Fermer 50

Imprimer 251

Nouveau 89

Somme automatique 177

Bulle

Info-bulle 63

C

Cadre de sélection 280
Calcul
   de valeur cible 208, 489
   Feuille de calcul. 17
   Imprimer une feuille de calcul 33, 251
   Insérer des sous-totaux dans la feuille de calcul. . . . 23
   Mise en forme automatique d'une feuille de
   calcul 27
   Saisir des données dans une feuille de calcul. 124
Calculer avec Excel 153
Caractères génériques 343
Cellule 121
   à définir. 209
   à modifier. 209
   active. 19
   Activer. 19
   Copier des cellules visibles. 140
   Définir un nom. 165
   Insérer les cellules coupées 141
   Modifier le contenu d'une cellule. 20
   Plage de cellules 22
   Pointeur de cellule. 19
   variable 31, 489
   vide. 346
Centrer un document sur la page 261
Champs
   calculés. 341
   de base de données 206
   de colonne. 323-324
   de données 323
   de largeur fixe 378
   de l'axe des catégories. 336
   de ligne. 323-324
   de page 323, 325
   de synthèse. 376
   délimités. 378
Changer le type de graphique d'une série de
données 291
Classe d'objet 458, 465
Classeur
   Partager. 403, 524
Clé de tri 345
Client/serveur 368
Coefficient de détermination 305

Collage spécial 26
Coller une image à un bouton 83
Colonne 121
   à répéter à gauche. 259
Combinaison
   avec Et 354
   avec Ou. 354
   de touches. 64
Commande Excel 61
Commentaire 136, 259, 412, 448
Comparaison
   Opérateurs de comparaison. 157
Composant 430
   feuille de calcul 431
   graphique 433
   Office pour le Web 429
   tableau croisé dynamique. 435
   Web. 37
Concaténation
   Opérateur de concaténation 157
Conflit
   Résolution des conflits 411
Contenu
   Modifier le contenu d'une cellule. 20, 135
Contraintes 492
Contrôle
   calendrier 483
   supplémentaire 483
Copier
   des boutons. 79
   des cellules 137
   et coller des cellules à l'aide du menu. 137
   la mise en forme 138
   les cellules visibles. 140
   les données filtrées vers un autre emplacement. . . 358
   un style 245
   une feuille de calcul. 115
   une formule. 24-25, 178
Corps de la procédure 454
Correction de formules 149
Couleur 230, 233-234
   de caractères. 228
   de quadrillage 523
   de remplissage. 233

standard 234

Créer

de nouvelles barres d'outils 80

des boîtes de dialogue 474

des formats de nombres 237

des noms 166

un cube OLAP 371

un graphique 274

un modèle 247

un nouveau style 244

un tableau croisé dynamique 320

une barre de menus personnalisée 81

une barre d'outils personnalisée 80

une correction automatique 147

une formule 3D 212

une formule 24

une liaison 185

une liste personnalisée 145

une synthèse des scénarios 32

Critères

calculés 363

de recherche 342

Croisé

Graphique croisé 39

Tableau croisé dynamique 38

Cube

Assistant Cube OLAP 373

OLAP 371

Curseur de fractionnement 116

D

Date et heure 123, 130, 242

DDE 520

Définir

des commentaires 412

des propriétés de fichiers 101

un nom dans la zone Nom 165

un nom par le biais du menu 166

un saut de page horizontal/vertical 268

un style par l'exemple 244

une bordure 232

une zone de critères 356

Démarrage

Page de démarrage 424

Démarrer

Excel 17, 48

Déplacer

des barres d'outils 75

des boutons 79

des cellules 140

des éléments du graphique 301

une barre de fractionnement 117

une barre d'outils ancrée 75

une barre d'outils flottante 76

une fenêtre 58

une feuille de calcul 115

Déprotéger un classeur 105

Détails 93

Dissocier un groupe 108

Document

Publier un document Excel sur un intranet 389

Donnée

Gérer des données sous forme de listes 339

Imprimer 33

Plage de données 21-22

Requête de base de données 39

Saisir 18, 21, 124

Travailler avec des listes de données 339

Dossier

de base du serveur intranet 388

de démarrage 520

parent 91

Partager un dossier pour le Web 405

Dynamique

Tableau croisé dynamique 38, 320

E

ECARTYPE 195
Éditer
   des boutons............................ 83
   les données dans la barre de formule. 124
   un commentaire......................... 413
Éditeur
   de boutons........................ 84, 465
   de code.............................. 470
Effacer
   un commentaire........................ 414
   une annotation........................ 414
Emplacement d'un graphique 280
Enregistrement
   automatique............................ 103
   précédent 341
   suivant 341
Enregistrer
   l'espace de travail 103
   un classeur 98
Enregistreur de macros 471
En-tête 260, 262
   de ligne et de colonne 20, 259, 522
   d'une procédure........................ 454
   personnalisé 263
Entreprise

Réseau Intranet......................... 37
Environnement
   de développement 445
   de travail 103
Erreur
   Valeurs d'erreur........................ 158
ET 354, 360
Étendue 254
Euro 41, 240
   Currency Tools......................... 240
EUROCONVERT 240
Événements 459
Excel
   Démarrer.............................. 17
   Installer............................... 41
   Personnaliser.......................... 513
   Publier un document Excel sur un intranet 389
   Utiliser le mode Plan 28
Exécuter
   une macro............................. 462
   une procédure 448
   une requête Web........................ 439
EXP 194
Explorateur de projets 446
Extension.xlw 104

F

Fenêtre 105
   active 58
   de classeur 54
   Déplacer.............................. 58
   du classeur actif........................ 60
   Excel................................. 51
   Propriétés......................... 446, 476
Fermer
   Bouton Fermer.......................... 50
   un classeur 105
   un menu contextuel 64
Feuille de calcul 17, 121

Activer................................ 106
dépendante............................ 184
groupée.............................. 107
Imprimer........................... 33, 251
Insérer des sous-totaux 23
Lier.................................. 184
Mise en forme automatique d'une feuille de
calcul 27
Saisir des données dans une feuille de calcul..... 124
source................................ 184
Fichier
   ASCII................................ 377

de requête Web. 438
HTML 419
Transfert de fichiers 426

Figer
des valeurs 186
les titres de lignes ou de colonnes. 118
les volets. 118

Filtre
automatique personnalisé. 352
élaboré 356

Filtrer
des enregistrements. 351
la liste sur place. 357
une liste à l'aide d'un filtre élaboré 357

Financière
Fonction financière. 190

Fonction **156, 187**
Assistant Fonction 188
de recherche 202
ECARTYPE. 195
financière. 190
Imbriquer une fonction 200
logique 197
mathématique 194
MOYENNE. 195
RECHERCHEV. 202
Recopier 142
SI. 198
SOMME. 177
statistique. 195

VC. 191

Format
ASCII. 377
automatique 27
de cellule. 218
de date 241
de fichier 422, 513
de police 73
de vue 3D 299
des objets du graphique 281
du commentaire. 414
HTML. 37, 387, 419
monétaire euro. 241
texte. 41

Formater des nombres **235**
Formulaire **475**
Formule **153**
à trois dimensions 211
Barre de formule 124
Copier. 24-25, 178
Créer. 24
matricielle. 498
Priorité des opérations dans une formule. 130
Saisir. 25

Fractionner une feuille de calcul **116**
FTP **386, 426**
Fusionner
des styles 246
plusieurs cellules. 224

G

Générer une série **143**
Géométrie fractale **506**
Gérer des données sous forme de listes **339**
Gestion
des feuilles de calcul 106
des fichiers 93

Gestionnaire
de macros complémentaires 473
de scénarios 30

Graphique **273**
3D. 289, 298
à barres. 283

à bulles. 286
boursier. 287
combiné. 291
Composant graphique. 433
croisé dynamique 39, 332
en aires. 284
en anneau. 288
en courbes. 284
en histogramme. 283
en radar. 286
en secteurs 288
XY à nuages de points 285

Grille 21, 339
Groupe de travail 108, 132

Grouper des feuilles de calcul 108, 132

H

HTML
  Format HTML................. 37, 387, 419, 421

HTTP 386

I

Identifier les contrôles **477**
Imbriquer une fonction **200**
Importer
  un fichier ASCII 378
  une liste de la feuille de calcul 146
Imprimer **251**
  Aperçu avant impression 33
  dans un fichier......................... 252
  des données 33
  une feuille de calcul 33, 251
Indicateur
  de commentaire 413, 522
  de position............................ 522
Info-bulle 63, 280, **304**
  Afficher............................... 73
Information
  Publier des informations sur un intranet......... 388
Insérer
  des cellules vides..................... 133
  des sous-totaux dans la feuille de calcul 23
  les cellules coupées..................... 141
  plusieurs feuilles...................... 112
  un lien hypertexte.................. 396, 422

  une courbe de tendance 306
  une ligne dans un tableau................. 20
  une ligne ou une colonne 133
  une nouvelle feuille de calcul 112
  une table des données dans le graphique....... 296
Insertion
  automatique........................... 148
  Point d'insertion........................ 20
Installer
  Excel................................ 41
Instance **458**
Instruction **448**
  Dim................................ 469
  VBA exécutable....................... 454
Intermédiaire
  Somme intermédiaire..................... 24
Internet **420**
  Explorer............................. 421
Interpréter des dates **242**
Intranet **385, 420**
  Publier des informations sur un intranet......... 388
  Publier un document Excel sur un intranet 389
  Réseau Intranet........................ 37

J

Jeu de caractères
  ANSI. 377

ASCII. 377

L

Largeur de colonne **222, 266**
Légende **274**
Liaison
  Créer. 185
Lien hypertexte **420-421, 435**
Lier des feuilles de calcul **184**
Ligne
  de titres. 346
  Insérer une ligne dans un tableau 20
Liste **93, 205**

des derniers fichiers utilisés 520
Gérer des données sous forme de listes. 339
personnalisée. **146, 347**
Recopie automatique de listes 40
Recopier des listes personnalisées 145
Travailler avec des listes de données. 339
LN **194**
Logique
  Fonction logique. 197
  Opérateur logique. 197

M

Macro complémentaire **473, 523, 525**
Map **309**
Marge **260, 266**
Masquer
  des barres d'outils 74
  des classeurs. 113
  des feuilles de calcul 113
  la barre de formule. 521
  la barre d'état 521
  les objets graphiques 522
  les onglets. 523
  une colonne 223
  une fenêtre active 60
  une ligne 221
Mathématique
  Fonction mathématique 194
Matrice **202**
Menu contextuel **47, 64**

de la poignée de recopie. 145
des onglets 107
Menu
  Barre de menus 62
  Fenêtre 58
Méthode AddItem **479**
Mettre en forme
  un rapport 331
  un tableau croisé dynamique. 331
Mise à jour
  des références externes 400
  d'une requête. 440
  dynamique des données. 377
Mise en forme **217**
  automatique d'une feuille de calcul. 27
  de colonnes. 222
  de lignes 220
  d'un commentaire. 414

d'un graphique croisé dynamique 333
Mixte
Référence mixte 160
Mode
Aperçu avant impression 33, 264
Création 450
Édition de texte 414
Édition 523
Utiliser le mode Plan 28
Modèle 246
de régression 305
Modifier
la forme de la barre de menus 76
la forme d'une barre d'outils 76

la hauteur de ligne 220
la taille d'une fenêtre 58
le contenu d'une cellule 20
ou supprimer une correction automatique 148
un enregistrement 344
un graphique 280, 297
un nom 170
une macro enregistrée 472
Module **446**
de classe 466
Mosaïque **59**
Mot de passe **105**
Motifs **233**
MOYENNE **195**

N

Nom 155
3D 213
de boutons 63
de fichier 264
de l'imprimante 252
de valeurs constantes 169
des champs 340
d'une feuille de calcul 264

Nombre **235**
de feuilles de calcul par nouveau classeur 520
Notation par point **460**
Numéro
de page 264
de série 123
Numéroter des pages **256**

O

Objet **458**
du graphique 281
ODBC **367**
Pilote ODBC 368
Office
Composant Web 37
Presse-papiers Office 39
OLAP
Assistant Cube OLAP 373
Cube OLAP 371
Technologie OLAP 39

Ombrage
de catégorie 312
de valeur 312
Onglet **66**
Activer 66
de feuille de calcul 112
On-Line Analytical Processing **371**
Open Database Connectivity **368**
Opérateur **156**
arithmétique 156
de comparaison 157

de concaténation 157
de référence 157
de texte 157
logique 197
Options **302**
d'impression 251
du graphique 280
Ordre de tri **346**
Organiser les fenêtres **59**

Orientation d'un document **256**
Ôter la protection du classeur **105**
OU **354, 361**
Ouvrir
un classeur 89, 95, 407
un environnement 104
un menu contextuel 64
une copie 91

P

Page de démarrage **424**
Papier **253**
Paramètres
du Solveur 493
système 524
Partager
un classeur 403
un dossier 404
Paysage **256**
Personnaliser
Excel 513
une barre d'outils 71, 76
Perspective **299-300**
Pied de page **260**
Pilote ODBC **368**
Plage
de cellules 22, 165
de données 21
Plan
Utiliser le mode Plan 28
Poignée **266**
de recopie 134, 143
Point
de donnée 273
d'insertion 20
Pointeur de cellule **19**
Police **227, 229**
de caractères 227

TrueType 253
Portrait **256**
Presse-papiers **38**
Priorité des opérations **130, 181**
Prise de décision **455**
Private **454**
Procédure **453**
d'événement 450, 460, 481
Function 454
privée 454
publique 454
Sub 454
Property Toolbox **433**
Propriété
(Name) 477
Caption 450, 476
de fichier 97
de format 314
de l'imprimante 252
Value 478
Propriétés **93, 450, 458-459**
Protéger
la structure d'une fenêtre 104
un fichier contre l'accès en écriture 91
Public **454**
Publier
des informations sur un intranet 388, 399
un document Excel sur un intranet 389

Q

Quadrillage **259, 522**
Qualité
    brouillon 259

d'impression 256
Quitter Excel **50**

R

Rapport
    de la sensibilité 494
    de tableau croisé dynamique 320
    des limites 494
    des réponses 494
Recherche
    Fonction de recherche 202
Rechercher des enregistrements 342
RECHERCHEV 202
Recopier
    des listes personnalisées 40, 145
    Fonction Recopier 142
Récupérer les données d'un site Web **425**
Rédiger une formule **25**
Réduire la taille d'une police **228**
Référence **153**
    absolue 159
    de cellule 109, 155
    externe 109, 184, 399
    L1C1 absolue/relative 164
    mixte 160
    Opérateurs de référence 157
    relative 25, 159
Régler les marges d'un document **266**
Règles
    de tri 346
    pour la définition de noms 167
Régression **305**

Réinitialiser **525**
    la barre d'outils 80
    les menus 73
Relative
    Référence relative 25, 159
Renommer une feuille de calcul **112**
Renvoi à la ligne **226**
Repère de carte personnalisé **315**
Répertoire de base **388**
Répéter des commandes **64**
Représenter des données sur des cartes **309**
Requête
    de base de données 39
    Web 420, 438
Réseau
    Intranet 37
    TCP/IP 385
Résolution des conflits **411**
Restaurer une barre d'outils **79**
Rétablir
    des commandes 66
    la composition initiale des menus et barres
    d'outils 524
    le bouton d'origine 86
    tous les sauts de page 269
Retirer des boutons d'une barre d'outils **78**
Rotation **300**
    d'un graphique 3D 298

S

Saisie
Abandonner une saisie 126
Annuler 20
des critères de recherche 342
des références relatives/absolues/mixtes 161
du code VBA 448
semi-automatique des valeurs de cellule 127
Saisir des données **18, 340**
dans une feuille de calcul 19, 124
à l'aide de la grille 21
Saisir
des nombres dans une formule 130
des textes automatiquement 148
un nombre 129
une date 129
une formule 25
Sauts de page **268, 522**
automatique/manuel 268
Scénario
Afficher 32
Gestionnaire de scénarios 30
Synthèse des scénarios 32
Valeurs de scénarios 31
Se déplacer dans une feuille de calcul **108**
Secteurs **312**
Section
de déclaration 452, 454
de procédures 453
Sélection
multiple 131
par transparence 40
Sélectionner
des cellules en fonction de leur contenu 110
des cellules et plages de cellules 130
des colonnes et des lignes 132
des objets du graphique 280
la feuille de calcul 132
les données pour un graphique 274
un mot 125
un point de donnée 281
une cellule 131
une série de données 281
Séparateur décimal **122**
Série de données **273, 277, 281**

Serveur
Internet 420
intranet 386
Web Personnel 386
SI
Fonction SI 198
Site Web **420**
Solveur **489**
Paramètres 493
Somme
Bouton Somme automatique 177
intermédiaire 24
Sous-totaux
Insérer des sous-totaux dans la feuille de calcul . . . 23
Spécifications d'une feuille de calcul **121**
Statistique
Fonction ECARTYPE 195
Fonction MOYENNE 195
Structure **104**
de contrôle 455
d'une feuille de calcul 121
hypertexte 394
Style **243**
de date courte 242
de référence L1C1 . . . . 162, 519
Sub **453**
Suivi des modifications **408**
Supprimer
des cellules 135
des lignes ou des colonnes 134
des références externes 186
l'enregistrement courant 341
un élément du graphique 298
un filtre 355
un nom 170
un saut de page 269
un style 245
un tableau croisé dynamique 331
une barre d'outils personnalisée 83
une courbe de tendance 309
une liste personnalisée 146
Symbole
de l'euro 241
de proportion 312

du mode Plan. 29
du plan 523
Synthèse
des données. 323

des scénarios. 32
Système
1900/1904. 123
de dates 123

T

Table des données **296**
Tableau
croisé dynamique. 38, 319, 328, 376
Insérer une ligne dans un tableau 20
Taille
de caractères 227, 229
des éléments du graphique. 301
Tavailler avec des listes de données **339**
TCP/IP
Réseau TCP/IP. 385
Technologie OLAP **39**
Tendance **305**
Test_logique **199**
Texte
Format texte 41
Opérateurs de texte 157
Théorie du chaos **506**
Tilde **343**
Titre
à imprimer. 259
de la boîte de dialogue. 476
des colonnes 340
du graphique. 278

répété sur chaque page. 259
Traitement des cellules vides **303**
Transfert de fichiers **426**
Transition **514**
Transparence
Sélection par transparence. 40
Travailler
avec Excel. 47
avec le Gestionnaire de scénarios. 30
avec un classeur partagé 407
Tri **345**
Trier
des listes. 344
par colonnes 350
par lignes. 345
Type de graphique **275, 280, 282**
par défaut 296
personnalisé 294
Type **452**
de données. 122, 380, 452
de fichier par défaut 422, 513
prédéfini 294

U

Unicode **40**
URL **424, 437**
UserForm **475**

Utiliser
des noms dans des formules. 165
le mode Plan. 28

V

Valeur
  à atteindre 209
  cible 208, 298
  de date et d'heure 123
  de scénarios 31
  d'erreur 123, 158
  logique 123
  négative 122
  numérique 122
  zéro 523
Valeur_si_faux **199**
Valeur_si_vrai **199**
Valider une entrée **71**
Variable **452**
  dépendante/indépendante 305

Variant **452**
Variantes de graphiques prédéfinies **293**
VBA **41, 445**
VC **191**
Vertical **59**
Visible
  Copier des cellules visibles 140
Visual Basic
  Edition Applications 445
  Editor 445
Visualiser
  le code 463
  un commentaire 413
Vue 3D **298**

W

Web
  Composant Office pour le Web 429
  Composant Web 37

Partager un dossier pour le Web 405
World Wide Web **421**

X

XLOuvrir **95**

Z

Zone
  de critères 206, 356, 362
  d'impression 258
  Nom 20, 109, 280

Objets du graphique 280
Style 244
  2

Aubin Imprimeur

LIGUGÉ, POITIERS

Composé en France par Jouve
18, rue Saint-Denis 75001 Paris

Achevé d'imprimer en juillet 1999
Nº d'impression L 58620
Dépôt légal juillet 1999
Imprimé en France